9급/7급 공무원 시험대비 **전면개정판**

박문각 공무원 파이널 모의고사

이명훈 행정학

실전 동형 12회분

| 실전에 효과적인 양질의 모의고사
| 최신 개정 법령 및 출제경향 반영
| 이론의 빈틈을 없애는 명쾌한 해설

이명훈 편저

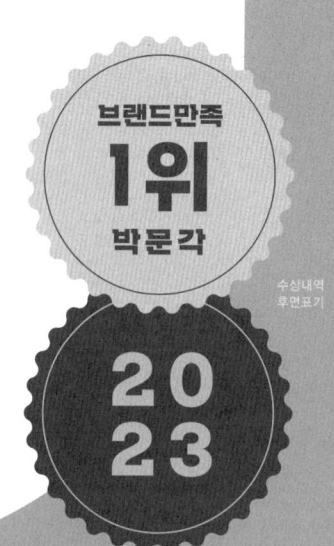

시험 직전
최종 마무리 모의고사

PMG 박문각

머리말
PREFACE

객관식 시험에서 고득점을 하는 방법은 기본 내용을 숙지한 후 다양하고 질 좋은 문제를 많이 다루어 보는 것입니다. **이명훈 행정학 파이널 모의고사**는 이와 같은 문제풀이의 중요성에 비추어 출제 가능성이 높은 행정학의 중요 쟁점들과 최근 개정 법령사항을 중심으로 총 12회분의 문제를 수록하고, 문제와 관련된 핵심적이고 중요한 사항을 자세하고 명확하게 정리하였습니다.

<이명훈 행정학 파이널 모의고사>는.......

첫째, 출제 가능성이 높은 행정학의 중요 내용들을 문제화하였습니다.

이 문제집은 출제 가능성이 있는 행정학의 중요 내용들을 문제화하고, 문제와 관련된 행정학의 주요 주제를 '핵심체크'로 정리하였습니다. 이 교재에 수록된 질 높은 문제와 해설에 정리된 '핵심체크'를 꼼꼼히 학습한다면 행정학 고득점으로 나아갈 수 있습니다.

둘째, 최근 개정된 법령을 문제화하고 정리하였습니다.

이 문제집은 최근 개정된 법령(주민투표법, 지방자치법, 주민조례발안법, 전자정부법, 국가재정법, 국가공무원법, 지방공무원법, 공무원노조법, 이해충돌방지법 등)의 중요 내용들을 문제화하고 정리하였습니다. 이 교재로 학습하는 경우 최근 개정된 법령 학습에 대한 고민을 해결할 수 있습니다.

이명훈 행정학
파이널 모의고사

셋째, 다소 난도 높은 지문들로 문제를 구성하였습니다.
　　이 문제집은 인사혁신처가 시행하는 실제 시험 문제와 동일한 수준 또는 다소 난도가 높은 문제들로 구성하였습니다. 수험생들이 이 문제집을 통해 문제 풀이를 연습할 경우 실제 시험에서는 보다 쉽게 접근할 수 있을 것입니다.

넷째, 출제 가능성이 높은 지문들로 문제를 구성하였습니다.
　　이 문제집의 모든 지문들은 출제 위원급 교수들의 자문과 점검을 받아 시험 전에 반드시 알아야 할 출제 가능성이 높은 지문들로 구성하였습니다.

　　칭기즈 칸은 "행동의 가치는 그 행동을 끝까지 이루는 데 있다.(The merit of an action lies in finishing it to the end.)"라고 하였습니다. 부디 **이명훈 행정학 파이널 모의고사**를 통해 그간의 학습 성과를 잘 정리하여 "꿈을 꾸는 자가 아닌 꿈을 이루는 자"가 되길 진심으로 소망합니다.

2023년 3월
이명훈

차례
CONTENTS

파이널 모의고사

제1회 파이널 모의고사	⋯ 8
제2회 파이널 모의고사	⋯ 12
제3회 파이널 모의고사	⋯ 16
제4회 파이널 모의고사	⋯ 20
제5회 파이널 모의고사	⋯ 24
제6회 파이널 모의고사	⋯ 29
제7회 파이널 모의고사	⋯ 33
제8회 파이널 모의고사	⋯ 37
제9회 파이널 모의고사	⋯ 42
제10회 파이널 모의고사	⋯ 46
제11회 파이널 모의고사	⋯ 50
제12회 파이널 모의고사	⋯ 54

이명훈 행정학
파이널 모의고사

정답 및 해설

제1회 정답 및 해설	⋯ 62
제2회 정답 및 해설	⋯ 66
제3회 정답 및 해설	⋯ 72
제4회 정답 및 해설	⋯ 77
제5회 정답 및 해설	⋯ 83
제6회 정답 및 해설	⋯ 88
제7회 정답 및 해설	⋯ 93
제8회 정답 및 해설	⋯ 99
제9회 정답 및 해설	⋯ 105
제10회 정답 및 해설	⋯ 110
제11회 정답 및 해설	⋯ 115
제12회 정답 및 해설	⋯ 120
빠른 정답 찾기	⋯ 126

시험 직전
최종 마무리 모의고사

박문각 공무원
이명훈 행정학

파이널 모의고사

파이널 모의고사 제1~12회

제 01 회 파이널 모의고사

01 시장실패 및 정부실패에 관한 설명 중 옳은 것끼리 묶인 것은?

㉠ 시장은 완전경쟁조건이 충족될 경우 효율적인 자원배분을 가져오지만, 그 전제조건의 비현실성으로 인해 시장실패를 야기할 수 있다.
㉡ 선거를 의식한 정치인들은 높은 시간할인율로 인하여 장기적인 이익과 손해의 현재가치를 높게 평가하므로 정부실패를 초래한다.
㉢ 시장실패의 원인으로는 외부효과보다는 내부효과가, 정부실패의 원인으로는 권력의 편재보다는 정보의 편재가 지적되고 있다.
㉣ 시장실패를 극복하기 위한 방안으로는 공적공급, 정부규제, 공적유도 등이 있으며, 이는 정부실패의 대응방안과 대립적이다.

① ㉠, ㉡
② ㉡, ㉢
③ ㉠, ㉣
④ ㉢, ㉣

02 정책의제형성모형과 관련된 설명으로 옳지 않은 것은?

① 콥과 로스(Cobb & Ross)의 '외부주도형'은 환경으로부터 이슈가 제기되어 최종적으로 정책의제로 성립되는 모형으로, 허쉬만(Hirshman)은 이를 압력된 의제라고 하였다.
② 메이(May)는 논쟁의 주도자가 국가이고 대중적 지지가 낮은 경우 '공고화형' 의제설정이 이루어진다고 보았다.
③ 킹던(Kingdon)의 '흐름 – 창모형'은 상호 분리되어 독립적으로 흐르는 문제의 흐름, 정책의 흐름, 정치의 흐름이 어떤 계기로 서로 우연히 결합했을 때 정책의 창이 열려 정책의제화 된다고 보았다.
④ 크렌슨(Crenson)의 '대기오염의 비정치화이론'은 이익은 분산되고 비용은 집중되는 전체적 문제는 정책의제화가 곤란하다고 보았다.

03 균형성과표(BSC)에 대한 설명 중 옳지 않은 것은?

① BSC는 재무와 비재무, 외부와 내부, 선행과 후행, 단기와 장기간에 균형을 이루는 성과관리체제이다.
② BSC의 성과지표들은 학습과 성장 관점의 성과동인으로부터 재무 관점의 향상된 재무성과에 이르기까지 인과관계로 연계되어야 한다.
③ BSC는 부서별 목표를 먼저 설정하고 그것을 토대로 조직전체의 목표를 작성하는 상향적 접근방식을 추구한다.
④ 기업의 BSC는 재무관점을 중시하지만, 행정의 BSC는 사명달성의 성과를 보다 중시할 필요가 있다.

04 직위분류제에 대한 설명으로 옳지 않은 것은?

① 같은 직급 내에서 담당 분야가 동일한 직무의 군을 직류라 한다.
② 한 사람의 직원에게 부여할 수 있는 직무와 책임을 직위라 한다.
③ 직무의 종류 및 곤란도와 책임도가 유사한 직위의 군을 직급이라 한다.
④ 담당하는 직위가 폐지되는 경우 공무원의 신분보장이 위협받는다.

05 참여예산제에 대한 설명으로 옳지 않은 것은?

① 예산편성, 심의·의결, 집행, 결산 등 예산의 전 과정에 주민이 참여하는 제도이다.
② 브라질 포르투 알레그리시(Porto Alegre)에서 시작되어 전 세계적으로 확산되었다.
③ 우리나라의 주민참여예산은 광주광역시 북구에서 최초로 시작되었다.
④ 우리나라의 국민참여예산은 2019년도 예산편성부터 시행되었다.

06 행정책임에 대한 설명으로 옳지 않은 것은?

① 프리드리히(C. J. Friedrich)는 전문기술적·과학적 기준에 따라야 할 기능적 책임과 국민의 요구에 의한 공무원 스스로의 자발적 책임을 강조하였다.
② 듀닉(Dubnick)과 롬젝(Romzek)의 행정책임의 유형 중 내부지향적이고 통제의 정도가 높은 책임성은 위계적 책임성이다.
③ 제도적 책임은 대응성 개념에 입각한 행정책임이라면 자율적 책임은 파이너(Finer)의 행정책임과 연계된다.
④ 정치행정이원론에서는 외재적 책임이 강조되며, 정치행정일원론에서는 내재적 책임이 강조된다.

07 현대 행정학의 주요 이론인 신공공관리론과 뉴거버넌스론은 많은 차이점에도 불구하고 공통점도 존재한다. 다음 중 공통점이라 할 수 없는 것은?

① 관료의 역할 ② 정부의 역할
③ 관료제 비판 ④ 분절화 현상

08 민츠버그(Mintzberg)의 조직유형론에 대한 설명으로 옳지 않은 것은?

① 핵심구성부문, 조정기제, 상황요인 등을 기준으로 개방체제적 관점에서 조직의 성장경로모형을 다섯 가지로 유형화하였다.
② 기계적 관료제는 수평적·수직적으로 집권화된 조직구조로 단순하고 안정적인 환경에 적합하다.
③ 전문적 관료제는 수평적·수직적으로 분권화된 조직구조로 높은 전문화와 낮은 공식화를 특징으로 한다.
④ 단순구조는 낮은 전문화와 낮은 공식화를 특징으로 하며, 단순하고 유동적인 환경에 적합하다.

09 우리나라의 주민참여제도에 대한 설명으로 옳은 것은?

① 주민투표에 부쳐진 사항은 주민투표권자 3분의 1 이상의 투표와 유효투표수 과반수의 득표로 확정된다.
② 지방자치단체의 19세 이상의 주민은 시·도는 500명, 인구 50만 이상 대도시는 300명, 그 밖의 시·군 및 자치구는 200명 이내에서 그 자치단체의 조례로 정하는 수 이상의 주민이 연대서명하여 감사를 청구할 수 있다.
③ 주민은 그 단체장 및 비례대표지방의회의원을 제외한 지방의회의원을 소환할 권리를 가지나, 외국인은 주민소환투표권을 가지지 못한다.
④ 주민조례발안은 지방의회에 청구하며, 지방의회는 주민청구조례안이 수리된 날부터 1년 이내에 주민청구조례안을 의결해야 한다.

10 다음은 윌슨(J. Q. Wilson)의 규제정치상황에 대한 표이다. 그 예가 잘못 연결된 것은?

구분		감지된 편익	
		넓게 분산	좁게 집중
감지된 비용	넓게 분산	㉠	㉡
	좁게 집중	㉢	㉣

① ㉠ - 신문·방송·출판물의 윤리규제, 차량 10부제, 낙태규제 등
② ㉡ - 방송국 설립 인가, 농산물 최저가격제, 독과점 규제 등
③ ㉢ - 환경규제, 식품 위생 규제, 원자력 안전규제 등
④ ㉣ - 의약분업, 한약규제, 노사분규에 대한 규제 등

11 우리나라의 예산편성과정에 대한 설명으로 옳지 않은 것은?

① 기획재정부장관은 국무회의의 심의를 거쳐 대통령의 승인을 얻은 다음 연도의 예산안편성지침을 각 중앙관서의 장에게 통보하고 국회의 본회의에 보고해야 한다.
② 우리나라의 예산서는 예산총칙 - 세입세출예산 - 계속비 - 명시이월비 - 국고채무부담행위순으로 구성되어 있다.
③ 「헌법」에 의하면 정부는 회계연도 개시 90일 전까지 예산안을 국회에 제출해야 하며, 국회는 예산안을 회계연도 개시 30일 전까지 의결해야 한다.
④ 「국가재정법」상 독립기관인 국회, 대법원, 헌법재판소, 중앙선거관리위원회와 감사원의 예산도 기획재정부와 예산협의과정을 거쳐야 한다.

12 시험의 타당성과 신뢰성에 대한 설명으로 옳은 것은?

① 타당성은 시험과 기준과의 관계의 문제이지만, 신뢰성은 시험 그 자체의 문제이다.
② 타당성이 높다고 해서 신뢰성이 반드시 높아지는 것은 아니지만, 신뢰성이 높다면 타당성도 반드시 높다.
③ 시험이 특정한 직위에 직결되는 실질적인 능력요소를 포괄적으로 검증하였는가에 관한 기준은 구성타당도이다.
④ 동시적 타당성 검증과 예측적 타당성 검증은 내용타당성을 검증하기 위한 수단이다.

13 행정이 추구해야 할 가치로서의 합리성에 관한 설명으로 옳지 않은 것은?

① 합리성은 수단의 합목적성에 입각한 목적·수단의 연쇄(means-ends chain) 내지 목적·수단의 계층제에 기초를 두고 있다.
② 사이먼(Simon)은 내용적 합리성과 절차적 합리성으로 구분하고 내용적 합리성이 인간의 인지능력상의 한계로 제약을 받기 때문에 절차적 합리성이 중요하다고 보았다.
③ 디징(Diesing)에 의하면 사회적 합리성은 보다 나은 정책을 추진할 수 있는 정책결정구조의 합리성을 의미한다.
④ 공유지의 비극(tragedy of the commons)은 개인적 합리성과 집단적 합리성 간의 갈등을 설명하고 있다.

14 비용편익분석에 대한 설명으로 옳은 것은?

① 비용은 기회비용을 의미하며, 비용을 계산할 때는 매몰비용까지를 포함한 사회의 총비용을 고려해야 한다.
② 순현재가치(NPV)와 비용편익비(B/C)는 할인율에 영향을 받는데, 할인율은 그 값이 클수록 미래금액의 현재가치는 높아진다.
③ 내부수익율(IRR)은 순현재가치가 0이 되거나 비용편익비가 1이 되게 하는 할인율로, 그 값이 기준이자율보다 작아야 사업의 타당성이 인정된다.
④ 순현재가치(NPV), 비용편익비(B/C), 내부수익율(IRR)은 사업의 우선순위를 파악하는 데 있어서 다른 결과를 가져올 수 있으며, 이 경우 순현재가치(NPV)를 우선적으로 적용하는 것이 바람직하다.

15 조직구조의 형성에 대한 설명으로 옳지 않은 것은?

① 통솔범위가 넓을수록 저층구조화된다.
② 고층구조화 될수록 조정의 필요성이 높아진다.
③ 통솔범위의 한계로 인하여 계층제가 형성된다.
④ 엄격한 명령계통을 유지하기 위해서는 통솔범위를 좁게 설정해야 한다.

16 정책유형에 따른 정책 사례 중 잘 연결된 것으로 묶인 것은?

> ㉠ 재분배정책 - 임대주택사업, 통합의료보험사업, 지방대학 보조금 지급 등
> ㉡ 경쟁적 규제정책 - 토지거래 허가, 방송국 설립 인가, 이동통신사업자 선정 등
> ㉢ 배분정책 - 사회간접자본(SOC) 확충, 주택자금 대출, 수출특혜 금융 등
> ㉣ 구성정책 - 공무원의 보수 및 연금 정책, 선거구 조정, 정부기관 신설 등

① ㉠, ㉡
② ㉡, ㉣
③ ㉠, ㉢
④ ㉢, ㉣

17 지방자치단체의 집행기관에 대한 설명으로 옳지 않은 것은?

① 지방자치단체의 보조기관으로는 부단체장, 행정기구, 지방공무원이 있으며, 하부행정기관으로는 자치시가 아닌 시, 자치구가 아닌 구, 읍, 면, 동이 있다.
② 지방자치단체의 장은 지방의회의 의결사항 가운데 주민의 생명과 재산을 위하여 긴급하게 필요한 사항에 대하여 일정한 경우 의회의 의결을 거치지 아니하고 선결처분을 할 수 있다.
③ 지방자치단체의 장은 확정된 지방의회의 의결이 법령에 위반되거나, 공익을 현저히 해한다고 인정되는 경우에 대법원에 제소할 수 있다.
④ 지방자치단체의 행정기구의 설치와 지방공무원의 정원은 인건비 등 대통령령으로 정하는 기준에 따라 그 지방자치단체의 조례로 정한다.

18 변혁적 리더십에 대한 설명으로 옳지 않은 것은?

① 인본주의, 평화, 정의 등 포괄적이고 높은 수준의 도덕적 가치와 이상에 호소하여 부하들의 욕구수준을 상위수준으로 끌어올린다.
② 카리스마적 리더십을 기반으로 하며, 부하의 과업을 정확히 이해하고 행동지침을 명료하게 제시한다.
③ 부하들의 개인적 욕구에 세심한 관심을 보이고 후원적인 업무환경을 조성해 나간다.
④ 리더와 부하들의 강력한 감정의 결속을 통해 부하들이 강한 충성과 존경을 가지고 리더의 비전을 수행케 한다.

19 공무원의 징계에 관한 설명으로 옳지 않은 것은?

① 파면은 공무원을 강제로 퇴직시키는 처분으로 5년 이내 다시 공무원이 될 수 없으며, 재직기간이 5년 이상인 사람의 퇴직급여는 1/2를 감액하여 지급한다.
② 해임은 공무원을 강제로 퇴직시키는 처분으로 3년 이내에 다시 공무원이 될 수 없으며, 금품 및 향응수수, 공금의 횡령·유용으로 해임된 자에 대해서는 퇴직급여의 1/4까지 감액하여 지급할 수 있다.
③ 강등은 1계급 아래로 직급을 내리고 공무원의 신분은 유지하나 3개월 간 직무에 종사하지 못하며 그 기간 중 보수의 전액을 감한다.
④ 정직은 1개월 이상 3개월 이하의 기간 동안 공무원 신분은 보유하나 직무에 종사하지 못하며, 그 기간 중 보수의 2/3를 감한다.

20 우리나라의 예산제도에 대한 설명으로 옳지 않은 것은?

① 기획재정부장관은 조세감면·비과세·소득공제·세액공제·우대세율적용 또는 과세이연 등 조세지출 내역을 기능별·세목별로 분석한 조세지출예산서를 작성하여 국회에 보고하여야 한다.
② 특별회계는 특정한 사업을 운영하거나 특정한 세입으로 특정한 세출에 충당함으로써 일반회계와 구분하여 회계처리할 필요가 있을 경우에 법률로 설치하되, 입법예고하기 전에 기획재정부장관의 타당성 심사를 받아야 한다.
③ 국가가 사업 운영상 필요할 때 법률로 정하는 경우에 한하여 특별한 기금을 설치할 수 있도록 하고 이렇게 설치된 기금은 세입세출예산에 의하지 아니하고 운영할 수 있다.
④ 성인지예결산제도는 성중립성(gender neutral) 관점에서 예산과정에 성주류화(gender mainstreaming)를 적용한 것이다.

제02회 파이널 모의고사

01 우리나라의 정부조직에 대한 설명으로 옳지 않은 것은?

① 중앙행정기관이란 관할권의 범위가 전국에 미치는 국가행정사무를 담당하는 기관으로 18부 5처 18청 6위원회로 구성되어 있다.
② 금융위원회, 공정거래위원회, 국민권익위원회, 개인정보보호위원회, 원자력안전위원회는 국무총리 소속 중앙행정기관이다.
③ 중앙행정기관의 하부조직으로는 시험연구기관, 교육훈련기관 등의 부속기관과 특별지방행정기관이 있다.
④ 보조기관이란 차관, 실장, 국장, 과장 등의 계선을, 보좌기관이란 차관보, 정책관 등의 막료를 의미한다.

02 무의사결정에 대한 설명으로 옳은 것은?

① 기득권 세력의 이익에 대한 현재적 도전을 사후적으로 억압하는 현상이다.
② 기득권 세력이 기존의 이익분배상태를 유지하기 위한 것으로 정책과정 전반에서 발생한다.
③ 기득권 세력의 무지나 실책에 의한 억압으로 발생하는 현상이다.
④ 가장 직접적인 방법은 폭력의 행사이며, 가장 간접적인 방법은 권력의 행사이다.

03 신공공서비스론의 특징이 아닌 것은?

① 민간과 비영리기구의 활용을 중시한다.
② 정부의 역할을 방향잡기가 아닌 봉사로 본다.
③ 공유가치에 대한 담론의 결과를 공익으로 본다.
④ 전략적 사고와 민주적 행동을 지향한다.

04 엽관주의와 실적주의에 대한 설명으로 옳지 않은 것은?

① 엽관주의는 국민의 요구에 대한 관료적 대응성은 물론 정책수행과정에서의 효율성을 제고할 수 있다.
② 실적주의는 중앙인사기관의 권한 강화와 엄격한 기준의 적용으로 인사행정의 집권화와 경직화를 초래하였다.
③ 엽관주의는 행정의 안정성 확보에 유리하며, 실적주의는 행정의 책임성 확보에 유리하다.
④ 엽관주의와 실적주의는 모두 민주성과 형평성을 궁극적 가치로 하였다.

05 예산의 고전적 원칙과 그 예외에 대한 설명으로 옳지 않은 것은?

① 예산총계주의의 예외 – 국가의 현물출자, 전대차관, 수입대체경비, 기금
② 한정성의 원칙의 예외 – 이용, 전용, 예비비, 추가경정예산, 이월
③ 통일성의 원칙의 예외 – 교육세, 지역자원시설세, 특별회계, 기금
④ 단일성의 원칙의 예외 – 특별회계, 기금, 추가경정예산, 수입대체경비

06 공직윤리에 대한 설명으로 옳지 않은 것은?

① 결과주의 윤리관은 공무원의 행위에 대한 사후적인 적발과 처벌을, 의무론적 윤리관은 공무원의 부도덕한 동기실현의 사전 제어를 강조한다.
② 「공무원 행동강령」이나 「공직자윤리법」은 의무론적 윤리관에 입각해 있다면, 「부패방지 및 국민권익위원회 설치·운영에 관한 법률」은 결과주의 윤리관에 입각해 있다.
③ 소극적 공직윤리는 부정부패의 척결을, 적극적 공직윤리는 행정의 긍정적 가치 실현을 강조한다.
④ 「공무원 헌장」은 공무원의 추상적·소극적인 행정윤리를, 「국가공무원법」은 구체적·적극적인 행정윤리를 규정하고 있다.

07 다음 표에 제시된 공공서비스의 유형에 대한 설명으로 옳지 않은 것은?

특성		경합성 여부	
		경합성	비경합성
배제성 여부	배제성	㉠	㉡
	비배제성	㉢	㉣

① ㉠ - 소비자 보호 측면에서 서비스의 안전과 규격을 규제하거나, 기본적인 수요조차 충족하기 어려운 저소득층을 배려하는 측면에서 정부개입이 필요하다.
② ㉡ - 자연독점산업의 폐해를 방지할 목적으로 주로 정부가 공급해 왔으나 최근 민간기업의 참여가 활성화되고 있다.
③ ㉢ - 개인이 사용하거나 이용하더라도 그 양이 줄어들거나 혼잡의 문제는 발생하지 않으나 무임승차자의 문제를 야기할 수 있다.
④ ㉣ - 생산과 소비가 동시에 발생하므로 축적이 곤란할 뿐만 아니라 시장에 방치할 경우 시민 선호 파악이 곤란하다.

08 특별지방행정기관에 대한 설명으로 옳은 것은?

① 중앙행정기관이 설치한 일선 집행기관으로 교육청, 새만금개발청 등이 이에 속한다.
② 주민자치보다는 자치권이 좁게 인정되는 단체자치에서 필요성이 높다.
③ 행정의 편의성을 위해 지방자치단체의 관할 경계와 일치하게 설치된다.
④ 지역주민의 의사반영 통로가 결여되어 있어서 민주적 통제가 곤란하다.

09 다음은 배분정책과 재분배정책을 비교한 것이다. 옳은 것은?

① 분배정책은 재분배정책과 달리 작은정부에 대한 요구의 정도가 높다.
② 재분배정책은 분배정책과 달리 정책의 타율성이 강하다.
③ 분배정책은 재분배정책과 달리 비용부담자와 수혜자가 명확하게 구분된다.
④ 재분배정책은 분배정책과 달리 넌제로섬(non zero-sum) 상황이 발생한다.

10 재정건전성을 확보하기 위한 제도적 장치에 대한 설명으로 옳지 않은 것은?

① 재정준칙이란 재정지출·재정수지·국가채무와 같은 재정총량지표에 대해 목표치를 설정하고 법적 구속력을 갖게 하여 재정건전성을 확보해나가는 제도이다.
② 예비타당성조사는 총사업비가 500억 원 이상인 대규모 신규사업 중 일부사업에 대해 각 중앙관서의 장이 대상 사업의 기술성을 분석하는 제도이다.
③ 법률안 재정 소요 추계제도는 정부가 재정지출 또는 조세감면을 수반하는 법률안을 제출하고자 할 때 일정기간 동안의 재정수입·지출의 증감액에 관한 추계자료 및 이에 상응하는 재원조달방안을 그 법률안에 첨부하는 제도이다.
④ 총사업비관리제도는 완성에 2년 이상 소요되는 일부사업에 대해 중앙관서의 장이 그 사업규모·총사업비 및 사업기간을 정해 미리 기획재정부장관과 협의하는 제도이다.

11 윌리암슨(O. E. Williamson)의 조직의 경제이론에 대한 설명으로 적절하지 않은 것은?

① 시장과 조직화 중 어느 것을 선택하느냐 하는 문제는 비용최소화에 달려있다.
② 조직은 거래관계에서 필요한 정보를 얻고 사용하는데 들어가는 거래비용을 줄일 수 있는 효율적인 방법이다.
③ 제한된 합리성과 정보의 불확실성이 결합된 상황에서 인간은 시장을 통하여 문제해결에 응하게 된다.
④ 시장거래에 있어서 정보의 불완전성으로 인하여 기회주의적 행태가 만연하게 되는데 조직화는 이를 효과적으로 제어할 수 있는 방법이다.

12 평정오류와 이를 극복하기 위한 방법에 대한 설명으로 옳지 않은 것은?

① 총계적 오류(total error)는 평정 이후 사후 조정을 통해 완화할 수 있다.
② 상동적 오차(error of stereotyping)는 신상정보의 비공개를 통해 완화할 수 있다.
③ 연쇄효과(halo effect)는 평정요소별 평정을 통해 완화할 수 있다.
④ 관대화 경향(error of leniency)은 평정결과의 비공개를 통해 완화할 수 있다.

13 현상학적 행정연구에 대한 설명으로 옳지 않은 것은?

① 자연현상과 사회현상을 명확하게 구별하고 서로 다른 연구방법이 필요하다고 보았다.
② 인간을 주어진 환경에 대해 객관적으로 받아들이는 능동적 존재로 보았다.
③ 조직을 인간의 의도적인 행위에 의해 구성되는 가치함축적인 행위의 집합물로 보았다.
④ 사회구성원들 간의 상호작용을 통한 주관적 경험으로서의 현상을 강조하였다.

14 사이어트(Cyert)와 마치(March)의 회사모형에 대한 설명으로 옳지 않은 것은?

① 조직을 결정자에 의해 일사분란하게 움직이는 존재로 인식하지 않고 여러 가지 개성과 목표를 지닌 하위부서들의 연합체로 본다.
② 조직은 시간과 능력의 제약 때문에 모든 상황을 고려하기보다 특별히 관심을 끄는 부분에 대해서만 고려하게 된다.
③ 조직은 경험이 축적됨에 따라 가장 효율적이라고 판단되는 정책결정 절차와 방식을 개발·발전시키고 이를 지속적으로 활용한다.
④ 조직이 추구하는 목표는 장기적이며, 장기적 환류에 의존하는 의사결정절차를 이용하여 불확실성을 회피하려 한다.

15 우리나라 예산에 대한 설명으로 옳지 않은 것은?

① 세입예산과목에는 관·항·목이 존재하지 않는다.
② 세출예산과목에서 장은 분야, 관은 부문, 항은 프로그램으로 구분된다.
③ 세출예산과목 중 장·관·항은 입법과목, 세항·목은 행정과목에 해당한다.
④ 세출예산과목에서 장·관·항 간의 상호융통을 이용, 세항·목 간의 상호융통을 전용이라 한다.

16 우리나라의 개방형직위제도와 공모직위제도에 대한 설명으로 옳은 것은?

① 개방형 직위는 업무 수행상 고도의 전문성이 요구되는 직위에 한정하여 공직 내·외에서 공개모집하고 최적격자를 선발하는 제도이다.
② 경력개방형 직위는 공직 내부의 경력직 공무원 간에 경쟁을 통해 최적격자를 선발하는 제도이다.
③ 공모직위는 효율적인 정책수립 및 관리가 필요한 직위에 한정하여 공무원 간에 경쟁하여 최적격자를 선발하는 제도이다.
④ 개방형 직위는 고위공무원단 직위 총수의 30%의 범위에서, 공모직위는 고위공무원단 직위 총수의 20% 범위에서 지정하여야 한다.

17 정책평가의 타당도에 대한 설명 중 옳지 않은 것은?

① 내적 타당도란 정책과 그 결과 사이에 존재하는 인과관계 추론의 정확도를 말하며, 1차적으로 확보되어야 할 타당도이다.
② 외적 타당도란 측정도구가 동일한 현상을 반복하여 측정할 때 일관성 있는 결론을 얻을 수 있는 정도를 말한다.
③ 통계적 결론의 타당도란 연구설계를 정밀하게 구성하여 평가과정에서 제1종 및 제2종 오류가 발생하지 않는 정도를 말한다.
④ 구성적 타당도란 처리, 결과, 모집단 및 상황들에 대한 이론적 구성요소들이 성공적으로 조작화된 정도를 말한다.

18 조직관리 방안에 대한 설명으로 옳지 않은 것은?

① 조직발전(OD)은 외부전문가의 유입을 허용하지 않는 계선중심의 문제해결책으로 구성원의 행태개선에 초점이 있다.
② 목표관리제(MBO)는 구성원들의 참여를 통해 조직의 목표가 설정되는 상향적 관리(Botton-up)를 지향한다.
③ 총체적품질관리(TQM)는 팀활동을 강조하는 집단주의적 개혁전략으로 과정과 절차의 지속적 개선을 추구한다.
④ 업무과정재설계(PAPR)는 특정 기능보다는 기능 내에 존재하는 업무과정을 총체적으로 개혁하고자 하는 관리전략이다.

19 「지방자치법」상 지방자치단체의 사무에 대한 설명으로 옳지 않은 것은?

① 농산물·임산물·축산물·수산물의 생산 및 유통지원은 국가사무에 속한다.
② 공유재산관리, 자연보호활동 등은 지방자치단체의 사무에 속한다.
③ 시·도경찰청장은 국가경찰사무의 경우에는 경찰청장의, 자치경찰사무의 경우에는 시·도지사 소속의 시·도자치경찰위원회의 지휘·감독을 받는다.
④ 시·도와 시·군·자치구는 사무를 처리할 때 서로 겹치지 아니하도록 하여야 하며, 사무가 서로 겹치면 시·군·자치구에서 먼저 처리한다.

20 발생주의와 복식부기 회계제도에 대한 설명으로 옳은 것은?

① 기록의 보존과 관리가 간편하며 현금흐름 파악이 용이하다.
② 회수불가능한 채권이나 지불이 불필요한 채무를 쉽게 구별한다.
③ 객관적인 회계처리로 인하여 자의적인 회계처리가 불가능하다.
④ 대차평균의 원리에 의한 기장으로 자동검증기능을 갖는다.

제 03회 파이널 모의고사

01 정책네트워크에 대한 설명으로 옳지 않은 것은?
① 정책네트워크는 정책문제별로 형성되며, 분권적이고 분산적인 정치체제인 다원주의를 전제로 한다.
② 하위정부모형에는 정부관료, 의회의원, 이익집단 등이 참여하여 주로 분배정책에 영향력을 행사한다.
③ 정책커뮤니티에서 참여자들은 대체로 상호 협력적 관계(positive-sum game)를 형성한다.
④ 이슈네트워크에서 참여자들은 모두 자원과 권한을 가지고 있으나 유동적이고 불안정한 상호작용이 나타난다.

02 공직분류에 대한 설명으로 옳지 않은 것은?
① 공무원 개인의 능력이나 자격을 기준으로 하는 공직분류는 일반행정가 양성에 유리하다.
② 직무의 성질과 난이도·책임도를 기준으로 하는 공직분류는 직무의 변화상황에 신속히 대처할 수 있다.
③ 농업사회의 전통에 기반한 공직분류는 인력활용의 융통성 확보에 유리하다.
④ 과학적 관리운동에 영향을 받은 공직분류는 효율적인 정원관리에 유리하다.

03 '작은 정부'와 '큰 정부'에 대한 설명으로 옳지 않은 것은?
① '작은 정부'를 지향했던 근대입법국가는 정치와 행정의 분리와 입법우위성을 전제로 하였다.
② 케인즈(Keynes)이론에 입각한 루즈벨트(Roosevelt)의 뉴딜(New Deal) 정책은 '큰 정부'를 탄생시키는 계기가 되었다.
③ '작은 정부'는 제퍼슨(Jefferson) - 잭슨(Jackson) 패러다임에 기반을 두고 있었다.
④ '큰 정부'를 지향하는 진보주의적 철학은 배분적 정의보다는 교환적 정의를 중시하였다.

04 허츠버그(Herzberg)의 욕구충족이원론에 대한 설명으로 옳지 않은 것은?
① 조직구성원에게 불만족을 주는 위생요인과 만족을 주는 동기요인은 서로 별개로 독립되어 있다.
② 위생요인은 사람과 환경과의 관계와 관련된다면, 동기요인은 사람과 하는 일 사이의 관계와 관련된다.
③ 작업조건이나 정책과 관리 등이 위생요인에 속한다면, 대인관계나 인정감·성취감 등은 동기요인에 속한다.
④ 하위욕구를 추구하는 계층에 적용이 곤란하며, 개인차를 고려하지 못한다는 비판을 받는다.

05 행정개혁을 추진하는 접근방법 중에서 구조적 접근법에 해당되는 것들만 묶은 것은?

㉠ 통솔범위의 조정	㉡ 리엔지니어링(BPR)
㉢ 사무자동화(OA)	㉣ 기능중복의 제거
㉤ 감수성 훈련의 활용	㉥ 의사전달 체제의 개선

① ㉠, ㉡, ㉣
② ㉠, ㉣, ㉥
③ ㉡, ㉣, ㉥
④ ㉠, ㉤, ㉥

06 지방자치단체의 계층구조에 대한 설명으로 옳지 않은 것은?
① 행정계층은 관리의 효율성을, 자치계층은 정치적 민주성을 고려하여 구성된다.
② 단층제는 효과적인 통솔을 통한 중앙정부의 감독기능 유지가 용이하다.
③ 중층제는 중앙정부의 개입을 차단하여 민주주의 원리를 확산하기 유리하다.
④ 중층제는 자치단체 간 협력을 증진하고 분쟁을 조정하기 용이하다.

07 신공공관리론에 대한 다음 설명 중 옳은 것끼리 묶인 것은?

㉠ 주인 - 대리인이론, 거래비용이론, 공공선택론 등을 이론적 기반으로 한다.
㉡ 정부가 리더십을 발휘하여 직접적인 서비스 제공자 역할을 수행해야 한다고 본다.
㉢ 효율적인 감시와 통제를 위하여 성과목표와 기준을 제시하고 이의 달성을 강조한다.
㉣ 정책기능과 집행기능을 통합한 책임행정체제 확립을 강조한다.

① ㉠, ㉡
② ㉠, ㉢
③ ㉡, ㉢
④ ㉡, ㉣

08 계획예산(PPBS)과 영기준예산(ZBB)에 대한 설명으로 옳지 않은 것은?

① 계획예산(PPBS)은 영기준예산(ZBB)과 달리 집권화된 예산편성이 이루어진다.
② 계획예산(PPBS)은 영기준예산(ZBB)과 달리 폐쇄체제적 성격을 갖는다.
③ 영기준예산(ZBB)은 계획예산(PPBS)과 달리 단기적 시계를 갖는다.
④ 영기준예산(ZBB)은 계획예산(PPBS)과 달리 사업의 평가에 있어서 효과적이다.

09 우리나라 고위공무원단제도에 대한 설명으로 옳은 것은?

① 고위공무원단은 국가직 공무원 중 실·국장급 직위에 임용되어 재직 중이거나 파견·휴직 등으로 인사관리되고 있는 일반직·별정직, 외무공무원의 군으로 구성된다.
② 고위공무원단 소속 공무원은 총 2년 이상 근무성적평정이 최하위 등급이거나 정당한 사유없이 직위를 부여받지 못한 기간이 총 2년에 이른 경우 적격성 심사를 요구받는다.
③ 고위공무원단은 계급이 폐지되고 직위와 직무등급을 기준으로 인사관리하기 때문에 직무평가보다 직무분석이 중요하다.
④ 고위공무원단은 감사원 공무원과 지방직 공무원을 제외한 국가직 공무원만을 대상으로 하고 있어 부지사 등 지방자치단체의 고위직 공무원은 제외된다.

10 퀸(Quinn)과 로보흐(Rohrbaugh)의 경쟁적 가치접근법에 대한 설명으로 옳지 않은 것은?

① 조직의 외부에 초점을 두고 유연성을 강조하는 개방체제모형의 목표가치는 성장 및 자원 확보이며, 그 수단으로 유연성 등이 강조된다.
② 조직의 내부에 초점을 두고 융통성을 강조하는 인간관계모형의 목표가치는 인적자원 개발이며, 그 수단으로서 조직구성원의 응집성, 사기 및 훈련 등이 강조된다.
③ 조직의 외부에 초점을 두고 통제를 강조하는 합리목표모형의 목표가치는 안정성과 균형이며, 그 수단으로서 정보전달과 의사전달 등이 강조된다.
④ 조직의 성장주기에 따른 평가기준을 제시하면서 창업단계에는 개방체제모형에 의해 평가되어야 한다고 보았다.

11 일선관료제에 대한 설명 중 옳지 않은 것은?

① 일선관료는 넓은 재량권으로 인해 조직의 권위로부터 상대적 자율성을 지닌다.
② 일선관료는 고정관념에 따라 고객을 선별하고 범주화한다.
③ 일선관료의 업무는 이율배반적이고 모호한 목표로 성과측정이 곤란하다.
④ 일선관료는 대면적 업무처리가 이루어지므로 고객의 요구와 필요에 민감하게 반응한다.

12 신제도주의적 접근방법에 대한 설명으로 옳지 않은 것은?

① 역사적 신제도주의는 동일한 제도라도 제도의 구성요소와 결과가 각 국가마다 다르게 나타남을 설명하였다.
② 사회학적 신제도주의는 조직의 배태성과 제도적 동형화를 중시하면서, 제도의 선택은 경쟁의 결과물이라기보다는 사회적 정당성에 의한 것으로 보았다.
③ 합리선택적 신제도주의는 개인의 선호를 행위자들 간의 상호작용의 결과가 아닌 외부에서 주어진 것으로 보았다.
④ 사회학적 제도주의가 종단면적으로 국가 간 제도의 유사성을 강조하였다면, 역사적 제도주의는 횡단면적으로 국가 간 제도의 상이성을 강조하였다.

13 갈등관리에 대한 설명으로 옳지 않은 것은?

① 고전적 시각에서는 갈등을 해소의 대상으로 인식하였으나, 최근의 교호작용적 관점은 갈등을 조장하려는 입장을 취한다.
② 갈등이 너무 적은 경우에는 조직의 침체가 야기되고, 갈등이 너무 많은 경우 조직의 혼란이 야기되므로 갈등은 최적수준을 유지하도록 관리되어야 한다.
③ 갈등의 해소전략인 협상에는 제로섬(Zero-Sum) 상황에서의 통합적 협상과 넌제로섬(Non Zero-Sum) 상황에서의 분배적 협상이 있다.
④ 갈등은 구성원 간 혼란과 분열을 조장하는 부정적 기능이 있으나, 조직의 문제해결능력 및 창의력을 제고하는 긍정적 기능도 있다.

14 결산에 대한 설명으로 옳지 않은 것은?

① 결산이란 한 회계연도에서 국가의 수입과 지출의 실적을 확정적 계수로서 표시하여 검증받는 행위이다.
② 결산은 지출의 적법성을 확인하는 과정으로 정부의 위법·부당한 지출행위를 무효 또는 취소로 하는 효과는 없다.
③ 세입, 세출의 결산상 생긴 세계잉여금의 사용 또는 출연은 국회의 사전동의를 얻어야 한다.
④ 세계잉여금 중 사용하거나 출연한 금액을 공제한 잔액은 다음 연도의 세입에 이입하여야 한다.

15 다음의 불확실성 대처방안 중 적극적 대처방안이 아닌 것은?

① 악조건가중분석
② 시뮬레이션
③ 델파이와 브레인스토밍
④ 정보의 획득

16 우리나라의 인사제도에 대한 설명이다. 옳은 것으로 잘 묶인 것은?

㉠ 경력개발제도는 개인욕구와 조직욕구를 전문성이라는 공통분모에서 접점을 찾아 결합한 제도이다.
㉡ 계급정년제는 인적자원의 유동률을 높여 국민의 공직취임 기회를 확대할 수 있으나, 공무원의 직업적 안정성을 저해할 수 있다.
㉢ 공무원보수는 일반의 표준 생계비, 물가 수준, 그 밖의 사정을 고려하여 정하되, 민간 부분의 임금수준 및 외국 공무원의 임금수준과 균형을 유지해야 한다.
㉣ 총액인건비제도는 자율성과 책임성의 조화를 추구하는 제도로 기관장의 무분별한 기구설치 및 정원관리의 폐해를 극복할 수 있다.

① ㉠, ㉡   ② ㉡, ㉢
③ ㉢, ㉣   ④ ㉠, ㉣

17 전자정부에 대한 설명으로 옳은 것끼리 묶인 것은?

㉠ 빅데이터란 방대한 규모(Volume), 짧은 생성주기(Velocity), 다양한 형태(Variety)를 지닌 데이터를 말한다.
㉡ 유비쿼터스 전자정부는 상시화된 서비스, 고객맞춤형 서비스, 지능화된 서비스를 제공하는 전자정부이다.
㉢ 우리나라는 일반국민을 위한 전자서비스(G2C)로 정부24, 국민신문고, 온-나라 시스템 등을 구축하였다.
㉣ 「전자정부법」에 의하면 과학기술정보통신부장관은 관계 행정기관 등의 장과 협의하여 정보기술아키텍처를 체계적으로 도입하고 확산시키기 위한 기본계획을 수립하여야 한다.

① ㉠, ㉡   ② ㉠, ㉢
③ ㉡, ㉢   ④ ㉢, ㉣

18 인과관계 증명을 위한 조건이라 할 수 없는 것은?

① 경쟁적 가설 개입의 조건
② 시간적 선행의 조건
③ 공동변화의 조건
④ 허위변수와 혼란변수의 배제의 조건

20 지방재정자립도에 대한 설명으로 옳은 것은?

① 일반회계뿐만 아니라 특별회계와 기금 등을 종합적으로 고려하는 장점이 있다.
② 세출을 중심으로 산정되어 자치단체의 재정력을 효과적으로 파악하기 곤란하다.
③ 산식에 있어서 분자와 분모 모두에 자주재원이 반영되며, 지방채 수입은 제외된다.
④ 지방재정자립도를 향상시키기 위해서는 국세의 지방세로의 전환, 지방교부세의 확대 등이 필요하다.

19 사업구조(divisional structure)에 대한 설명으로 옳지 않은 것은?

① 조직의 업무를 산출물별로 부서화한 조직구조이다.
② 하나의 서비스를 제공하는 데 필요한 기능들이 한 부서 내에 배치된 자체완결적 단위이다.
③ 기능 간 조정이 용이하여 환경변화에 신축적으로 대응할 수 있다.
④ 산출물별 생산라인의 중복을 제거하여 규모의 경제를 실현할 수 있다.

제 04회 파이널 모의고사

01 대표관료제에 대한 설명으로 옳지 않은 것은?
① 소극적 대표성이 적극적 대표성을 촉진한다는 가정에 입각해 있다.
② 외부통제의 한계를 극복하고 내부통제를 강화하기 위한 방안으로 대두되었다.
③ 관료들의 재사회화 현상으로 출신집단의 이익이 반영될 수 있다고 보았다.
④ 실적주의를 훼손하고 행정의 전문성과 생산성을 저해할 수 있다는 비판을 받는다.

02 포스트모더니티 행정이론에 대한 설명으로 옳은 것끼리 잘 묶인 것은?

> ㉠ 진리의 기준은 '맥락의존적'이라고 보고, 인간의 이성을 통해서만 진리의 기준을 이해할 수 있다고 주장한다.
> ㉡ 보편주의와 근본주의적 지식에 입각하여 거시이론, 거시정치, 거대한 설화 등을 통하여 행정현상을 설명하고자 한다.
> ㉢ 합리성 및 과학성에 기초한 모더니즘을 비판하고 상상, 해체, 타자성, 탈영역화 등의 개념을 제시한다.
> ㉣ '타자성'의 개념을 통해 나 아닌 다른 사람을 인식적 타인(epistemic other)이 아닌 도덕적 타인(moral other)으로 인정하고 개방적 태도를 가져야 한다는 점을 강조한다.

① ㉠, ㉡ ② ㉠, ㉣
③ ㉡, ㉢ ④ ㉢, ㉣

03 조합주의의 내용으로 옳지 않은 것은?
① 이익집단 간 경쟁과 균형
② 능동적 정부관
③ 독점적 정상이익집단
④ 제도적, 공식적 참여 중시

04 동기부여이론에 대한 설명으로 옳은 것끼리 묶인 것은?

> ㉠ 매슬로우(Maslow)는 욕구의 발로는 순차적이며, 하위욕구가 어느 정도 충족되어야만 다음 단계의 상위욕구로 진행된다고 보았다.
> ㉡ 아지리스(Argyris)는 개인의 성격은 미성숙한 상태에서 성숙한 상태로 변하며, 조직도 이에 따라 관리방식이 변화된다고 보았다.
> ㉢ 페리(Perry)는 민간부문 종사자와 달리 공공부문 종사자는 공익, 이타심, 사회에 기여하고자 하는 욕구에 의해 행동이 촉발된다고 보았다.
> ㉣ 로크(Locke)는 행동의 원인에 초점을 두는 강화이론과 달리 행동의 결과가 동기부여를 가져올 수 있다고 보았다.

① ㉠, ㉡ ② ㉠, ㉢
③ ㉡, ㉣ ④ ㉢, ㉣

05 예비타당성조사에 대한 설명으로 옳지 않은 것은?
① 총 사업비가 500억 이상이고 국가의 재정지원 규모가 300억 이상인 사업을 대상으로 한다.
② 대형신규사업의 무분별한 착수를 방지하기 위한 것으로 경제성과 정책성을 분석한다.
③ 중앙행정기관의 장은 예비타당성조사를 실시하고 그 결과를 기획재정부장관에게 제출해야 한다.
④ 타당성조사가 사후적이고 장기적인 분석이라면, 예비타당성조사는 사전적이고 단기적인 분석이다.

06 지방정부에 대한 중앙정부의 통제에 대한 내용으로 옳은 것은?

① 지방자치단체의 사무에 관한 시·군·구의 단체장의 명령이나 처분이 법령에 위반되거나 현저히 부당하여 공익을 해친다고 판단됨에도 시·도지사가 시·군·구에 대하여 시정명령 및 취소·정지 등의 조치를 취하지 않을 경우 주무부장관이 기간을 정하여 시정명령을 하도록 명할 수 있고, 이를 이행하지 않을 경우 직접 시정명령 및 취소·정지할 수 있다.
② 지방자치단체의 장이 그 의무에 속하는 자치사무의 관리와 집행을 명백히 게을리하고 있다고 인정되면 시·도에 대하여는 주무부장관이 기간을 정하여 이를 이행할 것을 명하고, 이를 이행하지 않을 경우 그 지방자치단체의 비용으로 대집행하거나 행·재정상 필요한 조치를 할 수 있다.
③ 지방자치단체의 자치사무에 관한 그 장의 명령이나 처분이 법령에 위반되거나 현저히 부당하여 공익을 해친다고 인정되면 시·군·구에 대하여는 시·도지사가 기간을 정하여 서면으로 시정할 것을 명하고, 그 기간 내에 이행하지 아니하면 이를 취소하거나 정지할 수 있다.
④ 주무부장관이나 시·도지사는 지방의회에서 재의결된 사항이 법령에 위반되거나 현저히 부당하여 공익을 해친다고 판단됨에도 불구하고 해당 지방자치단체의 장이 소를 제기하지 아니하면 그 단체장에게 제소를 지시하거나 대법원에 직접 제소할 수 있다.

07 예산의 원칙과 그 내용 및 예외사항을 순서대로 잘 연결한 것은?

① 사전의결의 원칙 - 회계연도 개시 전 예산확정 - 예비비, 준예산, 잠정예산
② 통일성의 원칙 - 특정수입과 특정지출의 연계 금지 - 특별회계, 기금, 수입대체경비
③ 예산총계주의의 원칙 - 세입과 세출 내역의 명시적 나열 - 현물출자, 수입대체경비, 추가경정예산
④ 단일성의 원칙 - 하나의 장부에 기록 - 기금, 추가경정예산, 예비비

08 규제정책에 대한 설명으로 옳지 않은 것은?

① 경쟁적 규제정책은 재분배정책보다는 분배정책과 성격이 유사하다.
② 보호적 규제정책은 소수의 피해집단의 저항으로 정책형성이 곤란하다.
③ 규제정책은 다원주의 정치관계가 나타난다면, 재분배정책은 엘리트주의적 정치관계가 나타난다.
④ 규제정책은 영합(zero sum) 게임이 벌어지며, 집단 간 갈등의 정도가 재분배정책보다 높은 편이다.

09 공공선택론에 대한 설명으로 옳은 것은?

① 관료로서 개인은 공공문제에 대한 선택을 하므로 일반국민과 다른 행태를 보인다고 가정한다.
② 관료도 부패할 수 있으므로 강력한 계층제적 통제를 통한 부패방지가 필요하다고 주장한다.
③ 관할권의 중첩보다는 관할권의 분리를 통해, 기능 중심이 아닌 지역 중심의 지방자치를 통해 효율성을 개선할 수 있다고 본다.
④ 권력은 분산될수록 권력의 낭비가 감소하며, 다양한 의사결정 단위가 잠재적인 거부권으로 작용하는 것이 바람직하다고 본다.

10 평정오류 및 평정방법에 대한 설명으로 옳지 않는 것은?

① 관대화 경향은 평정결과를 공개하거나, 강제배분법을 통해 완화할 수 있다.
② 규칙적 오류는 평정 사후에 조정하거나, 강제배분법을 통해 완화할 수 있다.
③ 연쇄효과는 평정요소별로 평정하거나, 체크리스트 평정법을 통해 완화할 수 있다.
④ 상동적 오차는 개인신상정보의 비공개나, 제3자에 의한 평정을 통해 완화할 수 있다.

11 거시조직이론에 대한 설명으로 옳은 것은?

① 구조적 상황론은 모든 상황에 적합한 유일최선의 방법을 모색하는 데 초점이 있다.
② 거래비용이론에 의하면 조정비용이 거래비용보다 크다면 내부조직화가 효율적이다.
③ 조직군생태학에 따르면 조직은 구조적 타성으로 인해 환경에 적응하지 못하고 도태된다.
④ 제도화 이론은 조직의 정당성이나 적절성보다는 조직의 합리성이나 효율성을 중시한다.

12 티부(Tiebout)의 '발로 하는 투표(vote by feet) 가설'의 전제조건으로 옳은 것은?

① 지방정부는 최저평균비용으로 서비스를 생산할 수 있는 인구규모를 추구한다.
② 당해 지역 정책의 이익은 이웃 지역의 주민에게 영향을 주어야 한다.
③ 지방서비스를 생산하는 데 발생하는 평균비용이 지방정부마다 달라야 한다.
④ 사무엘슨(Samuelson)이론을 발전시킨 것으로 지방분권화 체제를 지향한다.

13 정책의 효과를 평가하는 방법에 대한 내용으로 옳은 것끼리 묶인 것은?

㉠ 진실험은 무작위배정을 통해 실험집단과 비교집단의 동질성을 확보하여 하는 실험으로 내적 타당성이 높기 때문에 사회실험 중에서 가장 많이 활용된다.
㉡ 준실험은 짝짓기(matching) 방법으로 실험집단과 통제집단을 구성하여 정책영향을 평가하거나, 시계열적인 방법으로 정책영향을 평가한다.
㉢ 준실험은 자연과학과 같이 대상자들을 격리하여 실험하기 때문에 호손효과(Hawthorne effect)를 강화시킨다.
㉣ 비실험은 단일집단 사전·사후연구가 일반적으로 활용되며, 허위변수나 혼란변수 등 외생변수의 개입이 커 내적 타당성이 낮다.

① ㉠, ㉡　　② ㉠, ㉢
③ ㉡, ㉣　　④ ㉢, ㉣

14 다음 중 생산은 민간이 담당하되, 공급은 정부가 담당하는 민간위탁방식으로 잘 묶인 것은?

㉠ 계약(contracting-out)　㉡ 증서 지급(vouchers)
㉢ 허가(franchises)　㉣ 보조금 지급(granting)
㉤ 자조(self-help)　㉥ 자원봉사(volunteer)

① ㉠, ㉡, ㉢　　② ㉠, ㉢, ㉣
③ ㉢, ㉣, ㉤　　④ ㉡, ㉤, ㉥

15 「부정청탁 및 금품등 수수의 금지에 관한 법률」 및 동법 시행령에 규정된 내용 중 옳지 않은 것은?

① 「국가공무원법」 및 「지방공무원법」에 따른 공무원, 공직유관단체의 장과 임직원뿐만 아니라 사립학교 교원이나 언론사의 대표자와 임직원도 적용대상이 된다.
② 공직자 등이 직무 관련 여부에 관계없이 동일인으로부터 1회에 100만원 또는 매 회계연도에 300만원을 초과하는 금품 등을 받을 경우 형사처벌을 받는다.
③ 공직자 등이 직무와 관련하여 동일인으로부터 1회 100만원 이하 또는 매 회계연도에 300만원 이하의 금품을 수수한 경우에는 형사처벌 할 수 없다.
④ 금품수수와 관련하여 선물이란 금전, 유가증권 등을 포함한 일체의 물품 등이며, 그 가액범위는 5만원이다.

16 다음은 집단적 의사결정모형에 대한 설명이다. 옳은 것은?

① 쓰레기통모형은 참여자들이 특정 주제에 대하여 집착적인 선호를 보이는 경우 설명이 용이하다.
② 엘리슨모형Ⅱ는 SOP에 의하여 프로그램 목록에서 대안을 추출하고 권력은 반독립적인 하위조직에 분산되며, 정부는 느슨하게 연결된 연합체로 간주한다.
③ 사이버네틱스모형은 정책결정과정을 정책결정자의 기대가치나 기대효용을 최적화하는 과정으로 본다.
④ 연합모형은 환경의 불확실성을 제거하기 위해 거래관행을 수립하거나 단기적 환류에 의존하는 의사결정절차를 배제한다.

17 위원회제에 대한 설명으로 옳지 않은 것은?

① 행정위원회는 의사결정의 구속력과 집행력이 있는 위원회로 방송통신위원회, 공정거래위원회, 선거관리위원회 등이 이에 속한다.
② 의결위원회는 의사결정의 구속력은 있으나 집행력이 없는 위원회로 공직자 윤리위원회, 소청심사위원회, 행정심판위원회 등이 이에 속한다.
③ 위원회제는 행정의 책임성을 제고하기 용이하나, 타협적이고 보수적인 결정을 야기할 수 있다.
④ 위원회제는 전문가들의 참여를 통해 행정의 전문성을 제고하기 용이하나, 행정의 비능률성을 야기할 수 있다.

18 국가공무원과 지방공무원에 대한 설명으로 옳은 것은?

① 국가공무원과 지방공무원은 모두 인사관리에 적용되는 기본법률이 동일하다.
② 국가공무원과 지방공무원은 모두 고위공무원단제를 시행하고 있다.
③ 국가공무원과 지방공무원의 보수재원은 모두 국비로 충당한다.
④ 국가공무원과 지방공무원은 모두 「공직자윤리법」, 「공무원연금법」, 「부정청탁 및 금품수수의 금지에 관한 법률」의 적용대상이다.

19 예산결정이론에 대한 설명으로 옳은 것끼리 묶인 것은?

㉠ 점증주의적 예산결정에 의하면 현년도 행정부의 요구액은 국회의 전년도 승인액에 대해 선형적 함수관계에 있다.
㉡ 총체주의적 예산결정에 의하면 예산은 증분분석을 활용한 상대적 가치에 의하여 결정된다.
㉢ 예산통일성 원칙의 예외장치들은 점증주의적 예산결정의 타당성을 높인다.
㉣ 미래에 대한 불확실성이 클수록 총체주의적 예산결정의 타당성이 높아진다.

① ㉠, ㉡
② ㉠, ㉣
③ ㉡, ㉢
④ ㉢, ㉣

20 우리나라의 지방세에 대한 설명으로 옳은 것끼리 잘 묶인 것은?

㉠ 광역시 안에 군을 두고 있는 경우에는 광역시세와 자치구세의 세목구분이 적용된다.
㉡ 주민세와 취득세는 특별시·광역시세이나, 등록면허세와 재산세는 자치구세이다.
㉢ 목적세인 지방교육세와 지역자원시설세는 기초자치단체가 부과할 수 없다.
㉣ 재산과세가 아닌 소득과세나 소비과세 중심으로 안정성이 높다.

① ㉠, ㉡
② ㉡, ㉢
③ ㉠, ㉣
④ ㉢, ㉣

제 05 회 파이널 모의고사

01 우리나라의 윤리규범에 대한 설명으로 옳지 않은 것은?

① 「국가공무원법」은 공무원의 복무규정으로 직장이탈금지의무, 비밀준수의무, 영리·겸직금지의무, 품위유지의무 등을 규정하고 있다.
② 「공직자윤리법」은 재산등록 및 공개의무, 비위면직자의 취업제한, 백지신탁제도, 외국으로부터의 선물 신고 등을 규정하고 있다.
③ 「부패방지 및 국민권익위원회의 설치와 운영에 관한 법」은 부패신고의무, 국민감사청구, 내부고발자보호 등을 규정하고 있다.
④ 「공직자의 이해충돌 방지법」은 공직자의 이해충돌 방지에 관한 업무를 국민권익위원회가 관장한다고 규정하고 있다.

02 단체자치에 대한 설명으로 옳지 않은 것은?

① 법률적 의미의 지방자치로, 지방분권의 원리에 입각해 있다.
② 지방자치단체는 순수한 자치단체라기보다는 이중적 지위를 갖는다.
③ 중앙정부의 주된 통제방식으로는 입법통제와 사법통제가 활용된다.
④ 개별적 수권주의보다는 포괄적 수권주의에 의한 권한부여가 이루어진다.

03 정책형성의 권력모형에 관한 설명으로 옳지 않은 것은?

① 엘리트론에 의하면 엘리트들은 공통의 사회적 배경을 지니고 상호관련된 이해관계를 공유한다.
② 체제론에 의하면 외부환경으로부터 발생하는 요구의 다양성 때문에 모든 사회문제가 정부의제화되기 곤란하다.
③ 다원론은 권력이 다양한 세력에 분산되어 있을 뿐만 아니라 엘리트가 대중의 요구에 민감하게 반응한다고 본다.
④ 신베버주의에서 정부는 이익집단의 이익이 아닌 국가이익이라는 집단이익을 초월한 개념에 따라 정책을 결정한다.

04 책임운영기관에 대한 설명으로 옳은 것은?

① 정책기능과 집행기능을 통합하여 독립기관을 설치하고 이 기관에 조직운영의 자율성을 부여하는 반면, 운영성과에 대해 책임을 지도록 하는 제도이다.
② 정부가 수행하는 사무 중 공공성이 약하면서도 경쟁원리에 따라 운영하는 것이 바람직하거나 성과관리가 용이한 부분에 적용된다.
③ 책임운영기관의 장은 성과에 대한 책임성을 높이고 효율적인 통제를 위해 직업공무원으로 임명된다.
④ 우리나라는 행정안전부장관이 기획재정부장관 및 해당 중앙행정기관의 장과 협의하여 대통령령으로 설치하며, 소속 구성원은 공무원의 신분을 지닌다.

05 행정학 성립에 영향을 준 윌슨(Wilson)의 '행정연구(The Study of Administration, 1887)'에 대한 설명으로 옳지 않은 것은?

① 행정의 부패를 야기하는 정당정치로부터 행정을 분리하고자 하였다.
② 팬들턴(Pendleton)법에 의해 추진된 실적주의 인사제도를 이론적으로 뒷받침하였다.
③ 행정은 국가의 의지를 실현하는 것을 중심 기능으로 하여야 한다고 보았다.
④ 관료는 전문성보다는 대표성을 갖추는 것이 중요하다고 보았다.

06 예산의 신축성 장치에 대한 설명으로 옳은 것은?

① 예비비는 일반회계 예산총액의 1/100 이내의 금액을 국회의 의결을 얻어 세입세출예산에 계상하며, 각 중앙관서의 장이 관리한다.
② 계속비는 경비의 총액과 연부액을 정하여 미리 국회의 의결을 얻어 지출하는 자금으로 연부액에 대해서는 매년 다시 국회의 의결을 얻어야 한다.
③ 국가가 특별한 용역 또는 시설을 제공하고 그 제공을 받은 자로부터 비용을 징수하는 경우의 당해 경비로서 기획재정부장관이 정하는 경비인 수입대체경비는 예산총계주의 원칙이 준수되어야 한다.
④ 이체는 정부조직 등에 관한 법령의 제정·개정·폐지로 인하여 중앙관서의 직무와 권한에 변동이 있을 때 이루어지는 것으로 국회의 승인이 있어야 한다.

07 공무원인사제도에 대한 설명 중 옳은 것끼리 잘 묶인 것은?

㉠ 직업공무원제는 절대왕정시대의 관료제에 연원을 두고 있으며, 전문행정가주의와 개방형 임용을 특징으로 한다.
㉡ 엽관주의는 미국의 잭슨(Jackson) 대통령이 특정 계층의 공직독점을 타파할 목적으로 도입하였다.
㉢ 실적주의는 미국의 경우 공개경쟁채용시험, 전문행정가주의, 실적제보호위원회를 규정한 「펜들턴법」에 의해 도입되었다.
㉣ 대표관료제는 영국의 킹슬리(Kingsley)에 의해 주창되었으며, 소극적 대표성이 적극적 대표성을 보장할 것이라는 가정에 기반하고 있다.

① ㉠, ㉡
② ㉠, ㉢
③ ㉡, ㉣
④ ㉢, ㉣

08 나카무라와 스몰우드(Nakamura & Smallwood)가 분류한 정책집행의 유형에 대한 설명으로 가장 적절하지 않은 것은?

① '지시적 위임가형'에서 정책집행자는 기술적·행정적·협상적 능력을 보유하고 있으며, 집행자들 상호 간에 행정적 수단에 대하여 협상한다.
② '협상가형'에서 정책집행자는 정책결정자와 목표의 합의를 기반으로 협상을 통하여 목표달성에 필요한 수단을 확보한다.
③ '재량적 실험가형'은 정보·기술 등 현실적 여건으로 인해 정책결정자들이 구체적인 정책이나 목표를 설정하지 못하고 추상적인 수준에 머물고 있기 때문에 정책의 대부분을 정책집행자에게 위임한다.
④ '관료적 기업가형'에서는 정책집행자가 목표를 수립하고 정책결정자에게 이를 받아들이도록 종용한다.

09 조직과 환경에 관한 이론에 대한 설명으로 옳지 않은 것은?

① 구조적 상황론은 조직구조에 적합한 조직의 기술과 전략을 처방한다.
② 공동체생태론은 다원화된 이익집단들의 결속과 집단행동을 정당화한다.
③ 전략적선택이론은 조직군생태론보다 미시적이고, 구조적 상황론보다 자율적이다.
④ 제도화이론은 횡단면적 분석을 지향한다면, 조직군생태론은 종단면적 분석을 지향한다.

10 우리나라의 중앙정부와 지방자치단체 간 또는 지방자치단체 상호 간 관계에 대한 설명으로 옳지 않은 것은?

① 중앙행정기관의 장과 단체장이 사무를 처리할 때 의견을 달리하는 경우 이를 협의·조정하기 위하여 국무총리 소속으로 행정협의조정위원회를 둔다.
② 행정협의조정위원회의 조정결정을 통보받은 단체장은 조정결정사항을 이행해야 하며, 이를 이행하지 않을 경우 국무총리는 직무상 이행명령을 발할 수 있다.
③ 지방자치단체 상호 간 또는 지방자치단체장 상호 간 분쟁이 발생할 경우 행정안전부장관이나 시·도지사는 지방자치단체중앙분쟁조정위원회 또는 지방자치단체지방분쟁조정위원회의 의결에 따라 조정해야 한다.
④ 행안부장관이나 시·도지사는 조정결정사항이 성실히 이행되지 아니하면 그 자치단체에 대하여 이행을 명령하고 이를 이행하지 아니하면 그 자치단체의 비용부담으로 대집행하거나 행·재정상 필요한 조치를 할 수 있다.

11 행정학의 다양한 접근방법에 대한 설명으로 옳지 않은 것은?

① 현상학적 접근방법은 행정현상이란 그 속에 참여하는 사람들의 의식, 생각, 언어, 개념 등으로 구성되며 상호주관적인 경험으로 이룩되는 것이기 때문에 인간의 주관적 관념, 의식 및 동기 등의 의미를 더 적절하게 다루고 이해해야 한다고 보았다.
② 생태론적 접근방법은 행정현상을 자연적·사회적·문화적 환경과 관련시켜 이해하려고 하며 행정체제의 개방성을 강조하는 특성을 가지나 환경에 대한 행정의 적극적이고 주체적인 역할을 경시했다는 비판을 받았다.
③ 행태론적 접근방법은 사실영역만을 연구 대상으로 삼기 때문에 특정 질문을 통해 파악가능한 태도, 의견, 개성 등을 연구대상에서 배제하였다.
④ 체제론적 접근방법은 환경으로부터의 요구와 지지를 받아 산출로 전환하고, 환경으로 내보내진 환류를 통해 체제로 다시 환류되는 계속적인 순환과정을 행정현상에 적용하였다.

12 특별회계에 대한 설명으로 옳지 않은 것은?

① 일반회계 외의 별도의 회계를 설치한다는 점에서 예산단일성의 원칙의 예외이다.
② 기업특별회계는 「정부기업예산법」에 근거하여 설치되며, 기타특별회계는 「국가재정법」 별표1에 규정된 법률에 의하지 아니하고는 이를 설치할 수 없다.
③ 세입은 사업소득, 부담금, 수수료, 전입금 등이며, 세출은 특정세출에 충당한다.
④ 입법부와 국민에 의한 예산통제를 강조한다면 특별회계의 수는 많을수록 바람직하다.

13 동기부여이론에 대한 설명으로 옳은 것끼리 묶인 것은?

> ㄱ. 맥그리거(McGregor)는 Y이론적 관리전략으로 MBO 등을 통한 개인목표와 조직목표의 통합을 지향하였다.
> ㄴ. 헤크먼(Hackman)과 올드햄(Oldham)이 제시한 잠재적 동기지수(MPS)에 의하면 다양한 직무특성 중에서 자율성과 환류가 동기부여에 보다 많은 영향을 미친다고 보았다.
> ㄷ. 허츠버그(Herzberg)는 조직구성원에게 만족을 주는 요인과 불만족을 주는 요인은 상호 연계되어 있는 것으로 보았다.
> ㄹ. 포터와 롤러(Porter & Lawler)는 만족감을 중시하여 만족이 성과에 선행된다고 보았다.

① ㄱ, ㄴ ② ㄱ, ㄹ
③ ㄴ, ㄷ ④ ㄷ, ㄹ

14 우리나라의 공직분류체계에 대한 설명으로 옳은 것은?

① 경력직과 특수경력직의 구별기준은 실적주의와 직업공무원제의 적용 여부이다.
② 특수경력직은 정무직 공무원과 특정직 공무원으로 구분된다.
③ 일정기간을 정하여 임용하는 임기제 공무원은 특수경력직 공무원에 해당한다.
④ 특정직은 기술·연구 또는 특수분야의 업무를 담당한다.

15 민간위탁의 방식에 대한 설명으로 옳지 않은 것은?

① 민간과의 계약(contracting-out)은 경쟁입찰을 통해 서비스 생산주체를 결정하며, 주민이 정부에게 비용을 지불하면, 정부가 민간의 서비스 생산주체에게 경비를 지불한다.
② 허가(franchises)는 정부가 일정구역 내에서 서비스의 생산권한을 민간에 부여하는 것으로 규모의 경제를 추구할 수 있으나 경쟁이 미약할 경우 이용자의 비용부담이 가중될 수 있다.
③ 증서교부(vouchers)는 공공서비스에 대한 요건을 구체적으로 명시하기 곤란하거나 서비스가 기술적으로 복잡하고 불확실한 경우에 주로 활용된다.
④ 보조금지급(grants)은 정부가 재정 및 현물을 지원하는 방식으로 사용자의 부담을 감소시킬 수 있으나 자율적 시장가격의 왜곡을 초래할 위험성이 있다.

16 사전측정을 경험한 실험 대상자들이 측정 내용에 대해 친숙해짐으로써 사후측정에 영향을 주었다. 이와 관련된 타당성 저해요인은?

① 측정효과   ② 측정도구의 변화
③ 오염효과   ④ 호손효과

17 우리나라의 근무성적평정제도에 대한 설명으로 옳은 것끼리 묶인 것은?

㉠ 4급 이상 공무원은 성과계약의 성과목표달성도에 의한 평가를 연 1회, 5급 이하 공무원의 평정은 근무실적과 직무수행능력에 대한 평가를 연 2회 실시한다.
㉡ 직무성과계약제는 직무분석을 통해 도출된 성과책임을 바탕으로 구성원들의 참여를 통해 성과목표를 설정·관리·평가하는 상향식(bottom-up) 제도이다.
㉢ 다면평가제는 담합에 의한 평가의 왜곡을 방지할 수 있으나, 조직 내 포퓰리즘을 야기할 위험성이 있다.
㉣ 역량평가는 실제업무와 유사한 모의상황을 설정하여 현실적 직무상황에 근거한 행동을 관찰하는 평가로 미래의 잠재력을 평가한다.

① ㉠, ㉡   ② ㉡, ㉢
③ ㉢, ㉣   ④ ㉠, ㉣

18 예산결정이론에 대한 설명으로 옳지 않은 것은?

① 바움가트너와 존스(Baumgartner & Jones)의 단절균형모형은 점증주의적 예산결정을 비판하면서 급격한 단절적 예산변화를 설명하며, 나아가 단절균형이 발생할 수 있는 시점을 예측할 수 있다고 보았다.
② 윌다브스키(Wildavsky)의 예산문화론은 국가의 재정력과 재정의 예측력을 기준으로 국가의 재정력은 낮으나 재원의 예측가능성이 높은 경우에는 세입적 예산편성이 나타난다고 보았다.
③ 윌로비와 서메이어(Wiloughby & Thurmaier)의 다중합리성모형은 과정론적 접근방법에 근거하여 정부예산의 성공을 위해서는 각 과정별로 예산활동과 행태를 구분해야 한다고 보았다.
④ 루빈(Rubin)의 실시간 예산운영모형은 세입의 흐름, 세출의 흐름, 예산균형의 흐름, 예산집행의 흐름, 예산과정의 흐름이 느슨하게 연계된 상호의존성을 가지고 있다고 보았다.

19 공공선택론에 대한 설명으로 옳은 것은?

① 비시장적 의사결정에 대한 경제학적 접근을, 시장적 의사결정에 대한 정치학적 접근을 지향한다.
② 행정기능을 수행하는 모든 정부기관은 구조적으로 유사한 형태를 지녀야 한다고 주장한다.
③ 정당 및 관료를 공공재의 생산자로, 시민 및 이익집단을 공공재의 소비자로 인식하면서 교환으로서의 정치를 강조한다.
④ 역사적으로 누적·형성된 개인의 기득권을 타파하기 위한 혁신적 접근이라는 평가를 받는다.

20 우리나라의 지방채에 대한 설명으로 옳지 않은 것은?

① 지방자치단체의 장은 대통령령으로 정하는 지방채 발행 한도액의 범위에서 지방의회의 의결을 얻어 이미 발행한 지방채의 차환을 목적으로 지방채를 발행할 수 있다.
② 지방자치단체의 장은 행정안전부장관과 협의한 경우에는 그 협의한 범위에서 지방의회의 의결을 얻어 지방채 발행 한도액의 범위를 초과하여 지방채를 발행할 수 있다.
③ 지방자치단체조합의 장이 지방채를 발행하려면 행정안전부장관의 승인을 받은 범위에서 조합의 구성원인 각 지방자치단체 지방의회의 의결을 얻어야 한다.
④ 지방자치단체의 장은 지방채 발행 한도액 범위더라도 외채를 발행하는 경우에는 행정안전부장관의 승인을 받기 전에 지방의회의 의결을 거쳐야 한다.

파이널 모의고사

01 다음은 시장실패와 이에 대한 정부의 대응방안에 대한 설명이다. 옳은 것으로 잘 묶인 것은?

> ㉠ 규모가 커질수록 단위당 생산비용이 감소하는 규모의 경제 산업 - 공적공급, 정부규제
> ㉡ 제3자에게 의도하지 않은 이익이나 손해를 주는 현상 - 공적유인, 정부규제
> ㉢ 비배제성과 비경합성을 지닌 재화의 존재 - 공적공급, 공적유인
> ㉣ 정보의 불균형으로 인한 역선택과 도덕적 해이 - 공적공급, 정부규제

① ㉠, ㉡
② ㉡, ㉣
③ ㉠, ㉢
④ ㉢, ㉣

02 다음은 다양한 예산제도에 대한 설명이다. 옳은 것으로 잘 묶인 것은?

> ㉠ 품목별 예산(LIBS)은 상향적 의사결정구조를 지니며, 재정민주주의 실현에 가장 효율적인 예산제도이다.
> ㉡ 체제예산(PPBS)은 장기적 시각과 객관적인 분석도구를 활용한 합리주의적 예산제도로 상향적 의사결정구조를 지닌다.
> ㉢ 성과주의예산(PBS)은 장기사업보다는 단위사업 중심의 예산으로 총괄계정에 적합하지 못하다.
> ㉣ 영기준예산(ZBB)은 비용편익분석이 활용되며, 사업의 우선순위 선정에 있어서 예산결정자의 주관을 배제할 수 있다.

① ㉠, ㉡
② ㉠, ㉢
③ ㉡, ㉣
④ ㉢, ㉣

03 정책델파이에 관한 설명 중 옳지 않은 것은?

① 주관적이고 질적인 예측 방법으로서 컴퓨터에 의한 의견교류 과정을 전개한다.
② 일반적인 델파이와 달리 창의적 문제해결을 위해 갈등을 불가피한 것으로 인식한다.
③ 참여자의 선발은 전문가뿐만 아니라 흥미와 통찰력을 가진 주창자들을 선정한다.
④ 양극화된 통계처리보다는 의견의 중위값을 강조함으로써 델파이기법의 약점을 보완한다.

04 갈등관리전략에 대한 설명으로 옳지 않은 것은?

① 계층제에 의한 명령과 강제를 강화하거나 조직의 수평적 분화의 촉진 등은 갈등해소전략에 해당한다.
② 기존의 업무관행에 변화를 주어 불확실성을 제고하거나 개방형 임용제를 활용한 외부인사의 영입 등은 갈등조성전략에 해당한다.
③ 상담, 팀형성, 감수성훈련 등 행태변화기법의 활용은 갈등해소전략에 해당한다.
④ 의사전달 통로의 변경을 통한 정보의 재분배나 정보전달의 억제 등은 갈등조성전략에 해당한다.

05 직위분류제의 수립절차에 대한 설명으로 옳은 것은?

① 직무분석은 직무의 성질과 종류를 구분하는 것으로 공정한 보수를 확립하는 데 활용된다.
② 직무평가는 직무의 상대적인 가치를 분류하여 등급화하는 것으로 시험의 내용적 타당성을 확보하는 데 활용된다.
③ 직군·직렬·직류를 구분하는 직무분석보다 등급·직급을 구분하는 직무평가가 선행하는 작업이다.
④ 직급명세서는 정급의 지표가 되며, 채용·승진·보수·근무성적평정의 기준으로 활용된다.

06 우리나라에서 활용되고 있는 준예산과 추가경정예산에 대한 설명으로 옳지 않은 것은?

① 준예산은 예산안이 회계연도 개시일까지 의결되지 못할 때 활용되며, 집행범위의 제한이 없다.
② 추가경정예산은 이미 확정된 예산에 변경을 가할 필요가 있을 때 편성되며, 편성 및 심의절차는 원칙적으로 본예산안과 동일하다.
③ 준예산은 사전의결의 원칙의 예외 제도로 사용기한의 제한이 없으며, 당해연도 예산이 성립할 때까지 효력이 있다.
④ 추가경정예산은 본예산과 별도로 성립되며, 일단 성립되면 본예산에 흡수되어 본예산과 통산하여 전체로서 집행된다.

07 탈신공공관리론에 대한 설명으로 옳지 않은 것은?

① 신공공관리론의 한계를 보완하고 통치역량을 강화하고자 하는 개혁의 흐름이다.
② 조직개편의 기본방향으로 탈관료제를 지향한다.
③ 조직관리의 기본철학은 자율성과 책임성을 증대하는 것이다.
④ 구조적 통합을 통한 분절화의 축소 및 총체적 정부의 구성을 강조한다.

08 우리나라의 주민참여제도에 대한 설명으로 옳지 않은 것은?

① 주민조례발안은 지방의회에, 주민투표는 지방자치단체장에, 주민소송은 관할 행정법원에, 주민소환은 관할 선거관리위원회에 청구한다.
② 주민투표, 주민조례발안, 주민감사청구는 18세 이상의 주민이 청구할 수 있으나, 주민소환은 19세 이상의 주민이 청구할 수 있다.
③ 주민조례발안, 주민감사청구, 주민투표청구, 주민소환청구는 모두 일정한 요건에 해당하는 외국인도 청구 가능하다.
④ 주민조례발안과 주민투표는 별도의 법률에 구체적인 사항을 정하고 있으나, 주민소환과 주민소송은 「지방자치법」에 구체적인 사항을 정하고 있다.

09 다음은 정부규제와 피규제자의 자율성에 대한 서술이다. 옳지 않은 것은?

① 관리규제는 정부가 피규제자에게 스스로 각 과정별로 중요관리점을 선정하여 체계적 관리를 수행하도록 과정을 통제하는 규제로 수단규제보다 피규제자의 자율성이 높다.
② 네거티브(negative) 규제는 원칙 '허용', 예외 '금지'의 형태로 포지티브(positive) 규제보다 피규제자의 자율성이 높다.
③ 간접규제는 정부가 민간에게 일정한 기준을 부과하되 그것을 달성할지 여부를 민간의 경제적 판단에 맡기는 규제로 직접규제보다 피규제자의 자율성이 높다.
④ 수단규제는 정부가 민간 행위자들이 사용하는 기술이나 행위 등을 통제하는 규제로 성과규제보다 피규제자의 자율성이 높다.

10 다음은 리더십이론에 대한 설명이다. 옳은 것끼리 묶인 것은?

> ㉠ 블레이크(Blake)와 모우튼(Mouton)의 관리그리드모형은 '생산에 대한 관심'과 '인간에 대한 관심'의 두 가지 기준을 토대로 관리망을 구성하고 '팀형'을 가장 이상적으로 보았다.
> ㉡ 피들러(Fiedler)는 상황변수로 리더와 부하와의 관계, 직위권력, 과업구조를 제시하고, 상황이 유리하거나 불리할 때는 과업형 리더십이 효율적임을 주장하였다.
> ㉢ 허쉬(Hersey)와 브랜챠드(Blanchard)는 부하의 성숙도를 상황요인으로 인식하고 리더십의 유형을 지시형, 지원형, 참여형, 성취형으로 구분하였다.
> ㉣ 하우스(House)는 과업이 구조화되어 있지 않고 부하의 경험과 지식이 부족할 때에는 참여적 리더십이 효과적이라고 보았다.

① ㉠, ㉡ ② ㉠, ㉢
③ ㉡, ㉣ ④ ㉢, ㉣

11 우리나라의 「공무원연금법」에 대한 설명으로 옳지 않은 것은?

① 퇴직수당은 공무원이 1년 이상 재직하고 퇴직 또는 사망할 때 지급되는 것으로 공무원과 정부가 분담한다.
② 퇴직연금은 공무원이 10년 이상 재직하고 퇴직한 경우에 65세가 되었을 때부터 지급된다.
③ 퇴직연금의 기여금은 납부기간이 36년을 초과한 자는 내지 아니한다.
④ 군인 및 선거에 의해 취임한 공무원을 제외한 국가공무원 및 지방공무원이 적용대상이다.

12 지방자치단체의 기관구성에 대한 설명으로 옳지 않은 것은?

① 기관통합형은 주로 주민자치형 국가에서, 기관분립형은 주로 단체자치형 국가에서 채택하고 있다.
② 기관분립형은 행정의 책임소재가 분명하고, 행정부서 간 분파주의를 극복하기 유리하다.
③ 기관통합형은 신중한 의사결정을 가져올 수 있고, 지방행정의 전문성을 제고하기 유리하다.
④ 「지방자치법」에 의하면 지방자치단체의 기관구성형태를 다양화할 수 있으며, 지방의회와 집행기관의 구성을 달리하려는 경우에는 주민투표를 거쳐야 한다.

13 우리나라의 예산개혁에 대한 설명으로 옳지 않은 것은?

① 국가재정운용계획은 재정의 안정성과 일관성 및 재정건전성 등 중장기적 거시 재정목표의 효과적인 추구를 위해 도입되었다.
② 총액배분자율편성제도는 각 중앙관서가 총액 한도를 지정한 후에 사업별 예산을 편성한다는 점에서 기획재정부의 사업별 예산통제 기능을 약화시킨다.
③ 성과관리예산제도는 재정사업별로 성과목표를 설정하여 예산을 배분·집행하고 사후에 이의 달성여부를 측정·평가하여 재정운영에 활용하는 제도이다.
④ 국가재정운용계획, 총액배분자율편성예산제도, 성과관리예산제도 등과 같은 예산개혁의 실효성을 확보하기 위한 제도적 기반으로 프로그램 예산제도가 활용되고 있다.

14 공익에 대한 설명으로 옳은 것끼리 잘 묶인 것은?

㉠ 공익실체설은 도덕적 선, 정의, 공동사회의 보편적 가치를 공익으로 인식한다.
㉡ 공익과정설은 개별이익을 합한 전체이익의 극대화를 통해 공익을 달성할 수 있다고 본다.
㉢ 공익실체설은 현실주의적 공익관으로 관료의 적극적 역할을 중시한다.
㉣ 공익과정설은 의사결정과정의 합리화를 위해 적법절차의 원리를 강조한다.

① ㉠, ㉡
② ㉡, ㉢
③ ㉠, ㉣
④ ㉢, ㉣

15 다음 중 1종 오류와 관련이 없는 것은?

① 알파(α)오류
② 올바른 대안을 기각하는 오류
③ 영가설을 기각하는 오류
④ 틀린 대립가설을 채택하는 오류

16 조직구조에 대한 설명으로 옳지 않은 것은?

① 기능구조는 공동기능별 부서화로 규모의 경제를 실현할 수 있다는 장점이 있지만, 최고관리자에게 권한이 집중되는 한계를 지닌다.
② 네트워크구조는 핵심영역을 제외한 주변영역을 외주화한 조직구조로 성과평가가 곤란한 경우 적용이 용이하다는 장점이 있으나, 조직의 정체성이 약하다는 단점이 있다.
③ 매트릭스구조는 기능구조와 사업구조의 결합으로 조직단위 간 할거주의를 극복할 수 있는 장점이 있으나, 실제 운영에 있어서 끊임없는 갈등과 혼란이 야기되는 단점이 있다.
④ 수평구조는 핵심과정별 부서화로 환경에의 신속한 대응이 가능하다는 장점이 있으나, 구성원들의 심리적 갈등과 불안감을 초래한다는 단점이 있다.

17 우리나라의 행정정보공개제도에 대한 설명으로 옳지 않은 것은?

① 공공기관은 정보공개 청구를 받은 날부터 10일 이내에 공개여부를 결정하여야 한다.
② 국민뿐만 아니라 외국인 역시 일정한 요건하에 공개 청구의 권리를 지닌다.
③ 국민의 정보공개청구는 정보공개 청구서에 의한 문서로 하여야 한다.
④ 대규모 예산이 투입되는 사업에 관한 정보는 청구가 없더라도 공개하여야 한다.

18 우리나라의 인사기구에 대한 설명으로 옳은 것은?

① 중앙인사기관이 비독립단독형의 형태로 구성되어 인사행정의 정실화를 방지하기 유리하다.
② 행정안전부 소속 소청심사위원회는 모든 국가기관 소속 공무원의 소청을 심사·결정한다.
③ 중앙고충처리위원회의 기능은 소청심사위원회가 담당하며, 고충처리에 대한 결정은 관계기관의 장을 기속한다.
④ 지방소청심사위원회는 시·도에 임용권자별로 두며, 기초자치단체에는 두지 아니한다.

19 정책변동에 대한 설명으로 옳지 않은 것은?

① 정책변동은 정책집행의 하향적 접근보다는 상향적 접근에서 강조된다.
② 정책승계는 현존 정책의 기본적 성격이 변화되는 것으로 기존 정책목표는 유지한 채 정책수단을 전면적으로 바꾸는 정책대체를 포함한다.
③ 정책승계는 정책대상집단의 범위가 변동된다거나 정책의 수혜 수준이 달라지는 경우와 관련된다.
④ 정책유지는 정책수단의 기본 골격이 달라지지 않으며, 주로 정책 산출 부분의 변화를 수반한다.

20 톰슨(Thompson)의 기술유형론에 대한 설명으로 옳지 않은 것은?

① 연속적 기술은 표준화된 상품을 반복적으로 생산할 때 사용되는 기술로 순차적 상호의존성을 지닌다.
② 중개적 기술은 고객들을 연결해주는 기술로 공식성은 높고 복잡성은 낮은 조직구조를 지닌다.
③ 집약적 기술은 다양한 기술이 개별적인 고객의 성격과 상태에 따라 다르게 배열하는 기술로 집합적 상호의존성을 지닌다.
④ 연속적 기술은 갈등과 조정난이도가 높지 않은 편이며, 집약적 기술은 갈등과 조정난이도가 높은 편이다.

제07회 파이널 모의고사

01 다원주의론에 대한 설명으로 옳은 것끼리 묶인 것은?

> ㉠ 다원주의에서 정부는 갈등적 이익을 조정하는 중개인 혹은 게임 규칙의 준수를 독려하는 심판자로써 역할을 수행한다.
> ㉡ 다원주의에서 각종 이익집단은 정부의 차별적인 접근허용으로 인해 정부정책에 대한 영향력에 차이가 있다.
> ㉢ 다알(Dahl)의 다원주의에 의하면 정책문제의 선정과정은 특정세력의 의도에 따라서 작위적인 과정을 거쳐서 결정된다.
> ㉣ 신다원주의는 전문화된 체제를 갖추고 능동적으로 기능하는 정부관을 취하면서, 정부가 중립적 조정자가 아닐 수도 있음을 인정한다.

① ㉠, ㉡   ② ㉠, ㉣
③ ㉡, ㉢   ④ ㉢, ㉣

02 다양한 행정이념에 대한 설명으로 옳지 않은 것은?

① 능률성(efficiency)은 수단적·개별적 차원의 이념으로 양적이고 단기적인 성격을 지닌다.
② 효과성(effectiveness)은 목적적·기능적 차원의 이념으로 과정보다는 산출을 중시한다.
③ 란다우(Landau)에 의해 행정학에 도입된 가외성은 행정기능의 중복을 의미하며, 조직의 신뢰성과 안정성 증진을 목적으로 한다.
④ 디목(Dimock)은 사회적 능률성 개념을 제시하여 민주성과 능률성의 조화를 추구하였다.

03 다음은 우리나라의 예산과정에 대한 것이다. ㉠~㉣에 들어갈 내용을 바르게 연결한 것은?

> • 기획재정부장관은 국무회의의 심의를 거쳐 대통령의 승인을 얻은 다음 연도의 예산안편성지침을 매년 (㉠)월 31일까지 각 중앙관서의 장에게 통보해야 한다.
> • 각 중앙관서의 장은 지출한도와 편성기준에 따라 다음 연도의 예산요구서를 작성하여 매년 (㉡)월 31일까지 기획재정부장관에게 제출해야 한다.
> • 정부는 감사원의 검사를 거친 결산보고서 및 첨부서류를 다음 연도 (㉢)월 31일까지 국회에 제출해야 한다.
> • 국회는 감사원이 검사를 완료한 국가결산보고서를 정기회 (㉣) 전까지 심의·의결을 완료해야 한다.

	㉠	㉡	㉢	㉣
①	3	5	5	개회
②	1	3	5	폐회
③	3	5	5	개회
④	1	5	7	폐회

04 직업공무원제에 대한 설명으로 옳지 않은 것은?

① 실적주의를 기반으로 하며 행정의 전문직업주의 확립에 기여한다.
② 일반행정가주의를 지향하여 행정의 전문성을 저해할 우려가 있다.
③ 전통적 관료제 구성원리와 부합되는 제도로 공직채용 시 직무수행능력을 중시한다.
④ 직업공무원제의 한계를 보완하기 위해서는 충원의 개방화와 공직의 전문화가 필요하다.

05 다음 중 지방분권과 관련이 없는 사항으로 잘 묶인 것은?

┌─────────────────────────────┐
│ ㉠ 도시헌장제도   ㉡ 딜런의 법칙 │
│ ㉢ 홈룰운동   ㉣ 티부가설   │
└─────────────────────────────┘

① ㉠, ㉡   ② ㉠, ㉢
③ ㉡, ㉣   ④ ㉢, ㉣

06 덴하트(Denhardt)의 신공공서비스론과 전통적 행정론 및 신공공관리론을 비교한 것이다. 옳은 것끼리 잘 묶인 것은?

┌───┐
│ ㉠ 전통적 행정론이 상명하복하는 관료제 조직을 선호한다 │
│   면, 신공공서비스론은 주요통제권이 유보된 분권화된 조 │
│   직을 선호한다.   │
│ ㉡ 신공공관리론이 법률로 표현된 정치적 결정을 공익으로 │
│   인식한다면, 신공공서비스론은 공유된 가치에 대한 담론 │
│   의 결과를 공익으로 인식한다.   │
│ ㉢ 신공공관리론이 신고전파 경제이론 등에 기반한다면, 신 │
│   공공서비스론은 민주주의이론, 실증주의, 해석학, 비판 │
│   이론, 포스트모더니즘 등 다양한 이론에 기반하고 있다. │
│ ㉣ 전통적 행정론이 개괄적 합리성을 추구한다면, 신공공서 │
│   비스론은 전략적 합리성을 추구한다.   │
└───┘

① ㉠, ㉡   ② ㉡, ㉢
③ ㉡, ㉣   ④ ㉢, ㉣

07 「공무원의 노동조합 설립 및 운영 등에 관한 법률」상 공무원 노동조합의 가입범위에 대한 설명으로 옳지 않은 것은?

① 사실상 노무에 종사하는 공무원을 제외하고 일반직 공무원과 별정직 공무원은 직급제한 없이 노조에 가입할 수 있다.
② 특정직 공무원 중 일부 외무공무원, 소방공무원, 교원을 제외한 교육공무원은 노조에 가입할 수 있다.
③ 인사·보수 또는 노동관계의 조정·감독 등의 업무에 종사하는 공무원이나 교정·수사 등 업무에 종사하는 공무원은 노조에 가입할 수 없다.
④ 공무원노조는 현직공무원의 권익을 보호하기 위한 제도로 퇴직공무원은 노조에 가입할 수 없다.

08 예산의 분류에 대한 설명으로 옳지 않은 것은?

① 조직별 분류는 중앙관서별 분류로 입법부의 예산통제가 용이하나, 경비지출의 목적을 파악하기 곤란하다.
② 기능별 분류는 시민을 위한 분류로 예산의 전체 윤곽을 밝히는 데 유용하나, 회계책임을 확보하기 곤란하다.
③ 경제성질별 분류는 경제에 미치는 영향을 중심으로 하는 분류로 고위직 공무원에게 유용하나, 경제적 영향의 일부만 측정가능하다.
④ 품목별 분류는 지출대상별 분류로 예산의 효과성 파악이 용이하나, 예산집행의 경직성을 초래할 수 있다.

09 다음은 개인적 의사결정모형에 대한 설명이다. 옳은 것은?

① 합리모형은 복잡하고 급격한 변화가 일어나는 사회문제를 해결하는 데 적합하다.
② 최적모형은 불완전한 합리모형으로 영감, 직감 등 신비주의적 요소를 배제한다.
③ 점증모형에 영향을 준 만족모형은 집단적 의사결정에 적용하기 용이하다.
④ 만족모형은 한정된 대안의 총체적 비교분석을 통해 대안을 선택하고자 한다.

10 학습조직(Learning Organization)에 대한 설명으로 옳지 않은 것은?

① 구성원 개개인의 전문지식 습득 노력을 통한 개인적 숙련이 강조된다.
② 관계 지향성과 집합적 행동을 장려하며, 학습은 공동 참여와 공동생산에 기반을 둔다.
③ 구성원들 간의 상호작용을 중시하는 시스템적 사고(systems thinking)를 중시한다.
④ 구성원의 권한강화를 전제로 하며, 개인학습을 지향한다.

11 옴부즈만 제도에 대한 설명으로 옳은 것은?

① 융통성과 신속성이 높은 제도로 부당한 행정행위를 법적으로 강제하고 취소할 수 있는 권한을 갖는 것이 일반적이다.
② 옴부즈만은 직권으로 조사하는 것이 일반적이나, 예외적으로 국민의 요구나 신청에 의해 활동을 개시하기도 한다.
③ 옴부즈만의 개인적 신망이나 영향력에 의존하는 제도로 그 효과는 법적이라기보다 사회적·정치적 성격을 띤다.
④ 옴부즈만에 의한 통제는 외부통제 중의 하나이며, 의회는 옴부즈만의 활동을 지휘·감독할 수 있다.

12 다음은 행태론적 접근방법에 대한 설명이다. 옳은 것으로 잘 묶인 것은?

㉠ 자연현상과 사회현상을 구별하지 않고 동일한 연구방법을 취하였다.
㉡ 연구방법보다는 연구주제를 중시함으로써 연구범위가 제한적이었다.
㉢ 정치·행정현상에서 개별국가의 특수성을 강조하였다.
㉣ 행태의 규칙성과 인과성을 경험적으로 입증하고 설명하는 데 초점을 두었다.

① ㉠, ㉡
② ㉠, ㉣
③ ㉡, ㉢
④ ㉢, ㉣

13 정책유형론에 대한 설명으로 옳지 않은 것은?

① 정책유형론은 정책유형에 따라 정책과정이나 정책환경에서의 이해관계자들 간의 상호작용이 달라질 수 있다고 보았다.
② 알몬드와 파월(Almond & Powell)은 체제의 기능에 따라 정책유형을 분배정책, 규제정책, 추출정책, 상징정책으로 분류하였다.
③ 로위(Lowi)는 정책을 비용과 편익의 집중과 분산에 따라 분배정책, 규제정책, 재분배정책, 구성정책으로 구분하였다.
④ 리플리와 프랭클린(Ripley & Franklin)은 규제정책을 경쟁적 규제정책과 보호적 규제정책으로 구분하고, 보호적 규제정책은 재분배정책과 성격이 유사하다고 보았다.

14 상황적응이론과 자원의존모형에 대한 설명으로 옳지 않은 것은?

① 상황적응이론은 모든 상황에 적합한 조직의 보편적 원리를 강조하는 고전적 조직이론을 비판하고 상황에 따른 조직구조를 강조하였다.
② 자원의존이론은 조직과 환경과의 의존성을 전제로 하나 조직을 환경과의 관계에서 능동적 존재로 보았다.
③ 개별조직 중심의 연구인 상황적응이론과 달리 자원의존모형은 조직 간의 자원의존성을 전제로 한다는 점에서 조직군 중심의 연구이다.
④ 환경에의 수동적 적응을 강조하는 상황적응이론과 달리 자원의존모형은 조직의 자율적이고 적극적인 환경관리를 중시하였다.

15 개방형 인사체제에 대한 설명으로 옳지 않은 것은?

① 직무가 없어지더라도 담당공무원이 퇴직하는 것이 아니라 배치전환을 통해 근무를 지속한다.
② 조직의 신진대사를 촉진하여 공직침체와 관료주의화를 방지할 수 있으나, 직업공무원제를 확립하기 곤란하다.
③ 정치적 리더십이 강화되어 개혁의 추진세력을 형성할 수 있으나, 엽관인사를 야기할 위험성이 있다.
④ 전문가 중심의 인력구조를 형성할 수 있으나, 계속적 근무경험에 의해 축적될 수 있는 전문성이 저해될 수 있다.

16 다음은 정책평가의 타당성 저해요인이다. 성격이 다른 하나는?

① 동일집단에 여러 번의 실험적 처리를 한 경우 실험조작에 어느 정도 익숙해짐으로써 나타나는 현상
② 실험 직전의 측정 결과를 토대로 집단을 구성할 때 평소와 달리 특별히 좋거나 나쁜 결과 때문에 실험이 진행되는 동안 원래의 상태로 돌아가게 되는 현상
③ 실험집단 구성원이 실험의 대상이라는 인식으로 인하여 평소와는 다른 특별한 행동을 보이는 현상
④ 실험 전 측정 받은 경험과 피실험자의 실험조작의 상호작용으로 발생하는 현상

17 다양한 조직혁신기법에 대한 설명으로 옳지 않은 것은?

① 총체적품질관리(TQM)는 과정과 절차가 아닌 기능을 중심으로 조직을 구조화한다.
② 목표관리제(MBO)는 단기적이고 구체적인 목표를 중시하며, 구성원의 참여를 중시하는 상향적 관리를 지향한다.
③ SWOT분석은 전략적 관리기법으로 조직의 환경과 역량을 고려한 맞춤형 전략을 수립하는 데 초점이 있다.
④ 업무과정재설계(PAPR)는 업무과정을 근본적으로 재설계하는 것으로 조직문화는 개혁의 대상이 아니다.

18 평정방법에 대한 설명으로 옳지 않은 것은?

① 도표식평정척도법은 평정표 작성이 간단하고 평정이 용이하나, 등급 간 비교기준이 모호하며 연쇄효과를 야기할 우려가 있다.
② 강제배분법은 관대화 경향이나 엄격화 경향 등을 방지할 수 있지만, 역산식 평정이 야기될 우려가 있다.
③ 행태기준평정척도법은 도표식 평정척도법에 중요사건기록법을 가미한 방식으로 평정대상자의 가장 대표적인 행태 하나만을 선택해야 한다는 점이 단점으로 지적된다.
④ 도표식평정척도법의 한계를 극복하기 위한 행태관찰척도법은 평정자의 주관을 줄일 뿐만 아니라 등급 간의 비교기준이 명확하며, 연쇄효과를 방지해준다.

19 우리나라의 국가채무에 대한 설명으로 옳지 않은 것은?

① 국가의 회계 또는 기금이 발행한 채권, 국가의 회계 또는 기금의 차입금과 국고채무부담행위 등이 국가채무에 포함된다.
② 국가의 보증채무 중 정부의 대지급(代支給) 이행이 확정된 채무도 국가채무에 포함된다.
③ 국가가 보증채무를 부담하는 때에는 차후에 국회의 승인을 얻어야 한다.
④ 기획재정부장관은 국가의 회계 및 기금이 부담하는 금전채무에 대해 매년 국가채무관리계획을 수립하여야 한다.

20 지방자치단체의 사무에 대한 설명으로 옳지 않은 것은?

① 고유사무에 대하여 국가는 사후적·합법적 감독이 가능하지만, 예방적·합목적 감독은 배제된다.
② 단체위임사무는 전국적 이해와 지방적 이해를 동시에 가지는 사무로 중앙정부가 결정을 담당하고 지방정부가 집행을 담당한다.
③ 기관위임사무는 지방적 이해관계가 없는 국가사무로, 지방의회의 관여가 원칙적으로 배제된다.
④ 우리나라는 포괄적 예시주의에 따라 지방자치단체의 사무를 「지방자치법」에 규정하고 있으나 법률에 이와 다른 규정이 있으면 그러하지 아니하다.

제08회 파이널 모의고사

01 지방자치단체의 조례와 규칙에 관한 설명으로 옳지 않은 것은?

① 규칙은 조례와 달리 고유사무와 단체위임사무뿐만 아니라 기관위임사무에 대해서도 규정할 수 있다.
② 조례는 법률의 위임이 있는 경우에는 주민의 권리 제한이나 의무 부과뿐만 아니라 벌칙도 제정할 수 있다.
③ 지방자치단체는 조례를 위반한 행위에 대하여 조례로써 1천만원 이하의 과태료를 정할 수 있다.
④ 법령에서 조례로 정하도록 위임한 사항은 그 법령의 하위 법령에서 그 위임의 내용과 범위를 제한하거나 직접 규정할 수 있다.

02 베버(Weber)의 관료제에 관한 설명으로 옳은 것은?

① 카리스마적 권위에 입각한 집권화된 조직구조이다.
② 동서양 모든 국가에서 나타나는 보편적 조직구조이다.
③ 관료는 겸직이 허용되지 않으며, 성과에 의한 보수를 받는다.
④ 증오나 열정이 없는 형식주의적인 비정의성(impersonality)이 중시된다.

03 미국 행정학의 발달과정에 대한 설명으로 옳지 않은 것은?

① 건국 직후 미국 정치체제는 자유주의와 민주주의를 지향하는 제퍼슨 – 잭슨(Jefferson-Jackson)주의가 지배적이었다.
② 엽관주의의 폐해로 인한 국정운영의 비효율성은 윌슨(Wilson)이 주도한 정치행정이원론의 대두배경이 되었다.
③ 애플비(Appleby)가 주도한 정치행정일원론은 영국의 대의민주주의와 독일의 관료제로부터 영향을 받았다.
④ 정치행정이원론은 행정의 관리적 성격을 강조하였으나, 정치행정일원론은 행정의 정치적 성격을 강조하였다.

04 로위(Lowi)는 강제력의 행사방법과 강제력의 적용영역에 따라 정책을 유형화하였다. 이에 대한 설명으로 옳지 않은 것은?

강제력의 행사방법 \ 강제력의 적용영역	개별적 행위	행위의 환경
간접적	㉠	㉡
직접적	㉢	㉣

① ㉠ - 세부사업들 간에 강한 결속력으로 인해 세부사업 단위로 독립적인 집행이 불가능하다.
② ㉡ - 모든 국민을 대상으로 하는 정책으로 대외적인 가치배분에 직접적인 영향을 미치지 않는다.
③ ㉢ - 다원주의적 정치관계가 나타나며, 이익을 받는 집단과 손해를 보는 집단 사이의 갈등과 타협의 결과이다.
④ ㉣ - 참여자들 간의 정면대결이 이루어지며, 이해관계보다는 이데올로기가 작용한다.

05 우리나라 공직분류체계와 이에 따른 예시로 옳은 것끼리 묶인 것은?

㉠ 일반직 공무원 – 전문경력관, 기술·연구 업무 담당 공무원, 우정직 공무원 등
㉡ 특정직 공무원 – 법관·검사, 헌법재판소 재판관, 국정원 직원 등
㉢ 정무직 공무원 – 국무조정실장, 국무총리 비서실장, 국회수석전문위원 등
㉣ 별정직 공무원 – 정책보좌관, 차관보, 비서관·비서 등

① ㉠, ㉡   ② ㉠, ㉣
③ ㉡, ㉢   ④ ㉢, ㉣

06 행정학의 발전과정에 관한 설명으로 가장 옳지 않은 것은?

① 리그스(F. Riggs)는 후진국 행정체제에 대한 '프리즘적 사랑방모형'을 설정하여 후진국의 행정행태를 사회문화적 맥락에서 파악하고 행정의 독자성을 인정하여 독립변수로 취급하였다.
② 파슨스(T. Parsons)는 사회체제가 생존하기 위한 필수적인 4가지 기능으로 적응기능, 목표달성기능, 통합기능, 체제유지기능을 제시하였다.
③ 사이먼(H. Simon)은 행정관리론에서 개발된 조직의 원리들은 상호 간에 모순성이 존재한다고 지적하면서 이러한 원리들은 과학적인 실험을 거치지 않은 격언에 불과하다고 논박하였다.
④ 행위이론을 주장한 하몬(M. Harmon)은 해석사회학, 현상학, 상징적 상호주의 및 반실증주의의 입장에서 행정을 다루었다.

07 동기부여의 내용이론에 대한 설명으로 옳지 않은 것은?

① 매슬로우(Maslow)의 욕구이론에 따르면 동기로 작용하는 욕구는 충족되지 않은 욕구이며, 충족된 욕구는 동기유발의 힘을 상실한다.
② 엘더퍼(Alderfer)의 ERG이론은 만족 – 진행요소뿐만 아니라 좌절 – 퇴행요소도 고려한다는 점에서 매슬로우(Maslow)의 이론보다 진일보한 것이다.
③ 맥클리랜드(McClelland)의 성취동기이론은 인간의 욕구는 사회문화적으로 학습되는 것으로 보고 개인마다 욕구의 계층에 차이가 있다고 본다.
④ 샤인(Schein)의 복잡인관은 개인목표와 조직목표의 통합 및 관리자의 촉매적 역할을 강조한다.

08 정책집행에 대한 하향적 연구와 관련된 것으로 잘 묶인 것은?

㉠ 정책집행에 참여하는 행위자들 사이의 상호작용 또는 협상을 중시하는 입장이다.
㉡ 구체적인 법령과 계획, 정책과 집행의 이원화, 단일과정적 집행과정, 정책집행의 비정치적이고 기술적 성격 등을 강조한다.
㉢ 명확한 정책방향, 행정책임의 언명 또는 잘 규정된 결과가 정책이 성공적으로 집행될 가능성을 높여줄 것이라는 가정에 입각해 있다.
㉣ 정책의 집행과정에서 집행담당자의 광범위한 재량권이 필요하며, 또한 불가피하다고 주장하여 정책집행자의 정책결정기능의 중요성을 강조한다.

① ㉠, ㉡   ② ㉠, ㉡
③ ㉡, ㉢   ④ ㉢, ㉣

09 예산의 신축성 유지 방안에 대한 설명으로 옳은 것은?

① 이월은 해당 회계연도 예산의 일정액을 다음 연도로 넘겨서 사용하는 것으로 명시이월은 재이월이 가능하지만, 사고이월은 재이월이 불가능하다.
② 예비비로 공무원의 보수 인상을 위한 인건비를 충당하기 위해서는 예산총칙 등에 따라 미리 사용 목적을 지정하여야 한다.
③ 계속비의 연한은 원칙적으로 그 회계연도부터 5년 이내로 하지만 기획재정부장관이 필요하다고 인정하는 때에는 국회의 의결을 없이 지출연한을 연장할 수 있다.
④ 국고채무부담행위에 대한 국회의 의결은 다음 회계연도 이후의 지출권한에 대한 것을 포함한다.

10 우리나라의 근무성적평정제도에 대한 설명으로 옳은 것은?

① 5급 이상은 성과계약 등에 의한 평가를 연 1회, 6급 이하는 실적과 능력에 대한 근무성적평정에 의한 평가를 연 2회 실시한다.
② 평가등급의 수는 3개 이상으로 상대평가하되 최상위등급의 인원은 평가단위별 인원수의 상위 20%로, 최하위등급의 인원은 하위 10%로 한다.
③ 고위공무원단 소속 공무원은 5등급으로 평가하되, 최상위등급은 상위 20% 이하로, 최하위등급은 하위 10% 이상으로 하여야 한다.
④ 우리나라는 현재 직급별로 차별적인 평가체제를 적용하고 있으며, 평정결과는 소청심사위원회에 소청이 허용되고 있다.

11 주인 – 대리인이론에 대한 설명으로 옳지 않은 것은?

① 대리인이 위임업무처리에 관하여 주인보다 우월한 능력을 가지고 있다고 전제한다.
② 비대칭적 정보 상황으로 인하여 대리인의 기회주의적 행태가 유발된다고 본다.
③ 행위자들이 이기적인 존재임을 가정하며 대리인을 움직이는 유인의 역할을 중시한다.
④ 대리손실을 최소화하기 위해서 관료들의 권한강화 및 분권화를 중시한다.

12 지방교부세에 대한 설명으로 옳은 것은?

① 지방교부세의 재원은 내국세 총액의 19.24%와 종합부동산세 및 담배에 부과되는 개별소비세 전액으로 구성된다.
② 지방재정자립도가 높은 지방자치단체는 보통교부세를 교부받지 못하며, 보통교부세를 교부받지 못한 지방자치단체라도 특별교부세를 교부받을 수 있다.
③ 보통교부세와 부동산교부세는 일반재원인 반면, 특별교부세와 소방안전교부세는 특정재원의 성격을 지닌다.
④ 소방안전교부세는 행정안전부장관이 자치단체의 소방 및 안전시설 현황, 소방 및 안전시설 투자 소요, 재난예방 및 안전강화 노력, 재정여건 등을 고려하여 기초자치단체에 교부한다.

13 우리나라 윤리규범에 대한 내용으로 옳은 것은?

① 공공기관의 사무처리가 법령위반 또는 부패행위로 인해 공익을 해하는 경우 일정 수 이상의 국민의 연서로 국민권익위원회에 감사를 청구할 수 있다.
② 공직자 등은 직무와 관련하여 대가성 여부를 불문하고 동일인으로부터 1회에 100만원 또는 매 회계연도에 300만원을 초과하는 금품 등을 받거나 요구 또는 약속해서는 아니되며, 그 이하는 가능하다.
③ 재산등록의무자인 공직자는 퇴직일부터 5년간 취업심사대상기관에 취업할 수 없으나, 관할 공직자윤리위원회로부터 퇴직 전 3년 동안 소속하였던 부서 또는 기관의 업무와 취업심사대상기관 간에 밀접한 관련성이 없다는 확인을 받거나 취업승인을 받은 때에는 취업할 수 있다.
④ 부패혐의에 대하여 국민권익위원회가 검찰에 고발한 경우 위원회가 검사로부터 불기소처분을 통보받았을 경우 위원회는 고등법원에 재정신청할 수 있다.

14 성과주의예산(PBS)에 대한 설명으로 옳지 않은 것은?

① 정치지도자의 예산개입을 약화시키고 관리자의 관리능력을 향상시킨다.
② 입법부의 예산심의가 용이하며, 회계책임 확보가 용이하다.
③ 산출물 증가에 따른 추가 투입액 파악이 용이하다.
④ 사업중심의 예산으로 전략적 목표의식이 결여되어 있다.

15 정책문제의 정의에 대한 설명으로 옳지 않은 것은?

① 객관적인 문제상황을 주관적으로 정의하기 때문에 인공성·차별적 이해성·정치성을 띤다.
② 정책문제의 정의 시 정책목표, 인과관계, 관련 요소, 역사적 맥락 등을 고려해야 한다.
③ 문제의 인지, 문제의 탐색, 문제의 정의, 문제의 구체화의 과정을 거친다.
④ 정책문제의 정의는 제3종 오류를 방지하기 위한 활동이다.

16 우리나라의 책임운영기관에 대한 설명으로 옳지 않은 것은?

① 책임운영기관 공무원의 총 정원은 대통령령으로 정하고, 종류별·계급별 정원 또는 고위공무원단에 속하는 공무원의 정원은 총리령 또는 부령으로 정한다.
② 일반회계로 운영되는 책임운영기관과 특별회계로 운영되는 책임운영기관 모두 초과수입금을 직·간접비로 사용할 수 있다.
③ 소속책임운영기관의 장은 행·재정상 자율성이 부여되어 소속 공무원(고위공무원단 제외)에 대한 일체의 임용권을 가진다.
④ 소속책임운영기관의 장의 근무기간은 5년의 범위에서 소속중앙행정기관의 장이 정하되, 최소한 2년 이상으로 하여야 한다.

17 공무원인사제도에 대한 설명 중 옳은 것끼리 묶인 것은?

㉠ 실적주의는 정치적 중립을 중시하며, 인사행정의 공정성을 확보하기 용이하다.
㉡ 엽관주의는 주기적이고 대량적인 공직경질을 통해 관료 특권화를 방지할 수 있다.
㉢ 직업공무원제는 행정의 능률성을 확보할 수 있도록 충원의 개방성을 전제로 한다.
㉣ 대표관료제는 관료들의 전문성과 책임성을 확보하기 용이하다.

① ㉠, ㉡
② ㉠, ㉢
③ ㉡, ㉢
④ ㉢, ㉣

18 현행 「정부업무평가기본법」에 대한 설명으로 옳은 것끼리 묶인 것은?

㉠ 국무총리는 정부업무평가기본계획을 수립하고 최소한 3년마다 타당성을 검토하여 수정·보완하여야 한다.
㉡ 특정평가란 국정통합관리를 위하여 2이상의 중앙행정기관 관련 시책, 주요 현안 시책, 혁신관리 및 대통령령이 정하는 대상 부분에 대하여 국무총리가 실시하는 평가를 말한다.
㉢ 국무총리는 지방자치단체에 대한 합동평가를 효율적으로 추진하기 위하여 국무총리 소속하에 지방자치단체합동평가위원회를 설치·운영할 수 있다.
㉣ 중앙행정기관의 장은 자체평가위원회를 구성·운영하여야 하며 이 경우 평가의 공정성과 객관성을 확보하기 위하여 자체평가위원의 1/2 이상을 민간위원으로 하여야 한다.

① ㉠, ㉡
② ㉠, ㉢
③ ㉡, ㉢
④ ㉢, ㉣

19 우리나라의 기금에 대한 설명으로 옳지 않은 것은?

① 기금은 국가가 특정한 목적을 위해 특정한 자금을 신축적으로 운영할 필요가 있을 때 예산 외(off budget)로 설치되는 자금으로 법률로 설치한다.
② 금융성 기금은 주요항목 지출금액의 변경범위가 10분의 3 이하의 범위에서는 기금운용계획변경안을 국회에 제출하지 아니하고 대통령령으로 정하는 바에 따라 변경할 수 있다.
③ 기획재정부장관은 회계연도마다 전체 기금에 대하여 그 운용실태를 조사·평가하여야 하며, 매년 전체 재정체계를 고려하여 기금의 존치여부를 평가하여야 한다.
④ 국회는 정부가 제출한 기금운용계획안의 주요항목 지출금액을 증액하거나 새로운 과목을 설치하고자 할 때에는 미리 정부의 동의를 얻어야 한다.

20 민자유치사업에 대한 설명으로 옳지 않은 것은?

① BTL은 BTO와 달리 정부가 수요자에게 공공서비스를 제공한다.
② BTL은 BTO와 달리 최종 수요자에게 사용료 부과가 가능한 시설에만 활용될 수 있다.
③ BTO는 BTL과 달리 최소운영수입보장제도 및 적자보전계약이 전제되어야 한다.
④ BOO는 민간이 공공시설을 건설하고, 민간이 소유권을 유지하면서 사업을 운영한다.

제09회 파이널 모의고사

01 예산의 분류에 대한 설명이다. 옳은 것으로 잘 묶인 것은?

> ㉠ 예산은 세입·세출의 성질에 따라 본예산, 수정예산, 추가경정예산으로 구분된다.
> ㉡ 예산불성립 시 예산제도는 가예산, 준예산, 잠정예산으로 구분된다.
> ㉢ 추가경정예산은 예산한정성의 원칙과 예산단일성의 원칙의 예외이다.
> ㉣ 우리나라는 회계연도 개시 30일 전까지 의결되지 못했을 때 준예산을 사용한다.

① ㉠, ㉡
② ㉡, ㉢
③ ㉠, ㉢
④ ㉢, ㉣

02 계급제와 직위분류제에 대한 설명으로 옳지 않은 것은?

① 계급제는 갈등 발생 소지가 높으나 행정상 조정과 협조가 원활하다.
② 직위분류제는 직무자체가 없어진 경우 공무원의 신분보장이 위협을 받는다.
③ 계급제는 보수나 직무부담의 형평성을 확보하기 곤란하다.
④ 직위분류제는 잠정적·비정형적 업무로 구성된 역동적인 상황에 적용하기 용이하다.

03 정책공동체와 이슈네트워크를 비교한 것이다. 잘못 설명한 것은?

① 정책공동체는 경제적 또는 전문직업적 이익이 지배적이나, 이슈네트워크는 관련된 모든 이익이 망라된다.
② 정책공동체는 제한적이고 폐쇄적인 참여가 이루어지나, 이슈네트워크는 광범위하고 개방적인 참여가 이루어진다.
③ 정책공동체에서는 정책산출에 대한 예측이 곤란하지만, 이슈네트워크는 의도한 대로 정책산출이 이루어진다.
④ 정책공동체에서는 비영합게임(non zero sum game)이 펼쳐지나, 이슈네트워크는 영합게임(zero sum game)이 펼쳐진다.

04 조직상황 요인과 조직구조 간의 관계를 설명한 것으로 옳지 않은 것은?

① 비일상적 기술일수록 복잡성은 높아지고, 집권성은 낮아진다.
② 규모가 작아질수록 공식성은 낮아지고, 집권성은 높아진다.
③ 규모가 커질수록 수평적 분화와 수직적 분화가 촉진된다.
④ 역사가 오래된 조직일수록 공식성과 집권성이 높아진다.

05 하딘(Hardin)의 '공유지의 비극'에 대한 설명이다. 옳은 것으로 잘 묶인 것은?

> ㉠ '공유지의 비극'을 야기하는 공유재는 경합성을 지녀 특정인의 사용량이 증가할 경우 그 양이 줄어드는 자원이다.
> ㉡ '공유지의 비극'은 편익은 분산시키고 비용을 집중하려는 개인의 합리적 선택으로 발생한다.
> ㉢ '공유지의 비극'은 특정인의 선택행위가 다른 구성원에게 부정적 외부효과를 초래함을 설명한다.
> ㉣ '공유지의 비극'은 개인의 합리성과 집단의 합리성이 조화를 이룰 수 있다고 보았다.

① ㉠, ㉡
② ㉠, ㉢
③ ㉡, ㉣
④ ㉢, ㉣

06 경제적 규제와 사회적 규제에 대한 다음 설명 중 옳지 않은 것은?

① 경제적 규제는 생산자를 보호하기 위한 규제라면, 사회적 규제는 생산자에 대한 규제이다.
② 경제적 규제는 전산업체를 대상으로 하므로 사회적 규제보다 경제적 파급효과가 크다.
③ 사회적 규제는 일반적으로 명령지시적 규제방식이 시장유인적 규제방식보다 효과적이다.
④ 규제의 합리화 측면에서 경제적 규제는 완화하고 사회적 규제는 강화하는 것이 바람직하다.

07 토마스(Thomas)의 이차원적 갈등관리모형에 대한 설명으로 옳지 않은 것은?

① 협동은 갈등 당사자들이 서로 양보하여 갈등을 해결하는 것으로 분명한 승자나 패자가 없다.
② 경쟁은 신속하고 결단성 있는 행동이 요구되거나 구성원들에게 인기없는 조치를 할 때 활용된다.
③ 회피는 갈등 당사자들이 갈등문제를 해결하려 하기보다는 무시하는 비단정적이고 비협력적인 방법이다.
④ 순응은 한 당사자가 자신의 목표를 포기하고 다른 당사자의 관심사를 만족시키는 비단정적이고 협력적인 방법이다.

08 중앙인사기관의 조직형태에 대한 설명으로 옳지 않은 것은?

① 독립합의형은 엽관주의의 폐해를 방지하고 인사행정의 정치적 중립성을 보장하기 위해 고안된 조직형태이다.
② 비독립단독형은 행정수반이 인사정책에 직접적인 책임을 지며, 중앙인사기관은 효율적인 인사관리를 위한 자문기능을 수행한다.
③ 독립합의형은 중앙인사기관이 행정수반으로부터 독립적으로 인사행정의 전반을 관장하기 때문에 인사행정의 책임한계가 불분명하다.
④ 비독립단독형은 집권성을 특징으로 하고 있어 인사행정의 신축성을 확보하기 곤란하고 적극적 인사행정을 추구하기 불리하다.

09 예산제도의 특징에 관한 설명 중 옳지 않은 것은?

① 결정이나 대안선택의 유형으로서 성과주의예산(PBS)은 점증주의를 따르는 반면, 계획예산(PPBS)은 총체주의를 따르고 있다.
② 품목별 예산(LIBS)에서는 회계학적 지식이 요구되지만, 계획예산(PPBS)은 경영학 및 행정학적 지식이 요구된다.
③ 결정의 흐름과 관련하여 품목별 예산(LIBS)과 성과주의예산(PBS)은 상향적이며 위로 통합되고 있으나, 계획예산제도는 하향적이다.
④ 예산기관의 역할을 보면 품목별 예산(LIBS)에서는 통제와 감시에, 성과주의예산(PBS)에서는 관리에 관심을 두고 있다.

10 신제도주의적 접근에 대한 설명으로 옳지 않은 것은?

① 공식적 제도만을 중시하였던 법률·제도적 접근과 보편적 이론 구축을 지향하였던 행태주의적 접근을 비판하고 등장하였다.
② 역사적 제도주의는 제도의 의도하지 않은 결과로 인한 제도의 이상과 실제의 괴리를 설명할 수 있다.
③ 사회학적 제도주의는 사회적 정당성의 논리에 의해 조직에서 사용되는 제도는 경쟁의 결과물로 인식하였다.
④ 합리선택적 제도주의는 제도를 인간의 합리적 행동의 상황적 조건 또는 유인체계로 작용하는 법률, 규칙, 관습, 문화 등으로 이해하였다.

11 지방자치행정에 대한 주민참여의 설명으로 옳지 않은 것은?

① 아른슈타인(Arnstein)은 주민참여의 단계를 영향력의 정도에 따라 주민권력, 형식적 참여, 비참여의 단계로 구분하였다.
② 아른슈타인(Arnstein)의 참여단계 중 정보제공은 형식적 참여의 단계로 행정기관이 일방적으로 주민에게 정보를 제공하는 단계이다.
③ 「지방자치법」상 주민이란 해당 지방자치단체의 관할 구역에 주민등록이 되어 있는 자로 재외국민이나 외국인은 포함되지 아니한다.
④ 우리나라에서 주민참여제도는 조례제·개폐청구제도, 주민감사청구제도, 주민투표제도, 주민소송제도, 주민소환제도 순으로 법제화되었다.

12 델파이기법에 대한 설명으로 옳은 것끼리 잘 묶인 것은?

㉠ 전문가들이 각각 독자적으로 형성한 의견을 종합하여 활용하는 분석기법으로 랜드(LAND) 연구소에서 개발되었다.
㉡ 구조화된 설문지를 통한 통계처리를 강조하는 주관적인 미래예측기법이다.
㉢ 불확실한 먼 미래보다는 가까운 미래를 예측하기 용이한 분석기법이다.
㉣ 솔직한 답변을 가져올 수 있으나 구성원 간의 성격마찰, 감정대립, 다수 의견의 횡포를 야기할 수 있다.

① ㉠, ㉡
② ㉡, ㉢
③ ㉠, ㉣
④ ㉢, ㉣

13 다양한 동기부여이론에 대한 설명으로 옳지 않은 것은?

① 허츠버그(Herzberg)의 욕구충족이원론에 의하면 위생요인은 구성원에게 불만족을 초래하며, 이것이 잘 갖추어졌다고 직무수행동기를 유발하는 것은 아니다.
② 엘더퍼(Alderfer)는 매슬로우(Maslow)의 욕구단계론과 달리 두 가지 이상의 욕구가 동시에 발현가능하다고 보는 복합연결형 욕구단계이론을 제시하였다.
③ 페리(Perry)의 공직동기이론은 민간부문 종사자와 달리 공공부문 종사자에서만 나타나는 공공봉사동기를 합리적 차원, 규범적 차원, 감성적 차원으로 구분하였다.
④ 아담스(Adams)의 공정성이론에 의하면 조직원들은 공정하다고 인식할 때 동기가 유발된다.

14 전자정부의 발전에 대한 설명으로 옳은 것끼리 묶인 것은?

㉠ 전자정부 서비스는 일방향 서비스에서 맞춤형 서비스로, 맞춤형 서비스에서 쌍방향 서비스로 진화되고 있다.
㉡ 전자정부의 발전은 직무 간 경계와 부서 간 경계를 보다 모호하게 하여 이음매 없는 행정이 실현되도록 한다.
㉢ 민주적 전자정부는 전자정보화에서 전자자문으로, 전자자문에서 전자결정으로 진화되고 있다.
㉣ 전자정부의 발전을 위하여 우리나라는 과학기술정보통신부장관이 5년마다 전자정부기본계획을 수립하도록 하고 있다.

① ㉠, ㉡
② ㉠, ㉢
③ ㉡, ㉢
④ ㉢, ㉣

15 총액배분자율편성제도에 대한 설명으로 옳지 않은 것은?

① 재정운용의 분권성을 강조하는 상향식 의사결정구조를 지닌다.
② 예산결정과정을 단순화시켜 의사결정 비용을 절약할 수 있다.
③ 책임성 확보를 위해 성과통제를 강화해야 할 필요성이 있는 제도이다.
④ 국가재원의 전략적 배분을 강조하고 그에 대한 중앙통제를 인정한다.

16 지방자치단체의 기관구성에 대한 설명으로 옳지 않은 것은?

① 기관통합형은 행정부서 간 분파주의를 배제하기 유리하다.
② 기관분리형은 행정의 종합성을 제고하기 유리하다.
③ 기관통합형은 지방행정의 신속성과 능률성을 제고하기 유리하다.
④ 기관분리형은 행정의 전문성을 제고하기 유리하다.

17 정책집행에 대한 다양한 학자들의 다음 논의 중 옳은 것으로 묶인 것은?

> ㉠ 프레스만(Pressman)과 윌다브스키(Wildavsky)는 정책은 집행동안에도 끊임없이 재설계된다고 보고 집행과정에 참여자가 너무 많아서 오클랜드 사업이 실패하였다고 주장하였다.
> ㉡ 나카무라(Nakamura)와 스몰우드(Smallwood)는 집행자가 결정자의 목표를 지지하면서 집행자들 상호 간에 행정적 수단에 관하여 협상을 벌이는 유형을 협상가형이라 하였다.
> ㉢ 립스키(Lipsky)의 '일선관료제'에 따르면 일선관료는 복잡하고 불확실한 상황을 단순화·정형화하여 문제를 해결한다.
> ㉣ 사바띠에(Sabatier)의 정책지지 연합모형은 하향적 접근방법의 분석단위를 채택하고, 여기에 영향을 미치는 요인으로 상향적 접근방법의 여러 가지 변수를 결합하였다.

① ㉠, ㉡
② ㉠, ㉢
③ ㉡, ㉣
④ ㉢, ㉣

18 조직구조의 유형에 대한 설명으로 옳은 것끼리 잘 묶인 것은?

> ㉠ 수평구조는 불명확한 업무분장으로 조직원의 불안과 갈등을 조성할 위험성이 있다.
> ㉡ 유기적 구조는 명확한 조직목표와 과제를 지녀 성과평가가 용이할 때 적합하다.
> ㉢ 매트릭스구조는 혼합적·이원적 구조의 비상설조직으로 명령통일의 원리에 반한다.
> ㉣ 애드호크라시는 수직적으로는 통합되어 있지만, 수평적으로는 분화된 조직구조이다.

① ㉠, ㉡
② ㉢, ㉣
③ ㉡, ㉢
④ ㉠, ㉣

19 우리나라의 공무원연금제도에 대한 설명으로 옳은 것끼리 묶인 것은?

> ㉠ 운영에 관한 사항은 행정안전부장관이 주관하며, 공무원연금공단은 공무원연금기금을 관리·운용한다.
> ㉡ 미국과 동일하게 연금재원을 조달하기 위한 기금제와 연금비용을 국가와 공무원이 공동부담하는 기여제가 활용되고 있다.
> ㉢ 현직공무원의 기여금을 바로 퇴직 연금대상자에게 지급하는 부과방식으로 운영되며, 연금재정수지부족액은 국가재정으로 보전하는 부양원리에 입각해 있다.
> ㉣ 재임 중의 공무원의 공로를 국가가 보상한다는 입장인 공로보상설의 입장에서 퇴직연금을 공무원의 당연한 권리로 인식한다.

① ㉠, ㉡
② ㉠, ㉣
③ ㉡, ㉢
④ ㉢, ㉣

20 신공공관리론에 대한 설명으로 옳지 않은 것은?

① 고객지향적 행정을 추구함으로써 시민을 능동적 존재로 인식하였다.
② 효율적인 통제를 위해 성과목표와 기준에 의한 사후적 통제를 중시하였다.
③ 행정의 전략적 정책역량 강화와 집행부문의 탈정부화 및 탈관료제화를 추구하였다.
④ 행정의 분절화 현상으로 행정의 책임성을 저해할 수 있다는 비판을 받았다.

제 10 회 파이널 모의고사

01 건전재정을 위한 제도적 장치로 볼 수 없는 것은?
① 세계잉여금 처리용도 제한
② 총사업비관리제도와 예비타당성조사
③ 법률안 재정 소요 추계제도
④ 불법재정지출에 대한 국민감시제

02 정책의제설정에 대한 설명 중 옳지 않은 것을 모두 고르면?

> ㉠ 포자모형은 정책문제 자체의 성격보다는 정책문제가 제기되어 정의되는 환경이 정책의제설정에 중요하다고 보았다.
> ㉡ 크렌슨(Crenson)은 이익은 분산되고 비용은 집중되는 전체적인 문제의 경우 정부의제화가 용이하다고 보았다.
> ㉢ 문제 자체가 매우 복잡하여 해결책을 선택하기 곤란한 사회문제는 정부의제화가 용이하다.

① ㉠, ㉡, ㉢   ② ㉠, ㉢
③ ㉡, ㉢   ④ ㉢

03 다양한 리더십이론에 대한 설명 중 옳은 것은?
① 블레이크와 머튼(Blake & Mouton)의 관리망이론은 어떤 사람이든 리더가 될 수 있으며, 리더의 행동특성을 훈련시켜 성공적인 리더를 만들어 갈 수 있다고 보았다.
② 피들러(Fiedler)는 상황변수로 리더와 부하와의 관계, 리더의 공식적 권한, 부하의 특성을 제시하고, 상황이 유리하거나 불리할 때는 과업형 리더십이 효율적임을 주장하였다.
③ 거래적(transactional) 리더십은 책임을 포기하고 의사결정을 회피하는 자유방임(free-rein)과 노력에 대한 보상 및 예외에 의한 관리를 지향한다.
④ 변혁적 리더십은 행동지침의 명확한 제시 및 부하들에 대한 적극적 지원을 제공하고 이를 통해 부하들의 노력을 촉진해 나간다.

04 직무평가방법에 대한 설명으로 옳은 것은?
① 분류법은 등급별로 책임도, 곤란성, 필요한 지식과 기술 등에 관한 기준을 고려하여 직무의 등급을 정하는 절대평가방법이다.
② 점수법은 직무전체를 평가대상으로 하며, 체계적이고 과학적인 방법에 의해 작성된 직무평가기준표를 사용하는 상대평가방법이다.
③ 서열법은 직무와 직무를 직접 비교하는 비계량적인 방법으로 주관성 배제에는 유리하지만, 비용이 많이 든다.
④ 요소비교법은 기준직위와 평가할 직위를 비교해 가면서 점수를 부여하여 보수액을 산정하는 양적 평가방법으로 정부와 민간부문에서 가장 광범위하게 활용된다.

05 사회적 자본(social capital)에 대한 설명으로 가장 옳지 않은 것은?
① 사회적 제재메커니즘을 제공하여 상호 간 소망스러운 행위를 유도한다.
② 구성원들 간의 지식공유와 학습을 촉진한다.
③ 신뢰를 강화하고 거래비용을 낮추며, 경제발전을 촉진한다.
④ 대외적인 개방성을 지녀 다양성의 존중과 사회적 통합을 촉진한다.

06 길버트(Gilbert)의 행정통제를 4가지 유형으로 구분하였다. 다음 중 내부적 - 공식적 통제는 몇 개인가?

> ㉠ 독립통제기관에 의한 통제
> ㉡ 공무원의 직업윤리
> ㉢ 옴부즈만에 의한 통제
> ㉣ 근무성적평정제도에 의한 통제
> ㉤ 계층제에 의한 통제
> ㉥ 정당에 의한 통제
> ㉦ 교차기능조직에 의한 통제
> ㉧ 대표관료제에 의한 통제

① 3개   ② 4개
③ 5개   ④ 6개

07 살라몬(L. M. Salamon)이 제시한 정책수단 중 직접수단으로 묶인 것은?

㉠ 사회적 규제	㉡ 경제적 규제
㉢ 조세지출	㉣ 정부소비
㉤ 보험	㉥ 공기업

① ㉠, ㉡, ㉣
② ㉠, ㉡, ㉢
③ ㉡, ㉣, ㉥
④ ㉡, ㉢, ㉣

08 애드호크라시(Adhocracy)에 대한 설명으로 옳지 않은 것은?

① 동질적인 전문성을 지닌 자들로 구성된다.
② 칼리지아조직, 프로젝트팀, 망상구조 등이 이에 속한다.
③ 낮은 수준의 수직적 분화와 높은 수준의 수평적 분화를 특징으로 한다.
④ 기능별·목적별 집단과 프로젝트팀이 공존하는 형태를 띠기도 한다.

09 우리나라의 예산심의에 대한 설명으로 옳지 않은 것은?

① 예산심의는 정책이나 사업의 근본적 변경보다는 예산금액의 한계적 조정에 치중하므로 국회는 예산결정과정에서 수동적 역할을 수행한다.
② 예산결산특별위원회가 소관 상임위원회에서 삭감한 세출예산 각항의 금액을 증가하게 할 때에는 소관 상임위원회의 동의를 얻어야 하나, 새 비목을 설치할 때에는 그러하지 아니하다.
③ 우리나라의 예산심의는 본회의보다는 상임위원회와 예산결산위원회 중심으로 이루어진다.
④ 국회는 정부의 동의없이 지출예산 각 항의 금액을 증가시키거나 새 비목을 설치하지 못한다.

10 우리나라에서 지방자치단체의 장과 의회의 갈등관계를 해소하는 장치에 관한 설명으로 옳은 것은?

① 지방의회는 지방자치단체의 장이 조례로 정한 사무를 이행하지 않고 있을 때 직무이행명령을 할 수 있다.
② 지방의회는 지방자치단체의 장에 대한 불신임의결권을, 지방자치단체의 장은 지방의회 해산권을 갖는다.
③ 지방의회 의장은 지방의회 사무직원 추천권을, 지방자치단체의 장은 지방의회 사무직원 임명권을 갖는다.
④ 지방자치단체의 장은 재의요구 및 제소권, 선결처분권, 임시회소집요구권 등을 통하여 지방의회를 견제한다.

11 정책평가의 타당성에 대한 설명 중 옳은 것은?

① 정책평가에서는 정책을 환경에 대한 종속변수로 놓고 그 효과를 측정하여 정책의 타당성을 검증한다.
② 정책수단과 정책목표 간의 인과관계를 검증하기 위해서는 시간적 선행의 조건, 공동변화의 조건, 경쟁적 가설 배제의 조건이 충족되어야 한다.
③ 특정 정책이 집행되고 난 이후에 정책목표가 달성되었다면 정책과 그 목표 사이에는 인과관계가 있다고 결론 내릴 수 있다.
④ 두 변수 간에 일부 상관관계가 있는 상태에서 두 변수 모두에 영향을 미쳐 그 효과를 크게 보이도록 하는 변수를 허위변수라 한다.

12 파킨슨의 법칙(Parkinson's Law)에 대한 다음 설명 중 옳지 않은 것으로 묶인 것은?

> ㉠ 브레낸과 뷰캐넌(Brennan & Buchanan)의 리바이던 가설(Leviathan Hypothesis)과 달리 정부는 지속적으로 팽창한다는 법칙이다.
> ㉡ 정부는 본질적 업무 및 파생적 업무의 증가와 상관없이 공무원 수가 일정한 비율로 증가한다는 법칙이다.
> ㉢ 공무원 수의 증가는 경쟁대상자의 증원을 원하지 않고 부하직원의 증원을 원하는 관료들의 심리적 요인에 기인한다.
> ㉣ 파킨슨의 법칙(Parkinson's Law)은 정부실패의 유형 중 파생적 외부효과와 관련된다.

① ㉠, ㉡
② ㉠, ㉣
③ ㉠, ㉡, ㉣
④ ㉡, ㉢, ㉣

13 조직의 원리에 대한 설명으로 옳지 않은 것은?

① 명령통일의 원리와 참모조직의 원리는 조정에 관한 원리에 해당한다.
② 부성화의 원리와 동질성의 원리는 분업에 관한 원리에 해당한다.
③ 임시작업단(TF), 프로젝트팀은 수평적 조정기제이며, 규칙과 계획은 수직적 조정기제이다.
④ 전문화의 원리는 인간을 준기계화하여 인간소외현상을 야기한다.

14 합리선택적 신제도주의의 특징이 아닌 것은?

① 방법론적 개체주의와 연역적 접근
② 인간의 행위를 유인하기 위한 공식적 제도에 초점
③ 제도는 인간행동의 상황적 조건
④ 제도와 인간 간의 상호작용으로 형성된 내생적 선호

15 「공무원의 노동조합 설립 및 운영 등에 관한 법률」상 공무원 노동조합에 대한 설명으로 옳지 않은 것은?

① 공무원노조를 설립하고자 하는 경우에는 행정안전부장관에게 노조설립신고서를 제출하여야 한다.
② 공무원의 보수·복지 그 밖의 근무조건에 관한 사항은 단체협약의 대상이 되나, 임용권의 행사나 신규공무원의 채용기준과 절차는 단체협약의 대상이 아니다.
③ 공무원은 임용권자의 동의를 얻어 노동조합의 업무에만 종사할 수 있으며, 이 경우 전임자는 보수를 지급받지 아니한다.
④ 체결된 단체협약의 내용 중 법령·조례 또는 예산에 의해 규정되는 내용과 법령·조례에 의해 위임을 받아 규정되는 내용은 단체협약으로서의 효력을 가지지 아니한다.

16 예산의 형식에 대한 설명으로 옳지 않은 것은?

① 예산법률주의는 예산을 법률의 형식으로 국회의 의결을 얻는 것으로 세입과 세출 모두 법적 구속력을 갖는다.
② 예산의결주의에 의할 때 세출예산은 구속력이 있지만, 세입예산은 구속력이 없고 참고자료에 불과하다.
③ 예산법률주의에 의하면 대통령의 거부권 행사가 가능하나, 예산의결주의에 의하면 대통령 거부권 행사가 불가능하다.
④ 예산의결주의는 예산을 법률보다 하위의 예산서의 형태로 국회의 의결을 얻는 것으로 공포를 효력요건으로 한다.

17 다음은 점증모형과 합리모형을 비교한 것이다. 옳지 않은 것은?

① 점증모형은 목표를 수단에 합치되도록 수정하지만, 합리모형은 수단을 목표에 합치하도록 선택한다.
② 점증모형은 변화가 적은 안정적인 사회에 적용하기 용이하지만, 합리모형은 변화가 많은 불안정한 사회에 적용하기 용이하다.
③ 점증모형은 예측가능성이 큰 확실한 상황에 적용이 용이하지만, 합리모형은 예측가능성이 낮은 불확실한 상황에 적용이 용이하다.
④ 점증모형이 이론적 근거가 결여된 귀납적 접근이라면, 합리모형은 이론적 근거에 입각한 연역적 접근이다.

18 균형성과표(BSC)에 대한 설명 중 옳지 않은 것은?

① BSC는 거시적이고 추상적인 조직목표와 이를 달성하기 위해 필요한 구체적인 행동지표 간 인과관계를 전략지도로 구성한다.
② BSC의 구성요소 중 고객 관점은 외부시각으로 의사결정에서의 시민참여, 고객만족도, 정책순응도 등을 지표로 한다.
③ BSC의 구성요소 중 학습 및 성장 관점은 선행지표로 내부 제안 건수, 직무만족도 등을 평가한다.
④ BSC의 구성요소 중 재무 관점은 상부구조를 구성하며, 정부부문과 민간부문 간에 큰 차이가 발생하는 영역이다.

19 공무원의 교육훈련방법에 대한 설명으로 옳지 않은 것은?

① 감수성 훈련(sensitivity training)은 T-집단훈련으로도 불리며 피훈련자의 태도와 가치관의 변화를 통해 대인관계기술을 향상시키는 것을 목적으로 한다.
② 액션러닝(Action Learning)은 업무수행 중 직면할 수 있는 어떤 상황을 가상적으로 만들어놓고 피교육자가 역할 실습 등을 통해 상황에 대처해보도록 하는 방법이다.
③ 사건처리연습은 어떤 사건의 윤곽을 피교육자에게 알려주고 피교육자가 전문가의 지원을 받아 과제의 해결책을 찾게 하는 방법이다.
④ 현장훈련(OJT: On the Job Training)는 피훈련자가 실제 직무를 정상적으로 수행하면서 선임자로부터 직무수행에 관한 지식과 기술을 배우는 방법이다.

20 정부 간 관계(IGR)에 대한 설명으로 옳은 것끼리 묶인 것은?

㉠ 라이트(Wright)는 정부 간 관계모형을 포괄권위형, 분리권위형, 중첩권위형으로 구분하고 분리권위형을 가장 이상적인 모형으로 보았다.
㉡ 딜런(Dillon)의 법칙은 중앙집권을 대변하는 법칙으로 지방정부는 주정부의 창조물로서 주정부의 자유재량에 따라 창조되고 폐지될 수 있다고 보았다.
㉢ 로즈(Rhodes)는 중앙정부는 정보자원과 조직자원에서, 지방정부는 법적 자원과 재정적 자원에서 우위를 점하며, 상호 자원의 교환과정으로 인해 상호의존성을 지니고 있다고 보았다.
㉣ 홈룰(Home rule)운동은 주정부의 헌장에서 벗어나 지방정부가 자치헌장을 스스로 제정하고자 하는 신지방분권화 현상 중 하나이다.

① ㉠, ㉡
② ㉠, ㉢
③ ㉡, ㉣
④ ㉢, ㉣

제 11 회 파이널 모의고사

01 우리나라 공무원 인사제도에 대한 설명으로 옳지 않은 것은?

① 유연근무제도의 일환으로 도입된 시간선택제공무원은 주당 40시간, 일당 8시간보다 짧게 근무하는 공무원을 말한다.
② 전문경력관은 계급 구분과 직군·직렬의 분류를 적용하지 아니할 수 있는 특수 업무에 종사하는 공무원으로 경력직 공무원 중 일반직 공무원으로 구분된다.
③ 임기제 공무원은 일정기간을 정하여 임용하는 경력직 공무원으로 5년의 범위에서 필요한 기간 동안 근무한다.
④ 전문경력관과 임기제 공무원은 신분이 보장되는 경력직 공무원에 해당하며, 징계의 종류로서 강등이 적용된다.

02 「정부업무평가기본법」에 의한 정부업무평가제도에 대한 설명으로 옳은 것으로 잘 묶인 것은?

㉠ 정부업무평가의 실시와 평가기반의 구축을 체계적·효율적으로 추진하기 위하여 국무총리 소속하에 정부업무평가위원회를 둔다.
㉡ 정부업무평가위원회는 위원장 2인을 포함한 15인 이내의 위원으로 구성하며, 기획재정부장관, 행정안전부장관, 국무조정실장은 당연직 위원이 된다.
㉢ 행정안전부장관은 지방자치단체합동평가위원회를 설치·운영할 수 있으며, 위원의 3분의 2 이상은 민간전문가로 구성하고, 위원장은 행정안전부장관이 한다.
㉣ 공공기관에 대한 평가는 공공기관의 특수성·전문성을 고려하여 공공기관의 장 소속하에 자체평가위원회를 구성·평가하여야 한다.

① ㉠, ㉡   ② ㉢, ㉣
③ ㉠, ㉢   ④ ㉠, ㉣

03 관료제의 병리에 대한 설명으로 옳지 않은 것은?

① 관료제는 계층성으로 인하여 관료들이 무능력한 수준까지 승진하는 피터(Peter)의 원리가 발생한다.
② 관료제는 상사의 계서제적 권한과 부하의 전문적 권력이 충돌하는 과잉동조현상이 발생한다.
③ 셀즈닉(Selznick)은 관료제의 분업으로 인한 할거주의가 조직하위체제의 분열을 초래한다고 비판하였다.
④ 골드너(Gouldner)는 관료제의 부하를 통제하기 위한 규칙중심의 관리가 관료들의 무사안일을 초래한다고 비판하였다.

04 신제도주의에 대한 설명으로 옳은 것끼리 묶인 것은?

㉠ 합리선택적 제도주의에 의하면 개인의 선호는 수직적·수평적 제도의 맥락 속에서 제도의 영향을 받아 내재적으로 형성된다.
㉡ 역사적 제도주의에 의하면 사회에서 형성된 권력관계에 따라 형성되는 제도가 달라지는 한편, 특정제도의 형성에 따라 집단 간의 권력관계가 변화된다.
㉢ 사회학적 제도주의에 의하면 제도의 선택과 지속성은 결과성의 논리가 아닌 적절성의 논리에 입각해 있다.
㉣ 역사적 제도주의에 의하면 제도의 변화는 개인의 전략적 선택에 의해 급격하고 간헐적으로 발생한다.

① ㉠, ㉡   ② ㉠, ㉣
③ ㉡, ㉢   ④ ㉢, ㉣

05 행정개혁의 저항 극복방안 중 공리적·기술적 전략으로 잘 묶인 것은?

① 개혁지도자의 카리스마의 활용, 신축적 인사배치, 개혁안의 명확성과 공공성의 강조
② 물리적인 힘의 동원, 개혁대상자에게 시간적 여유 제공, 신축적 인사배치
③ 개혁의 점진적 추진, 신축적 인사배치, 개혁대상자에게 시간적 여유 제공
④ 개혁의 점진적 추진, 개혁방법의 융통성 있는 수정, 개혁안의 명확성과 공공성의 강조

06 정책네트워크에 대한 설명으로 옳지 않은 것은?

① 정책네트워크모형은 행위자 중심의 연구로 행위자들 간의 관계 형성 동기는 자원의 상호의존성에 기인한다고 본다.
② 하위정부모형은 관료조직, 의회상임위원회, 이익집단 간의 호혜적인 정책연결망으로 정책결정은 참여자들의 협상과 합의에 의해 이루어진다.
③ 정책커뮤니티는 특정분야 전문가들의 공식적·비공식적 접촉으로 형성된 공동체로 일시적이고 느슨한 형태의 네트워크이다.
④ 이슈네트워크에서 행위자들은 매우 유동적이고 불안정하며, 이슈의 성격에 따라 주요 행위자가 수시로 변화된다.

07 동기부여의 과정이론에 대한 설명으로 옳지 않은 것은?

① 브룸(Vroom)의 기대이론에 의하면 기대감이란 개인의 노력이 공정한 보상(reward)으로 이어질 것이라는 주관적 믿음을 의미한다.
② 헤크먼(Hackman)과 올드햄(Oldham)의 직무특성이론에서 자율성이란 개인이 자신의 직무에 대하여 책임감을 느끼는 정도를 말한다.
③ 아담스(Adams)의 공정성이론에서 구성원들이 공정성을 확보하기 위한 행동에는 준거인물의 변경, 투입과 산출에 대한 본인의 지각 변경 등이 있다.
④ 스키너(Skinner)의 학습이론에 의하면 학습은 결과의 법칙에 의해 이루어지며, 인간의 행동을 행동결과의 함수로 본다.

08 전략적 인적자원관리(S-HRM)에 대한 설명으로 옳은 것은?

① 장기적 관점에서 현재 및 미래의 환경변화와 이를 기반으로 하는 역량분석에 집중한다.
② 직무만족 및 조직시민행동에 중점을 두고 개인의 심리적 측면에 분석의 초점을 둔다.
③ 조직의 목표달성을 보조하기 위한 통제 메커니즘 구축에 초점을 둔다.
④ 개별 인적자원관리 기능의 부분 최적화를 추구한다.

09 행정의 정책형성기능에 대한 학자들의 설명으로 옳지 않은 것은?

① 윌슨(Wilson)은 행정을 전문성이 중시되는 국가의지의 실현과정으로 인식하면서 행정의 정책형성기능을 부인하였다.
② 애플비(Appleby)는 정치와 행정의 연속적 순환관계를 강조하면서 행정의 정책형성기능을 강조하였다.
③ 사이먼(Simon)은 정치행정이원론적 관점에서 가치중립적 연구를 지향하면서 행정의 정책형성기능을 부인하였다.
④ 왈도(Waldo)는 가치로부터 구분된 순수한 사실이란 존재하지 않는다고 보고 행정의 정책형성기능을 강조하였다.

10 예산의 이용과 전용에 대한 설명으로 옳지 않은 것은?

① 예산의 이용은 입법과목인 장·관·항 간의 상호융통을 말하며, 기관 간 이용도 가능하다.
② 예산의 전용은 행정과목인 세항·목 간의 상호융통으로 국회의 의결없이 가능하다.
③ 각 중앙관서의 장은 미리 예산으로써 국회의 의결을 얻은 때에는 기획재정부장관의 승인이나 위임하는 범위에서 이용할 수 있다.
④ 각 중앙관서의 장은 당초 예산에 계상되지 아니한 사업을 추진하는 경우에 기획재정부장관의 승인의 얻어 예산을 전용할 수 있다.

11 우리나라의 지방자치단체에 대한 설명으로 옳지 않은 것은?

① 군은 광역시나 도의 관할구역 안에, 자치구는 특별시나 광역시의 관할구역 안에 둔다.
② 자치구의 자치권의 범위는 법령으로 정하는 바에 따라 시·군과 다르게 할 수 없다.
③ 특별시·광역시 및 특별자치시가 아닌 인구 50만 이상의 시는 자치구가 아닌 구를 둘 수 있고 도가 처리하는 사무의 일부를 처리하게 할 수 있다.
④ 특별시·광역시 및 특별자치시가 아닌 인구 100만 이상 대도시와 실질적인 행정수요, 국가균형발전 및 지방소멸위기 등을 고려하여 행정안전부장관이 지정하는 시·군·구는 관계 법률로 정하는 바에 따라 추가로 특례를 둘 수 있다.

12 정책집행연구에 대한 설명으로 옳지 않은 것은?

① 하향적 접근은 정치행정이원론의 입장에서 집행의 비정치적이고 기술적인 성격을 강조하는 입장이다.
② 상향적 접근은 집행자의 재량과 역량 강화를 통한 집행문제의 해결에 초점을 두는 입장이다.
③ 하향적 접근은 집행을 주도하는 집단이 없거나, 집행이 다양한 기관에 의해 수행되는 경우를 설명하는 데 유용하다.
④ 상향적 접근은 집행현장을 있는 그대로 파악하기 때문에 프로그램의 의도하지 않은 효과까지 분석하기 유용하다.

13 다음 중 결과주의 윤리관에 해당하는 제도가 아닌 것은?

① 퇴직공무원의 취업제한
② 부패행위에 대한 처벌
③ 부정청탁 금지
④ 금품수수 금지

14 역량평가에 대한 설명으로 옳지 않은 것은?

① 역량이란 조직의 목표달성을 위해 뛰어난 성과를 나타내는 고성과자의 차별화된 행동특성과 태도를 의미한다.
② 근무실적 수준만으로 해당 업무수행을 위한 역량을 보유하고 있는지에 대해 평가하는 것을 목적으로 한다.
③ 다수의 훈련된 평가자가 참여해 평가대상자가 수행하는 역할과 행동을 관찰하고 합의를 통해 평가 결과를 도출하는 체계이다.
④ 성과에 대한 외부 변수를 통제함으로써 개인 역량에 대한 객관적인 평가를 시도한다.

15 우리나라의 예산구조에 대한 설명으로 옳지 않은 것은?

① 행정부 외에 입법부, 사법부, 헌법재판소, 중앙선거관리위원회 등의 헌법상 독립기관의 예산도 일반회계로 편성된다.
② 특별회계와 기금은 일반회계와 동일하게 감사원의 회계검사와 국회의 결산심의 및 승인을 받아야 한다.
③ 특별회계와 기금은 반드시 법률로 설치되며, 설치 시 기획재정부장관의 신설타당성 심사를 거쳐야 한다.
④ 특별회계와 기금은 일반회계보다 자율성과 탄력성이 강하며, 세입과 세출이라는 운영 체계를 지닌다.

16 행정학의 주요 이론에 대한 설명으로 가장 옳지 않은 것은?

① 현상학적 접근은 조직의 중요성을 조직의 구조가 아니라 그 안에 있는 가치와 의미에 있다고 보았다.
② 체제론적 접근은 분석수준으로 개인에 초점을 맞추며, 미시적 차원에서 행정현상을 분석하였다.
③ 후기행태주의적 접근은 연구방법보다는 연구주제를 중시하고 과학성이 아닌 기술성, 객관주의가 아닌 주관주의를 표방하였다.
④ 생태론적 접근은 서구의 행정제도가 후진국에 적용되지 않은 이유를 사회문화적 환경의 이질성에 있다고 보고 중범위이론 구축에 기여하였다.

17 정책문제의 구조화 기법에 대한 설명 중 옳지 않은 것은?

① 경계분석은 포화표본추출을 통해 관련 이해당사자를 선정하고 이들을 통해 메타문제가 무엇인지를 추정해 나가는 과정이다.
② 계층분석은 인과관계 파악을 주된 목적으로 하여 문제상황의 발생에 영향을 줄 수 있는 다양한 원인들을 식별해 나가는 과정이다.
③ 분류분석은 개념의 명확화를 주된 목적으로 하여 추상적인 개념들을 구성요소별로 나누어 논리적으로 일관되게 나타내는 귀납적 추론과정이다.
④ 가정분석은 과거에 다루어 본 적이 있는 문제와의 관계 분석을 통해 문제를 정의하는 과정이다.

18 영기준예산(ZBB)에 대한 설명으로 옳지 않은 것은?

① 사업 단위뿐만 아니라 조직단위도 의사결정단위가 될 수 있다.
② 사업에 관한 의사결정뿐만 아니라 금액에 대한 의사결정까지 다룬다.
③ 우선순위의 결정은 사업대안에 대해 이루어지며 객관적이다.
④ 관리자 중심에서 단기적 시각으로 예산을 편성한다.

19 지방재정조정제도에 대한 설명으로 옳지 않은 것은?

① 지방교부세는 수직적 재정불균형을 시정하며, 국고보조금은 수평적 재정불균형을 시정한다.
② 지방교부세 대비 국고보조금의 비중 증가는 지방재정의 자율성을 약화시킨다.
③ 지방교부세는 정액지원으로 무대응지원금의 성격을, 국고보조금은 정률지원으로 대응지원금의 성격을 지닌다.
④ 조정교부금은 특별시·광역시·도가 소속 시·군·자치구에 행하는 지방재정조정제도이다.

20 다음 중 온라인 시민참여 유형과 관련제도가 바르게 연결된 것은?

① 정보제공형 – 옴부즈만 제도, 「정보공개법」
② 협의형 – 「행정절차법」, 민원 관련 법
③ 협의형 – 옴부즈만 제도, 국민의 입법제안
④ 정책결정형 – 「전자국민투표법」, 「행정절차법」

제 12 회 파이널 모의고사

01 다음은 정부실패에 대한 설명이다. 옳지 않은 것은?

① 선거를 의식한 정치인들의 높은 시간할인율과 시민들의 과다요구는 정부실패를 초래하는 원인이 될 수 있다.
② 정부의 수입은 정부가 제공하는 서비스와 무관하게 부과되는 조세수입에 의존하므로 비용과 수익이 직접적으로 연계되지 않아 자원배분의 왜곡을 야기할 수 있다.
③ 파생적 외부효과나 권력의 편재로 인한 자원배분의 왜곡은 보조금 삭감을 통해 해결하는 것이 바람직하다.
④ 사적 목표의 설정이나 공급비용 체증으로 인한 정부실패는 민영화를 통해 해결하는 것이 바람직하다.

02 우리나라의 주민참여제도에 대한 설명으로 옳지 않은 것은?

① 감사청구를 하지 아니한 주민은 지방자치단체의 위법한 재무행위로 인하여 권익을 침해받았다고 하더라도 주민소송을 제기할 수 없다.
② 동일한 사항에 대하여 주민투표가 실시된 후 2년이 경과되지 아니한 사항은 주민투표에 부칠 수 없다.
③ 해당 선출직 지방공직자에 대한 주민소환투표를 실시한 날부터 1년 이내인 때에는 주민소환투표의 실시를 청구할 수 없다.
④ 주민감사청구는 사무처리가 있었던 날이나 끝난 날부터 2년이 지나면 제기할 수 없다.

03 정책평가의 유형에 대한 설명으로 옳지 않은 것은?

① 정책집행이 완료된 후에 정책수단과 정책의 효과 간에 인과관계를 추정하는 평가를 과정평가라 한다.
② 정책이 집행되는 도중에 정책집행 및 활동을 분석하여 이를 근거로 보다 효율적인 집행전략을 수립하거나 정책내용을 수정·변경하는데 도움을 주는 평가를 형성평가라 한다.
③ 기존의 평가에서 발견된 사실을 다양한 관점에서 재분석하는 과정으로 평가 그 자체와 환류기능을 평가하는 상위평가를 메타평가라 한다.
④ 정책에 대한 전면적 평가를 시작하기 전에 평가목적을 달성하기 위한 기술적 가능성, 유용성 등을 조사하는 것을 평가성 사정이라 한다.

04 페로우(Perrow)의 기술유형론에 대한 설명으로 옳지 않은 것은?

① 과제의 다양성과 문제의 분석가능성이라는 두 가지 차원을 이용해서 조직의 기술을 일상적 기술, 비일상적 기술, 장인기술, 공학적 기술로 구분하였다.
② 과제의 다양성이란 예외적인 사건의 정도를 말하며, 분석가능성이란 업무처리가 표준화된 절차에 의해 수행되는 정도를 말한다.
③ 과제의 다양성과 문제의 분석가능성이 모두 높은 공학적 기술은 대체로 기계적 구조와 부합한다.
④ 과제의 다양성은 높고 문제의 분석가능성이 낮은 비일상적 기술은 통솔범위가 넓은 유기적 구조와 부합한다.

05 피터스(G. Peters)의 정부모형에 대한 설명으로 옳지 않은 것은?

① 유연정부모형은 오류의 제도화를 방지하기 위해 가상조직 및 임시직 공무원의 활용을 중시한다.
② 참여모형은 계층제를 비판하면서 총체적 품질관리(TQM), 목표에 의한 관리(MBO), 팀제 등의 민주적 관리방식을 선호한다.
③ 탈규제모형은 내부규제를 철폐하고 준자치적 조직을 활용하여 기업가적 정부를 구축하고자 한다.
④ 시장모형은 관료제의 독점성을 비판하고, 내부시장화 및 시장적 유인을 통해 경제적 효율성을 증진하고자 한다.

06 공무원의 신분보장과 그 예외에 대한 설명으로 옳은 것은?

① 모든 공무원은 형의 선고, 징계처분 또는 「국가공무원법」에서 정하는 사유에 따르지 아니하고는 본인의 의사에 반하여 휴직·강임 또는 면직을 당하지 아니한다.
② 형사사건으로 기소된 자나 파면·해임·강등·정직에 해당하는 징계의결이 요구 중인 자에 대하여 임용권자는 직권면직할 수 있다.
③ 직제와 정원의 개폐 또는 예산의 감소 등에 따라 폐직 또는 과원이 되었을 때 임용권자는 직위해제할 수 있다.
④ 고위공무원단에 속하는 일반직 공무원으로 적격심사를 요구받으면 직위해제되며, 적격심사결과 부적격결정을 받을 때 임용권자는 직권면직할 수 있다.

07 조세지출예산제도에 대한 설명으로 옳지 않은 것은?

① 조세지출은 합법적인 세수손실로 법률에 따라 집행될 뿐만 아니라 눈에 잘 띄지 않아 경직성이 강하다.
② 조세지출예산제도는 서독에서 최초로 도입되었으며, 우리나라 역시 중앙정부와 지방정부 모두에 도입되어 있다.
③ 조세지출의 주된 분류방법은 경제성질별 분류로 의회의 예산심의를 완화하기 위한 제도이다.
④ 조세지출은 조세감면이 국가수입에 차지하는 비율을 쉽게 알 수 있으나 국제 무역마찰을 야기할 위험성이 있다.

08 민츠버그(Mintzberg)의 조직유형론에 대한 설명으로 옳지 않은 것은?

① 기계적 관료제는 수평적으로 분권화된 조직으로 작업과정의 표준화를 조정기제로 한다.
② 사업부제는 수직적으로 분권화된 조직으로 중간관리층이 중시되며, 단순하고 안정적인 환경에 적합하다.
③ 전문적 관료제는 수평적·수직적으로 분권화된 조직으로 핵심운영계층이 중시되며, 복잡하고 동태적인 환경에 적합하다.
④ 애드호크라시(Adhocracy)는 상황적 분권화가 추구되는 조직으로 구성원들 간의 상호조정이 중시된다.

09 형평성의 규범적 정당성과 관련하여 롤스(J. Rawls)의 '정의론'이 제시하는 논리로서 거리가 먼 것은?

① '정의론'이 암시하는 하나의 중요한 측면은 사회적으로 불리한 조건에 있는 사람들에게 혜택이 돌아가도록 행정이 이루어져야 한다는 것이다.
② 정의를 공정성으로서의 정의로서 파악하는 의무론적 정의관을 제시하면서 정의기준을 절차 및 과정의 공정성으로 이해한다.
③ 형평성을 추구하기 위해서 원초적 상태에서 합리적 인간은 최소최대원칙(minimax)의 원리에 입각하여 합리적 규칙을 선택할 것으로 가정한다.
④ 총효용극대화를 추구하는 공리주의와 최소수혜자에 대한 배분적 정의를 강조한 롤스의 정의론은 서로 대립적이다.

10 정책의제형성모형과 관련된 설명으로 옳은 것은?

① 외부주도형은 환경으로부터 이슈가 제기되며, 정책의 재설정이 동원형보다 용이하다.
② 동원형에서 논쟁의 주도자는 국가이며, 올림픽이나 월드컵 유치 등이 그 예라 할 수 있다.
③ 내부접근형은 사회문제가 정책환경 속으로 확산되는 과정을 거쳐 정책의제로 성립된다.
④ 외부주도형은 환경으로부터 집단 간의 진흙탕싸움이 발생하며, 순응확보비용이 많이 든다.

11 공직부패에 대한 설명으로 옳은 것은?

① 행정권의 오용에는 부정행위, 비윤리적 행위뿐만 아니라 무능력과 무소신, 무사안일 등이 포함된다.

② 제도화된 부패의 경우 조직은 공식적인 행동규범을 대외적으로 표방하고 이를 준수하려는 성향이 일상화된다.

③ 금융위기가 심각함에도 불구하고 국가적 동요를 막기 위해 관련 공직자가 문제가 없다고 거짓말을 한 경우는 회색부패에 해당한다.

④ 부패에 대한 체제론적 접근은 관료부패의 원인을 법규의 비현실성과 불분명성, 규제의 만연성과 복잡성 등으로 파악한다.

12 재정민주주의와 우리나라의 예산개혁에 대한 설명으로 옳은 것은?

① 주민참여예산제도는 「지방자치법」에 근거를 두고 있으며, 모든 지방정부가 의무적으로 시행하도록 규정하고 있다.

② 기획재정부장관은 대통령령으로 정하는 바에 따라 지방자치단체별 주민참여예산제도의 운영에 대한 평가를 실시할 수 있다.

③ 각 중앙관서의 장 등은 예산의 집행방법 또는 제도의 개선 등으로 인하여 수입이 증대되거나 지출이 절약된 때에는 직권으로 이에 기여한 자에게 성과금을 지급하거나 다른 사업에 사용할 수 있다.

④ 정부는 국가와 지방자치단체의 재정에 관한 중요한 사항을 매년 1회 이상 적당한 방법으로 알기 쉽고 투명하게 공표해야 한다.

13 「지방자치법」상 지방의회에 대한 설명으로 옳은 것은?

① 지방의회의원의 윤리강령과 윤리실천규범 준수 여부 및 징계에 관한 사항을 심사하기 위하여 윤리특별위원회를 둘 수 있다.

② 본회의에서 표결할 때에는 조례 또는 회의규칙으로 정하는 표결방식에 의한 무기명투표로 가부를 결정한다.

③ 지방의회의 사무직원의 정수는 지방의회가 조례로 정하고, 사무직원은 지방자치단체장이 임명한다.

④ 지방의회의원의 의정활동을 지원하기 위하여 해당 자치단체의 조례로 정하는 바에 따라 지방의회에 지방공무원으로 보하는 정책지원 전문인력을 둘 수 있다.

14 목표관리(MBO)와 총체적 품질관리(TQM)에 관한 설명 중 가장 적절하지 않은 것은?

① 목표관리(MBO)는 상하급자 간 합의로 목표를 설정하는 반면, 총체적 품질관리(TQM)는 고객에 의해 목표를 설정한다.

② 목표관리(MBO)의 시간관은 장기적인 반면, 총체적 품질관리(TQM)의 시간관은 단기적이다.

③ 목표관리(MBO)의 통제유형은 사후적·치유적인 반면, 총체적 품질관리(TQM)의 통제유형은 사전적·예방적이다.

④ 목표관리(MBO)는 결과지향적 관리기법인 반면, 총체적 품질관리(TQM)는 과정지향적 관리전략이다.

15 윌슨(J. Q. Wilson)의 규제정치이론에 대한 설명으로 옳지 않은 것은?

구분		감지된 편익	
		집중	분산
감지된 비용	분산	㉠	㉡
	집중	㉢	㉣

① ㉠ - 조직화된 다수의 강력한 정치적 활동으로 인하여 규제형성 및 집행이 곤란하다.
② ㉡ - 이해관계집단의 정치적 활동이 거의 없으며, 규제형성을 위해서는 정책을 실현하려는 대통령의 의지와 리더십이 중요하다.
③ ㉢ - 쌍방이 막강한 정치조직적 힘을 바탕으로 첨예하게 대립되는 경우로서 규제기관이 어느 한쪽에 장악될 가능성이 낮다.
④ ㉣ - 의제채택이 가장 어려우며 극적인 사건이나 재난, 위기발생이나 공익집단 등의 활동에 의하여 규제가 채택된다.

16 직위분류제의 용어에 대한 설명을 순서대로 바르게 연결한 것은?

> ㉠ 직무의 성질이 유사한 직렬의 군
> ㉡ 같은 직렬 내에서 담당분야가 같은 직무의 군
> ㉢ 직무의 종류가 유사하고 그 책임과 곤란성의 정도가 서로 다른 직급의 군
> ㉣ 직무의 종류는 다르지만 직무의 곤란도·책임도가 상당히 유사한 직위의 군
> ㉤ 직무의 종류와 직무의 곤란도·책임도가 유사해 채용 및 보수 등에서 동일하게 다룰 수 있는 직위의 군

	㉠	㉡	㉢	㉣	㉤
①	직군	직류	직렬	등급	직급
②	직류	직군	직렬	직급	등급
③	직군	직위	직류	등급	직급
④	직군	직류	직급	등급	직렬

17 다음은 주관적 판단기법에 대한 설명이다. 옳은 것으로 잘 묶인 것은?

> ㉠ 브레인스토밍은 "양이 질을 낳는다"는 전제 아래 아이디어의 양을 늘리는 것을 중시하며, 편승기법의 활용을 지향한다.
> ㉡ 명목집단기법은 관련자들이 의사결정에 참여하지 않은 채 서면으로 대안에 대한 아이디어를 제출하도록 하고, 모든 아이디어가 제시된 이후 충분한 토의를 거쳐 투표로 의사결정하는 방식이다.
> ㉢ 교차영향분석은 연관사건의 발생여부에 따라 대상사건이 발생할 가능성에 관한 주관적 판단을 구하고 그 관계를 분석하는 기법이다.
> ㉣ 정책델파이는 미국 랜드(RAND)연구소에서 개발된 것으로, 전문가들을 대상으로 설문을 반복하여 특정 주제에 대한 합의를 도출하는 방식이다.

① ㉠, ㉡
② ㉠, ㉢
③ ㉡, ㉢
④ ㉢, ㉣

18 리더십 이론에 대한 설명으로 옳지 않은 것은?

① 블레이크와 모튼(Blake & Mouton)의 관리망이론에서는 리더는 타고난 것이 아니라 교육훈련을 통해 육성될 수 있다고 보았다.
② 허쉬와 브랜챠드(Hersey & Blanchard)는 부하의 성숙도를 상황변수로 보고, 부하의 성숙도가 가장 높은 경우에는 참여형 리더십이 효과적이라고 보았다.
③ 피들러(Fiedler)는 '가장 좋아하지 않는 동료(LPC : least preferred coworker)'라는 척도에 의하여 리더십을 '관계지향형'과 '과업지향형'으로 구분하였다.
④ 하우스와 에반스(House & Evans)는 상황요인으로 부하의 특성과 근무환경의 특성을 제시하고 리더십의 유형을 지시형, 지원형, 참여형, 성취형으로 구분하였다.

19 시험의 효용성을 확보하기 위한 요건 중 하나인 타당도에 대한 설명으로 옳은 것은?

① 직무수행에 필요한 능력요소와 선발시험요소에 대한 전문가의 부합도 평가는 구성타당도를 확보하기 위한 것이다.
② 하나의 측정도구를 이용하여 측정한 결과와 다른 기준을 적용하여 측정한 결과를 비교하여 연관성의 정도를 파악하는 것은 기준타당도를 확보하기 위한 것이다.
③ 어떤 이론적 구성요소의 측정지표와 이미 타당성이 검증된 다른 기준과의 상관성 정도를 파악하는 것은 내용타당도를 확보하기 위한 것이다.
④ 추상성을 측정할 지표개발과 고도의 계량분석기법 및 행태과학적 조사는 액면타당도를 확보하기 위한 것이다.

20 다음은 다양한 예산제도의 장단점에 대한 설명이다. 옳지 않은 것은 몇 개인가?

> ㉠ 품목별 예산(LIBS)은 비능률적 지출이나 초과지출을 통제하기 용이하나, 정부활동의 효과성을 판단하기 곤란하다.
> ㉡ 성과주의예산(PBS)은 관리자에게 운영관리를 위한 지침으로 효과적이나, 전략적 목표의식이 결여되어 있다.
> ㉢ 계획예산(PPBS)은 부처 간의 경계를 뛰어넘어 자원배분의 합리화를 가져올 수 있으나, 재정민주주의를 저해할 우려가 있다.
> ㉣ 영기준예산(ZBB)은 의사결정지향적 예산제도로 하급자들의 의견이 존중되지만, 소규모조직이 희생될 우려가 있다.

① 0개
② 1개
③ 2개
④ 3개

MEMO

시험 직전
최종 마무리 모의고사

박문각 공무원
이명훈 행정학

정답 및 해설

파이널 모의고사 제1~12회

제 01 회 파이널 모의고사

01
정답 ③

정답해설 ③ ㉠, ㉢은 옳고, ㉡, ㉣은 옳지 않다. 시장은 완전경쟁조건이 충족될 경우 효율적인 자원배분을 가져오지만, 그 전제조건(완전경쟁조건)의 비현실성으로 인해 시장실패를 야기할 수 있다(㉠). 시장실패를 극복하기 위한 방안으로는 공적공급, 정부규제, 공적유도 등이 있으며, 이는 정부실패의 대응방안인 민영화, 규제완화, 보조금 삭감 등과 대립적이다(㉣).

오답해설 ㉡ 선거를 의식한 정치인들은 높은 시간할인율로 인하여 장기적인 이익과 손해의 현재가치를 낮게 평가하고 단기적인 이익과 손해의 현재가치를 높게 평가하므로 정부실패를 초래한다.
㉢ 시장실패의 원인으로는 내부효과보다는 외부효과가, 정부실패의 원인으로는 정보의 편재보다는 권력의 편재가 지적되고 있다.

02
정답 ②

정답해설 ② 메이(May)는 논쟁의 주도자가 국가이고 대중적 지지가 높은 경우 공고화형 의제설정이 이루어진다고 보았다. 반면, 논쟁의 주도자가 국가이고 대중적 지지가 낮은 경우 동원형 의제설정이 이루어진다고 보았다.

핵심체크 메이(May)의 정책의제설정모형

대중적 지지 \ 주도자	민간(사회적 행위자들)	정부
높음.	외부주도형	굳히기형(공고화형)
낮음.	내부주도형	동원형

03
정답 ③

정답해설 ③ 균형성과표는 조직의 상층부에서 조직의 비전과 전략을 결정하고 이에 근거한 4가지 관점에서 핵심적 성과지표를 형성하여 평가하는 평가체제로, 하향식 접근방식(Top – Down)을 추구한다.

핵심체크 균형성과표(BSC)

의의	조직의 비전 및 전략에 근거하여 도출되는 재무, 고객, 내부 프로세스, 성장과 학습이라는 네 관점의 핵심성공요소를 측정 가능한 핵심지표(KPI)로 구체화하여 평가하는 전략적 성과평가시스템 이상의 관리철학(칼프란과 노튼)
기능	• 성과측정시스템 : 조직원의 성과평가를 위한 장치 • 하향적 전략관리시스템 : 조직의 비전과 미션, 전략목표, 성과지표, 실행계획으로 케스케이딩하여 완성되는 하향적 전략관리시스템 • 의사소통도구 : 조직원에게 전달하고 싶은 메시지를 성과지표의 형태로 전달 • 종합모형 : TQM, MBO 등 기존의 성과관리체제가 진화된 종합모형
특징	• 전략적 관점 : 전략목표와 실천적 행동지표 간의 인과관계 • 계층적·체제적 관점 : 조직목표와 행동지표 간의 인과관계를 지닌 위계적 체제 • 상호균형 : 재무지표와 비재무지표 간, 내부요소와 외부요소 간, 선행지표와 후행지표 간, 단기적 관점과 장기적 관점 간, 행동지향적 관점과 가치지향적 관점 간 균형 • 성과지표 간 인과관계 : 학습과 성장 관점(하부구조)의 성과동인으로부터 재무 관점의 향상된 재무성과(상부구조)에 이르기까지 인과관계로 연계된 성과평가체제(학습 및 성장 관점 ⇨ 내부 프로세스 관점 ⇨ 고객 관점 ⇨ 재무 관점순)
정부적용	BSC의 원형은 재무관점을 인과적 배열의 최상위에 두지만, 공공영역에서는 재무관점은 하나의 제약조건으로 보고 사명달성의 성과, 납세자 관점, 고객 관점 등을 인과적 배열의 최상위에 둠

04
정답 ①

정답해설 ① 같은 직급 내에서가 아닌 같은 직렬 내에서 담당 분야가 동일한 직무의 군을 직류라 한다.

05
정답 ①

정답해설 ① 참여예산제는 예산의 전 과정에 참여하는 제도가 아니라 예산의 편성과정에 참여하는 제도이다.

핵심체크 참여예산제

의의	집행부가 독점적으로 행사해 왔던 예산편성권을 시민들에게 분권화하여 예산편성과정에 시민들이 직접 참여하도록 하는 제도
배경	브라질 포르투 알레그레시(Porto Alegre)가 최초
국민참여예산	• 국민이 예산사업의 제안, 심사, 우선순위 결정 과정에 참여함으로써 재정운영의 투명성을 제고하고, 국민의 예산에 대한 관심도를 높이기 위한 제도 • 「국가재정법」 제16조 제4호에 근거하여 2019년 예산편성부터 도입·시행
주민참여예산 (지방재정법 제39조)	① 단체장은 지방예산 편성 과정에 주민이 참여할 수 있는 절차를 마련하여 시행해야 함(의무적 시행). ② 지방예산 편성 등 예산과정의 주민참여와 관련되는 사항을 심의하기 위해 단체장 소속으로 주민참여예산위원회 등 주민참여예산기구를 둘 수 있음. ③ 단체장은 예산 편성 과정에 참여한 주민의 의견을 수렴하여 그 의견서를 지방의회에 제출하는 예산안에 첨부해야 함. ④ 행안부장관은 대통령령으로 정하는 바에 따라 자치단체별 주민참여예산제도의 운영에 대한 평가를 실시할 수 있음.

06
정답 ③

정답해설 ③ 제도적 책임은 파이너(Finer)의 행정책임과 연계된다면, 자율적 책임은 대응성 개념에 입각한 행정책임이다.

핵심체크 자율적 책임과 제도적 책임

자율적 책임성(적극적 책임)	제도적 책임성(소극적 책임)
공무원이 전문가로서 직업윤리와 책임감에 기초해 자발적인 재량을 발휘하여 국민 요구에 부응하는 자율적·능동적 책임	공무원이 공식적인 각종 제도적 통제로 인하여 국민 요구에 부응하는 타율적·수동적 책임
대응성 개념에 입각한 행정책임	파이너(Finer)의 행정책임과 연계
문책자의 부재 및 내재화	문책자의 존재 및 외재화
절차의 준수와 책임 완수는 별개	절차의 준수 중시
공식적 제도에 의해 달성할 수 없음.	공식적·제도적 통제
객관적으로 확정할 수 있는 기준 없음.	판단기준과 절차의 객관화
제재수단의 부재	제재수단의 존재

핵심체크 행정책임에 대한 논쟁

프리드리히 (Friedrich)	공무원 개개인이 스스로 기술적 지식과 대중의 감정에 응답하는 것이 책임성 확보에 중요하다고 주장하면서 자율적·내재적 책임 강조
파이너(Finer)	'자기심판금지의 원칙'을 들어 프리드리히의 책임론에 반론을 제기하고 외재적·객관적 책임 강조
논의의 종합	• 입법국가 시대(정치행정이원론) : 외재적 책임 중시 • 행정국가 시대 및 현재(정치행정일원론) : 내재적 책임 중시

07

정답 ①

정답해설 ① 신공공관리론은 관료의 역할을 공공기업가로, 뉴거버넌스론은 관료의 역할을 (네트워크) 조정자로 본다는 점에서 차이가 있다.

핵심체크 신공공관리론과 뉴거버넌스론의 비교

구분	차이점		공통점
	신공공관리론	거버넌스론	
이론적 기초	신관리주의와 신자유주의	공동체주의와 참여주의	• 대의민주주의에 기반한 관료제적 통치에 대한 반개념 • 정부의 역할 변화(노젓기에서 방향잡기로) • 정부와 민간 간 서비스 연계망 형성 • 투입통제보다는 산출통제 강조 • 공·사행정일원론적 시각 • 분절화 현상으로 거래비용 증가 및 공공책임성 저해
추구이념	효율성, 고객에 대한 대응성	민주성, 효율성, 신뢰성 등	
개념상 차이	비정치성: 개인적 선택의 자발적 교환영역에 관심을 갖는 비정치적 개념	정치성: 집단적 선택의 민주적 의사결정영역에 관심을 갖는 정치적 개념	
혁신 기제	경쟁 (시장 메커니즘)	신뢰와 협력 (참여 메커니즘)	
정부혁신의 초점	조직(부문)내: 관료제 내부의 조직관리 중시	조직 간(부문 간): 정부와 사회 간의 상호작용 중시	
국민의 개념	고객: 서비스에 대한 선택권한을 부여받은 수동적 존재	시민: 서비스의 양과 질을 직접 결정하는 능동적 존재	
관료의 역할	공공기업가	(네트워크) 조정자	
중심과제	결과에 초점	과정에 초점	
시각	정부재창조	시민재창조	
시민참여	공동체주의우파 (자원봉사주의)	공동체주의좌파 (시민주의)	
정치성	정·행이원론(탈정치화)	정·행일원론(재정치화)	
서비스 공급	민영화·민간위탁	시민공동생산	
관리방식	고객지향	임무지향	

08

정답 ②

정답해설 ② 기계적 관료제는 수평적으로 분권화된 조직구조로 단순하고 안정적인 환경에 적합하다.

09

정답 ④

정답해설 ④ 18세 이상의 주민은 해당 지방자치단체의 지방의회에 조례를 제정하거나 개정 또는 폐지할 것을 청구할 수 있으며, 지방의회는 주민청구조례안이 수리된 날부터 1년 이내에 주민청구조례안을 의결하여야 한다. 다만, 필요한 경우에는 본회의 의결로 1년 이내의 범위에서 한 차례만 그 기간을 연장할 수 있다.

오답해설 ① 주민투표에 부쳐진 사항은 주민투표권자 4분의 1 이상의 투표와 유효투표수 과반수의 득표로 확정된다.
② 지방자치단체의 18세 이상의 주민은 시·도는 300명, 인구 50만 이상 대도시는 200명, 그 밖의 시·군 및 자치구는 150명 이내에서 그 자치단체의 조례로 정하는 수 이상의 주민이 연대서명하여 감사를 청구할 수 있다.
③ 주민은 그 단체장 및 비례대표지방의회의원을 제외한 지방의회의원을 소환할 권리를 가지며, 일정한 요건에 해당하는 외국인도 주민소환투표권을 갖는다.

핵심체크 주민 조례 제정 및 개폐 청구(주민조례발안)

의의	주민들이 조례의 제정·개정·폐지를 청구할 수 있는 제도	
법적 근거	「지방자치법」 제19조	• 주민은 지방자치단체의 조례를 제정·개정·폐지할 것을 청구할 수 있음. • 조례의 제정·개정·폐지 청구의 청구권자·청구대상·청구요건 및 절차 등에 관한 사항은 따로 법률로 정함.
	「주민조례발안법」	주민의 조례 제정·개정·폐지 청구에 필요한 사항을 규정함으로써 주민의 직접참여를 보장하고 지방자치행정의 민주성과 책임성을 제고함을 목적으로 함.
주민조례 청구권의 보장	• 국가 및 자치단체는 청구권자가 지방의회에 주민조례청구를 할 수 있도록 필요한 조치를 해야 함. • 자치단체는 청구권자가 전자적 방식을 통하여 주민조례청구를 할 수 있도록 행안부장관이 정하는 바에 따라 정보시스템을 운영해야 함.	
주민조례 청구권자	18세 이상의 주민으로서 ① 해당 자치단체의 관할 구역에 주민등록이 되어 있는 사람, ② 「출입국관리법」에 따른 영주할 수 있는 체류자격 취득일 후 3년이 지난 외국인으로서 해당 자치단체의 외국인등록대장에 올라 있는 사람	
청구	지방의회에 청구	
주민조례 청구 제외 대상	• 법령을 위반하는 사항 • 지방세·사용료·수수료·부담금을 부과·징수 또는 감면하는 사항 • 행정기구를 설치하거나 변경하는 사항 • 공공시설의 설치를 반대하는 사항	
청구의 수리	지방의회 의장은 주민조례청구를 수리한 날부터 30일 이내에 지방의회의 의장 명의로 주민청구조례안을 발의해야 함.	
심사절차	• 지방의회는 주민청구조례안이 수리된 날부터 1년 이내에 주민청구조례안을 의결해야 함(본회의 의결로 1년 이내에서 한 차례만 연장가능). • 주민청구조례안은 주민청구조례안을 수리한 당시의 지방의회의원의 임기가 끝나더라도 다음 지방의회의원의 임기까지는 의결되지 못한 것 때문에 폐기되지 아니함.	

10

정답 ②

정답해설 ② ㉠은 대중정치 상황, ㉡은 고객정치 상황, ㉢은 창도가정치 상황, ㉣은 이익집단정치 상황을 의미한다. 독과점 규제는 감지된 비용과 편익이 모두 넓게 분산되는 대중정치상황의 예이다.

11

정답 ①

정답해설 ① 기획재정부장관은 국무회의의 심의를 거쳐 대통령의 승인을 얻은 다음 연도의 예산안편성지침을 각 중앙관서의 장에게 통보하고 국회의 예산결산특별위원회에 보고해야 한다.

12

정답 ①

정답해설 ① 타당성은 시험과 근무성적 등의 기준과의 관계의 문제이지만, 신뢰성은 측정결과의 일관성으로 시험 그 자체의 문제이다.
오답해설 ② 신뢰성이 높다고 해서 타당성이 반드시 높아지는 것은 아니지만, 타당성이 높다면 신뢰성이 반드시 높다.
③ 시험이 특정한 직위에 직결되는 실질적인 능력요소를 포괄적으로 검증하였는가에 관한 기준은 내용타당도이다.
④ 동시적 타당성 검증과 예측적 타당성 검증은 내용타당성이 아닌 기준타당성을 검증하기 위한 수단이다.

핵심체크 | 시험의 타당성과 신뢰성의 관계

- 타당도는 시험과 기준(근무성적, 결근율, 이직율 등)과의 관계인 반면, 신뢰도는 시험 그 자체(시험성적의 일관성)의 문제임.
- 신뢰도는 타당도의 필요조건이지 충분조건이 아니므로 신뢰도가 높다고 해서 타당도가 반드시 높은 것은 아니지만, 신뢰도가 낮으면 타당도는 반드시 낮음.

13 　　　　　　　　　　　　　　　　　　　정답 ③

정답해설 ③ 디징(Diesing)에 의하면 정치적 합리성은 보다 나은 정책을 추진할 수 있는 정책결정구조의 합리성을 의미한다. 반면, 사회적 합리성은 사회체제의 구성요소 간의 조화 있는 통합성을 추구하는 합리성을 의미한다.

핵심체크 | 합리성

학자	종류	내용
사이먼 (H. A. Simon)의 합리성	실질적 합리성	목표달성을 위한 가장 효율적인 행위(내용적 · 결과적 · 객관적 합리성)
	절차적 합리성	• 의식적인 사유과정을 통해 보다 나은 수단을 찾는 것 (과정적 · 주관적 합리성) • 인간은 제한된 합리성으로 절차적 합리성이 중요함 (Simon)
베버 (M. Weber)의 합리성	이론적 합리성	현실의 경험에 대한 지적 이해(귀납)나 인과관계를 규명(연역)해가는 합리성
	실제적 합리성	사회생활에서 사람들이 실용적 · 이기적 판단을 할 때 나타나는 합리성(현실적 · 실천적 합리성)
	실질적 합리성	최적의 포괄적인 주관적 가치를 찾고 이에 따라 행동하는 합리성
	형식적 합리성	• 목적달성을 위한 법과 규정에 정당성을 부여하는 합리성 • 관료제는 가장 합리적인 조직으로 형식적 합리성의 극치(Weber)
디징 (P. Diesing)의 합리성	기술적 합리성	목표와 수단의 연쇄관계 또는 계층제적 구조를 기준으로 목표성취에 적합한 수단들을 찾는 것(목표와 수단 간에 존재하는 인과관계의 적절성, 본래적 의미의 합리성)
	경제적 합리성	비용 · 효과의 비교개념에서 목표를 선정하고 평가하는 합리성
	사회적 합리성	사회체제의 구성요소 간의 조화 있는 통합성을 추구하는 합리성
	정치적 합리성	정책결정구조가 개선될 때 나타나는 합리성
	법적 합리성	인간과 인간 간에 권리 · 의무관계가 성립할 때에 나타나는 합리성

14 　　　　　　　　　　　　　　　　　　　정답 ④

정답해설 ④ 순현재가치(NPV), 비용편익비(B/C), 내부수익율(IRR)은 사업의 우선순위를 파악하는 데 있어서 다른 결과를 가져올 수 있으며, 이 경우 순현재가치(NPV)를 우선적으로 적용하는 것이 바람직하다.
오답해설 ① 비용편익분석에서 비용은 사회의 총비용인 기회비용을 의미하며, 매몰비용을 고려해서는 안 된다.
② 순현재가치(NPV)와 비용편익비(B/C)는 할인율에 영향을 받는데, 할인율은 그 값이 작을수록 미래금액의 현재가치는 높아진다.
③ 내부수익율(IRR)은 순현재가치가 0이 되거나 비용편익비가 1이 되게 하는 할인율로, 그 값이 기준이자율보다 커야 사업의 타당성이 인정된다.

핵심체크 | 비용편익분석의 평가기법

평가기준	계산방법	한계
순현재가치 (NPV: Net Present Value)	• 순현재가치 = (편익의 현재가치 − 비용의 현재가치) • NPV > 0이면 그 사업은 추진할만한 가치가 있고, 사업대안이 복수일 경우에는 그 값이 가장 큰 대안이 가장 타당성 있는 대안(칼도 − 힉스기준)	대규모사업에 대한 편향성 (대규모 사업에 유리)
편익비용비 (B/C ratio: 수익률 지수)	• 편익비용비 = (편익의 현재가치/비용의 현재가치) • B/C ratio > 1이면 그 사업은 추진할 만한 가치가 있고, 사업대안이 복수일 경우에는 그 값이 가장 큰 대안이 가장 타당성 있는 대안	• 사업의 규모를 고려하지 못함. • 부(負)의 편익을 비용에 반영하는지 편익에 반영하는지에 따라 값이 달라짐.
내부수익률 (IRR: Internal Rate of Return)	• NPV = 0, B/C ratio = 1이 되도록 하는 할인율 • 적용할 할인율을 모를 때 적용되는 할인율 • IRR > 기준 할인율일 때 그 사업은 추진할 만한 가치가 있고, 사업대안이 복수일 경우에는 IRR 값이 가장 큰 대안이 가장 타당성 있는 대안	• 사업기간이 상이한 사업간 비교기준으로 적합하지 않음. • 사업이 종료된 후 또다시 투자비가 소요되는 변이된 사업유형에서는 복수의 해를 지님.
자본회수기간 (비용변제기간)	• 자본회수기간(투자비용을 회수하는데 소요되는 기간)이 가장 짧은 대안이 가장 타당성 있는 대안 • 재정력이 부족하여 자금의 회수가 중요할 때 적용되는 기준	
적용	NPV가 다른 기준(B/C ratio, IRR)보다 오류가 적어 일차적 기준임.	

15 　　　　　　　　　　　　　　　　　　　정답 ②

정답해설 ② 저층구조화 될수록 구성원 간 조정이 곤란하여 조정의 필요성이 높아진다.

16 　　　　　　　　　　　　　　　　　　　정답 ④

정답해설 ④ ㉢, ㉣은 옳고, ㉠, ㉡은 옳지 않다. 사회간접자본(SOC) 확충, 주택자금 대출, 수출특혜 금융 등은 배분정책의 예이다(㉢). 공무원의 보수 및 연금 정책, 선거구 조정, 정부기관 신설 등은 구성정책의 예이다(㉣).
오답해설 ㉠ 임대주택사업, 통합의료보험사업은 재분배정책의 예이나, 지방대학 보조금 지급은 배분정책의 예이다.
㉡ 방송국 설립 인가, 이동통신사업자 선정은 경쟁적 규제정책의 예이나, 토지거래 허가는 환경보호를 위한 것으로 보호적 규제정책의 예이다.

17 　　　　　　　　　　　　　　　　　　　정답 ③

정답해설 ③ 지방자치단체 장은 확정된 지방의회의 의결이 법령에 위반된다고 판단되면, 대법원에 제소할 수 있다.

핵심체크 | 지방자치단체장의 권한

의의		단체장은 자치단체의 사무를 총괄함(개괄주의 − 지방의회보다 광범위한 권한).
재의요구 및 제소권	재의요구 사유	• 조례안에 이의가 있을 때 • 지방의회의 의결이 월권이거나 법령에 위반되거나 공익을 현저히 해친다고 인정될 때 • 지방의회의 의결이 예산상 집행할 수 없는 경비를 포함하고 있다고 인정될 때 • 지방의회가 법령에 따라 자치단체에서 의무적으로 부담하여야 할 경비나 비상재해로 인한 시설의 응급 복구를 위하여 필요한 경비에 해당하는 경비를 줄이는 의결을 할 때 • 지방의회의 의결이 법령에 위반되거나 공익을 현저히 해한다고 판단되어 주무부장관 또는 시 · 도지사가 재의를 명한 경우

선결처분권	재의 및 확정	재의요구에 대하여 지방의회가 재의한 결과 재적의원 과반수의 출석과 출석의원 2/3 이상의 찬성으로 전과 같은 의결을 하면 그 의결사항은 확정됨.
	제소	단체장은 재의결된 사항이 법령에 위반된다고 인정되면 재의결된 날로부터 20일 이내에 대법원에 소를 제기할 수 있음.
	일반적 사항	① 지방의회가 성립되지 아니할 때, ② 지방의회의 의결사항 중 주민의 생명과 재산보호를 위하여 긴급하게 필요한 사항으로서 지방의회를 소집할 시간적 여유가 없거나, 지방의회에서 의결이 지체되어 의결되지 아니할 때
	의회의 승인	선결처분은 지방의회에 지체없이 보고하여 승인을 얻어야 하며, 승인을 얻지 못한 때에는 그 때부터 효력을 상실함.
	예산 (준예산)	새로운 회계연도가 시작될 때까지 예산안이 의결되지 못하면 단체장은 ① 법령이나 조례에 따라 설치된 기관이나 시설의 유지·운영, ② 법령상 또는 조례상 지출의무의 이행, ③ 이미 예산으로 승인된 사업의 계속 등의 목적을 위한 경비를 전년도 예산에 준하여 집행할 수 있음.
기타		① 자치단체의 통할대표권(개괄주의), ② 사무의 관리 및 집행권, ③ 사무위임권, ④ 직원에 대한 임면권, ⑤ 지휘·감독권, ⑥ 규칙제정권, ⑦ 임시회 소집 요구권, ⑧ 지방채 발행권, ⑨ 의안발의권, ⑩ 예산안 및 결산안 편성·제출권 등

18
정답 ②

정답해설 ② 변혁적 리더십에서 리더는 부하들에게 미래에 대한 비전과 사명감을 제시하고 이것을 효과적으로 전달하는 카리스마를 기반으로 한다. 다만, 부하의 과업을 정확히 이해하고 행동지침을 명료하게 제시하는 리더십은 변혁적 리더십이 아니라 거래적 리더십이다.

핵심체크 변혁적 리더십

의의		• 구성원들의 정서, 윤리규범, 가치체계, 의식수준 등을 변화시켜 개인, 집단, 조직을 바람직한 방향으로 변혁시키는 변화를 주도하고 관리하는 리더십 • 리더가 인본주의, 평화 등 도덕적 가치와 이상을 호소하는 방식으로 구성원들의 의식수준을 높이고 이들이 높은 수준의 동기나 욕구(성장 및 자아실현 욕구)에 관심을 기울이도록 유도하는 리더십 • 번스(Burns)에 의해 '안정중심의 거래적 리더십'과 대비되는 개념으로 제시되었고, 베스(Bass)에 의해 체계화 됨.
구성 요소	카리스마적 리더십 (이상적 영향력)	• 구성원들에게 미래에 대한 비전과 사명감을 제시하고 이것을 효과적으로 전달하는 리더의 행동이나 능력 • 난관을 극복하고 현상에 대한 각성을 표명함으로써 구성원에게 자긍심과 신념을 심어주며, 리더와 구성원의 강력한 감정의 결속을 통해 구성원들이 강한 충성과 존경을 가지고 리더의 비전을 수행케 하는 리더십
	영감적 리더십	• 구성원들이 비전을 실현하는 데 헌신하도록 동기유발시키는 리더의 행동이나 능력(카리스마와 유사) • 구성원들을 격려함으로써 구성원들로 하여금 도전적 목표와 임무, 미래에 대한 비전을 열정적으로 받아들이고 계속 추구하도록하는 리더십
	지적 자극 (촉매적 리더십)	• 구성원들에게 기존의 형식적 관례와 사고에 대해 의문을 제기하고 다시 생각하게 함으로써 새로운 관념을 촉발시키고 창의적 사고를 유도하는 리더의 행동이나 능력 • 리더 자신, 구성원, 조직의 신념과 가치를 새롭게 바꾸려고 노력하는 리더십
	개별적 고려	• 구성원들의 개인적 욕구에 세심한 관심을 보이고 후원적인 업무환경을 조성하려는 리더의 행동이나 능력 • 부하에게 특별한 관심을 보이고 각 부하들의 특정한 요구를 이해해 줌으로써 부하들에 대해 개인적으로 존중한다는 것을 전달하는 리더십 • 구성원 개개인의 욕구와 능력의 차이를 인정하고 이들이 성장할 수 있도록 멘토로서의 역할을 수행하며, 권한위임(권한부여)을 활용하는 리더십

19
정답 ④

정답해설 ④ 정직은 1개월 이상 3개월 이하의 기간 동안 공무원 신분은 보유하나 직무에 종사하지 못하며, 그 기간 중 보수의 전액을 감한다.

핵심체크 공무원의 징계

경징계	견책	• 전과에 대하여 훈계하고 회개하게 하는 것 • 징계처분의 집행이 끝난 날로부터 6개월간 승진·승급 제한
	감봉	• 1 ~ 3개월의 기간 동안 보수 1/3을 감함. • 징계처분의 집행이 끝난 날로부터 12개월간 승진·승급 제한
중징계	정직	• 1 ~ 3개월의 기간 동안 공무원 신분은 보유하나 직무에 종사하지 못하며, 그 기간 중 보수의 전액을 감함. • 징계처분의 집행이 끝난 날로부터 18개월간 승진·승급 제한
	강등	• 1계급 아래로 직급을 내리고(고위공무원단 소속 공무원은 3급으로, 연구관 및 지도관은 연구사 및 지도사로 임용) 공무원 신분은 보유하나 3개월간 직무에 종사하지 못하며 그 기간 중 보수의 전액을 감함. • 징계처분의 집행이 끝난 날부터 18개월간 승진·승급 제한 • 전문경력관과 임기제 공무원은 적용하지 아니함.
	해임	• 공무원을 강제로 퇴직시키는 처분으로 3년 이내에 다시 공무원이 될 수 없으며, 원칙적으로 퇴직금에 영향이 없음. • 금품 및 향응 수수, 공금의 횡령·유용으로 징계에 의해 해임된 경우 퇴직급여는 재직기간이 5년 미만인 사람은 1/8을, 5년 이상인 사람은 1/4를 감함.
	파면	• 공무원을 강제로 퇴직시키는 처분으로 5년 이내 다시 공무원이 될 수 없으며 퇴직급여 및 퇴직수당의 1/4 ~ 1/2을 감함. • 탄핵 또는 파면된 경우 퇴직급여는 재직기간이 5년 미만인 사람은 1/4를, 5년 이상인 사람은 1/2를 감함.

20
정답 ④

정답해설 ④ 성인지예결산제도는 성중립성(gender neutral) 관점이 아닌 예산과정에 성주류화(gender mainstreaming)를 적용한 것이다. 성주류화란 정부의 모든 정책을 '젠더(성: gender)'의 관점에서 살피며, 남녀차별 철폐적 관점에서 정책이 제대로 만들어져서 성과를 내고 있는지 검토하는 것을 말한다.

핵심체크 성인지예결산제도

의의	세입·세출예산 및 기금이 남성과 여성에게 미치는 영향은 서로 다르다고 전제하고, 남녀평등을 구현하려는 정책의지를 예산과정에 명시적으로 도입한 차별철폐지향적 예산제도
중요성	성별영향평가제도와 함께 성주류화(gender mainstreaming) 정책의 핵심 제도
도입	• 외국 : 호주정부가 최초로 도입 • 우리나라 : 최초로 국가재정에 관한 기본법에 근거를 두었으며, 현재 중앙정부(2010)와 지방정부(2013) 모두 도입
법적 근거	• 성인지예산서와 기금운용계획서 : 성 평등 기대효과, 성과목표, 성별 수혜분석 등을 포함하여 작성 • 성인지 예산 및 기금 결산서 : 집행실적, 성 평등 효과분석 및 평가 등을 포함하여 작성 • 작성기준 : 성인지예산서는 기재부장관이 여가부장관과 협의하여 제시한 작성기준 및 방식 등에 따라 일부 재정사업(부처 성평등 목표달성에 직·간접적으로 기여하는 사업)에 대해 각 중앙관서의 장이 작성

제 02회 파이널 모의고사

01
정답 ③

정답해설 ③ 중앙행정기관의 소속기관으로는 시험연구기관, 교육훈련기관 등의 부속기관과 특별지방행정기관이 있다. 반면 중앙행정기관의 하부조직으로는 보조기관(계선)과 보좌기관(막료)이 있다.

핵심체크 우리나라의 정부조직

중앙행정기관	의의	국가의 행정사무를 담당하기 위하여 설치된 행정기관으로서 그 관할권의 범위가 전국에 미치는 행정기관(18부 5처 18청 6위원회)
	설치	• 중앙행정기관의 설치와 직무범위는 법률로 정함(정부조직법정주의). • 중앙행정기관은 「정부조직법」에 따라 설치된 부·처·청과 별도의 개별법에 의해 설치된 6위원회 및 행정중심복합도시건설청과 새만금개발청으로 함.
	유형 - 단독제	• 부(部) : 소관사무의 결정(부령제정권)과 집행을 함께할 수 있는 중앙행정기관(각 부의 장은 모두 국무위원) • 처(處) : 국무총리 소속으로 각 부의 지원기능을 수행하는 막료부처 • 청(廳) : 각 부의 집행기능 중 일부를 독립적으로 수행하기 위해 설치한 중앙행정기관
	유형 - 합의제	• 대통령 소속(1) : 방송통신위 • 국무총리 소속(5) : 금융위, 공정거래위, 국민권익위, 개인정보 보호위, 원자력안전위 • 독립 위원회(1) : 국가인권위(중앙행정기관에 포함되지 않음)
조직 내부 기관	최고관리층	단독제 중앙행정기관의 최고책임자(장관·처장·청장 등)
	하부조직	• 보조기관(계선) : 행정기관의 의사 또는 판단의 결정이나 표시를 보조함으로써 행정기관의 목적달성에 공헌하는 기관(차관·차장·실장·국장·과장) • 보좌기관(막료) : 행정기관이 그 기능을 원활하게 수행할 수 있도록 그 기관장이나 보조기관을 보좌함으로써 행정기관의 목적달성에 공헌하는 기관(차관보·정책관·기획관·담당관 등)
	소속기관	• 부속기관 : 행정권의 직접적인 행사를 임무로 하는 기관에 부속하여 그 기관을 지원하는 행정기관(시험연구기관·교육훈련기관·문화기관·의료기관 등) • 특별지방행정기관 : 특정한 중앙행정기관에 소속되어, 당해 관할구역 내에서 시행되는 소속 중앙행정기관의 권한에 속하는 행정사무를 관장하는 국가의 지방행정기관

02
정답 ②

정답해설 ② 무의사결정은 기득권 세력(엘리트)이 권력을 이용해 기존의 이익분배상태를 유지하기 위한 것으로 정책과정 전반에서 발생한다.

오답해설 ① 무의사결정은 기득권 세력의 이익에 대한 현재적·잠재적 도전을 사전적으로 억압하는 현상이다.
③ 무의사결정은 기득권 세력의 이익에 반한 의사에 대한 의도적 억압만을 의미하며, 무지나 실책에 의한 억압은 포함되지 않는다.
④ 무의사결정의 수단 중 가장 직접적인 방법은 폭력의 행사이며, 가장 간접적인 방법은 편견의 수정·강화(기존의 규범이나 절차의 수정 또는 보완)이다.

핵심체크 무의사결정론

의의	지배 엘리트(기득권 세력)의 특권·이익·가치관·신념 등에 대한 잠재적·현재적 도전을 좌절시키기 위해 엘리트의 가치나 이익에 반하는 사회문제를 정책의제로 채택되지 못하도록 의도적으로 방해·억압하는 결정(편익과 특권의 불공정한 배분의 영속화) — Bachrach와 Baratz의 「권력의 두 얼굴」
등장배경	• 다알(Dahl)의 다원론에 대한 비판 : 다알(Dahl)은 권력의 밝은 측면만 인식했다고 비판 • 1960년대 흑인폭동
특징	• 결정자의 무능력이나 무관심에 기인한 것이 아닌 결정자의 의도적 행위 • 정책의제설정과정뿐만 아니라 정책과정 전반에서 발생 • 정책문제의 잘못된 인지로 인한 제3종 오류 야기 • 다원주의 국가에서는 엘리트가 아닌 특수이익집단에 의한 무의사결정 발생
발생원인	① 불리한 사태의 방지, ② 과잉충성, ③ 관료이익과 상충, ④ 지배적 가치의 부정, ⑤ 편견적 정치체제에 의한 부정 등
수단 - 폭력의 행사	테러, 구타, 암살 등(가장 직접적인 수단)
수단 - 권력의 행사	기존 혜택의 박탈에 대한 위협, 새로운 혜택을 통한 유혹, 적응적 흡수 등
수단 - 편견의 동원	정치체제 내의 왜곡된 지배적 규범이나 절차 강조
수단 - 편견의 수정·강화	기존의 규범이나 절차의 수정·보완(가장 간접적인 방법)
수단 - 기타	결정이나 집행의 지연 및 방치, 상징에 그치는 정책대안 채택, 위장합의 등

03
정답 ①

정답해설 ① 신공공서비스론은 민간과 비영리기구의 활용보다는 공공기관·비영리기관 및 민간기관들의 네트워크의 활용을 중시한다. 반면, 신공공관리론은 민간과 비영리기구의 활용을 중시한다.

핵심체크 신공공서비스론

개념	행정에서 중요한 것은 '행정업무 수행에서의 효율성'이 아니라 '시민들에게 보다 나은 삶을 보장'하는 것이라고 보고, 행정이 소유주인 시민을 위해 봉사하도록 시민중심의 공직제도를 구축하고자 하는 행정개혁운동
배경	전통적 행정(관료제)과 신공공관리론에 대한 비판
이론적 기초	① 민주적 시민주의, ② 사회공동체주의, ③ 담론이론(포스트모더니즘, 신행정학), ④ 조직인본주의 등
내용	• 행정의 주요가치 : 공유된 가치와 공익 • 행정의 역할 : 방향잡기가 아닌 봉사 • 행정의 대상 : 고객이 아닌 시민 • 행정의 활동방식 : 전략적 사고와 민주적인 행동 • 행정의 책임 : 책임의 다원화(복잡화) • 관료에 대한 시각 : 통제에서 공유된 리더십 • 가치에 대한 시각 : 기업가 정신이 아닌 시민주의(citizenship) • 인간에 대한 시각 : 생산성보다는 사람 존중
평가	• 긍정적 측면 : 민주행정의 규범적 모델 제시 • 부정적 측면 : 구체적인 대안 제시 미흡

04 정답 ③

정답해설 ③ 엽관주의는 주기적인 선거과정을 통해 대폭적인 공직경질이 이루어지므로 민주통제를 강화하고 행정의 책임성을 확보하는 데 유리하며, 실적주의는 공무원의 신분보장을 통해 행정의 안정성을 확보하는 데 유리하다.

핵심체크 엽관주의

개념	정당에 대한 충성도와 공헌도를 공직의 임용기준으로 삼는 제도
발전요인	① 정치적 민주주의의 요청, ② 상위계층의 관료독점 타파, ③ 공직의 민주화, ④ 대통령의 지지세력 확보, ⑤ 정당정치의 발달, ⑥ 행정의 단순성 등
장점	① 민주주의 평등이념 구현, ② 대량적이고 주기적인 공직경질을 통한 관료제의 쇄신, ③ 민주통제와 책임행정 구현, ④ 강력한 정책(공약)추진(집권정치인들의 공무원에 대한 효과적 통솔), ⑤ 관료적 대응성 및 정책수행과정에서 효율성 향상, ⑥ 정책변동 대응에 유리, ⑦ 정당정치의 발전 및 행정의 민주화, ⑧ 정부와 의회 간에 조정 용이 등
단점	① 행정의 전문성·능률성 저해, ② 행정의 안정성·일관성 저해, ③ 행정의 공정성·중립성 저해, ④ 공직사유화 및 부패, ⑤ 기회균등 상실 등

핵심체크 실적주의

개념	개인의 실적(업적·성과 등)과 능력(자격·기술·지식 등)을 공직임용의 기준으로 삼는 인사제도
발전요인	① 정당정치 및 엽관주의의 폐해(가필드 대통령의 암살사건) ② 행정국가화 현상, ③ 중간선거에서 공화당의 참패 등
장점	① 공직임용에의 기회균등(민주적 평등이념 실현), ② 행정의 전문성·능률성 확보, ③ 행정의 공정성 확보(공무원의 정치적 중립), ④ 행정의 안정성·계속성 확보, ⑤ 인사행정의 객관성 확보 등
단점	① 인사행정의 경직화·형식화, ② 인사행정의 소극화(부적격자의 제거에 관심), ③ 인사행정의 집권화, ④ 형식적 기회균등(형평성·대표성 저하), ⑤ 행정의 대응성·책임성 저해(신분보장으로 무사안일주의와 복지부동 야기), ⑥ 정치적 변동 대응 곤란, ⑦ 직무수행 능력 측정 곤란, ⑧ 기술성·수단성 위주의 행정 야기 등

05 정답 ④

정답해설 ④ 특별회계, 기금, 추가경정예산은 단일성의 원칙의 예외이나 수입대체경비는 단일성의 원칙의 예외가 아니다. 수입대체경비는 예산총계주의와 통일성의 원칙의 예외이다.

06 정답 ④

정답해설 ④ 공직윤리의 소극적 측면은 부정부패 등 부정적 행위를 하지 않아야 한다는 측면을, 적극적 측면은 긍정적 가치에 입각한 행정을 수행해야 한다는 측면을 말한다. 「공무원 헌장」은 공무원의 추상적·적극적인 공직윤리를, 「국가공무원법」은 구체적·소극적인 공직윤리를 규정하고 있다.

핵심체크 공직윤리

의의		공무원이 국민 전체에 대한 봉사자로서 행정이 추구하는 공공목적을 달성하기 위해 준수해야 할 행동규범 또는 바람직한 행위의 준칙
두 측면	소극적 측면	부정부패 등 부정적 행위를 하지 않아야 한다는 측면 : 「국가공무원법」, 「부패방지법」, 「부정청탁 및 금품 수수의 금지법」 등
	적극적 측면	긍정적 가치(공익성·책임성 등)에 입각한 행정을 수행해야 한다는 측면 : 「공무원헌장」 등
특징		① 가치함축적·규범적 측면, ② 구체적·실질적 행위기준, ③ 두터운 제도화(공식적·비공식적 구조의 결합체 — 셀즈닉), ④ 정책내용의 윤리성까지 내포하는 개념, ⑤ 민간수준보다 높은 수준의 윤리(수직적 공평 적용 - 공공신탁의 원리에 기인), ⑥ 내재적·비공식적 통제 등
철학적 기초	결과주의 (목적론)	공무원의 행위에 대한 사후적인 적발과 처벌 강조(통제) : 「부패방지법」, 「부정청탁 및 금품수수 금지법」 등
	의무론	공무원의 부도덕한 동기실현의 사전제어 강조(안내나 관리) : 「공직자 윤리법」, 이해충돌방지제도 등

07 정답 ③

정답해설 ③ ㉠은 사적재, ㉡은 요금재, ㉢은 공유재, ㉣은 공공재를 의미한다. 공유재(㉢)는 경합성을 지녀 개인이 사용하거나 이용할 경우 그 양이 줄어들거나 혼잡 문제를 야기하며, 비배제성을 지녀 무임승차를 야기한다.

핵심체크 공공서비스의 유형

구별기준		• 배제성 : 비용부담을 하지 않을 경우 서비스를 이용할 수 없는 성질 • 경합성 : 특정인의 소비가 다른 특정인의 소비를 방해하는 성질
사적재 (시장재, 민간재)	의의	배제성과 경합성이 있는 서비스
	예	물건 구매, 전문교육, 의료, 오물 청소, 음식점·호텔, 택시 등
	정부역할	정부개입이 최소화되는 영역이지만, 소비자 보호 측면에서 서비스의 안전과 규격 등을 규제하거나 저소득층 배려를 위한 부분적인 정부 개입 필요
공공재 (집합재)	개념	비배제성과 비경합성을 지닌 서비스
	예	국방, 치안, 소방, 보편적 복지, TV방송, 공기, 등대 등
	성격	① 공동공급·공동소비(집합생산·집합소비), ② 비분리성, ③ 등량소비성(모든 사람들이 동일한 양 소비), ④ 선호표출 메커니즘의 결여(무임승차) ⑤ 비시장성, ⑥ 무형성, ⑦ 비축적성, ⑧ 외부성, ⑨ 한계비용 ≒ 0 등
	정부역할	시장에 맡겨 둘 경우 무임승차자의 발생으로 인해 항상 과소공급과 과다소비의 쟁점을 야기하므로 원칙적으로 정부가 보편적 서비스로 제공
공유재	의의	경합성과 비배제성을 지닌 서비스
	예	천연자원, 바닷속 물고기, 녹지, 국립공원, 하천, 지하수, 해저광물, 강 등
	성격	비용회피와 과잉소비로 인한 공유지의 비극 초래
	정부역할	정부가 공급비용부담과 무분별한 사용 억제를 위한 규칙 설정을 위해 개입
요금재 (유료재)	의의	배제성과 비경합성을 지닌 서비스
	예	가스, 전기, 통신, 상하수도, 고속도로, 공원, 인터넷 서비스, 케이블 TV 등
	정부역할	자연독점으로 인한 시장실패에 대응하기 위해 일반적으로 정부가 공급하지만, 최근에는 민영화·민간위탁 등을 통해 민간기업의 참여가 활성화되는 영역

08 정답 ④

정답해설 ④ 특별지방행정기관은 지역주민의 의사반영 통로가 결여되어 있어서 민주적 통제가 곤란하고 책임행정을 확보하기 곤란하다.

오답해설 ① 특별지방행정기관은 중앙행정기관이 설치한 일선 집행기관으로 지방노동청, 지방병무청, 지방세무서 등이 이에 속한다. 교육청은 지방교육자치기관이며, 새만금개발청은 중앙행정기관이다.

② 특별지방행정기관은 지방자치단체가 자치사무와 위임사무를 모두 수행하는 단체자치국가보다 순수한 자치사무만을 수행하는 주민자치국가에서 특별지방행정기관의 필요성이 높다.

③ 지방자치단체의 관할 경계와 반드시 일치하게 설치되는 것은 아니다. 특별지방행정기관은 지방자치단체의 관할 경계가 아닌 행정의 편의성을 기준으로 설치된다.

핵심체크 특별지방행정기관

의의	국가사무의 처리에 있어 전국적 통일성과 전문성의 요구 등에 따라 국가가 지방에 설치한 일선집행기관(지방노동청, 지방병무청, 지방세무서, 출입국관리소, 교도소, 우체국 등)
특징	• 출입국관리, 공정거래, 노동조건 등 주로 국가적 통일성이 요구되는 업무 수행 • 국가업무의 효율적·광역적인 추진이라는 긍정적인 목적과 관리·감독의 용이성이라는 부처이기주의적 목적이 결합되어 설치 • 중앙정부와의 관계는 정치상 집·분권이 아닌 행정상 집·분권 • 정치적이기보다는 관료적인 의미가 강하며, 중앙부처인 감독기관에 의하여 공식적으로 정의된 구조와 계층의 일부분으로 형성 • 자치단체의 관할 경계와 반드시 일치하도록 설치되는 것은 아님.
필요성	• 규모의 경제 실현을 통해 광역적 행정에 대응하기 용이 • 신속한 업무처리 및 통일적인 기술·절차·장비의 전국적 활용 가능 • 중앙정부와 지방정부 간 매개역할(현장의 정보를 중앙정부에게 전달) • 중앙행정기관의 업무부담 경감 및 중앙통제와 감독 용이
한계	• 단체자치의 경우 자치단체가 국가의 위임사무를 처리하므로 단체자치와 충돌 • 지역주민의 의사 반영 통로 결여로 민주적 통제 및 책임행정 결여 • 자치단체와 일선기관 간 기능중복(이중행정)으로 비효율성 및 고객의 혼란과 불편 야기 • 분야별로 각 개별조직이 설치되어 지역의 종합행정 저해 • 중앙통제가 강조되어 지방자치 저해

09 정답 ②

정답해설 ② 분배정책은 저항과 갈등이 적어 정책의 자율성이 강하지만, 재분배정책은 저항과 갈등이 커 정책의 타율성이 강하다.

오답해설 ① 재분배정책은 분배정책과 달리 작은정부에 대한 요구(작은 정부 구축을 위한 축소 또는 폐지에 대한 요구)가 높다.
③ 분배정책은 재분배정책과 달리 비용부담자와 수혜자가 명확하게 구분되지 않는다.
④ 재분배정책은 분배정책과 달리 제로섬(zero-sum) 상황이 발생한다.

핵심체크 리플리와 프랭클린(Ripley & Franklin)의 정책유형론

구분	분배정책	경쟁적 규제정책	보호적 규제정책	재분배정책
안정적 집행의 제도화(루틴화) 가능성의 정도	높다.	보통이다.	낮다.	낮다.
집행에 대한 논란 및 갈등의 정도	낮다.	보통이다.	높다.	높다.
관료의 집행결정에 대한 반발의 정도	낮다.	보통이다.	높다.	높다.
주요 관련자들의 동일성과 그들 간의 관계의 안정성 정도	높다.	낮다.	낮다.	높다.
정부활동의 감소를 위한 압력의 정도	낮다.	어느 정도 높다.	높다.	높다.
작은 정부에 대한 요구와 압력의 정도	낮다.	어느 정도 높다.	높다.	높다.
성공적 집행의 상대적 어려움의 정도	낮다.	보통이다.	보통이다.	높다.
집행을 둘러싼 논쟁에 있어 이데올로기의 정도	낮다.	어느 정도 높다.	높다.	높다.
특징	• 정책유형이 집행과정에도 큰 영향을 미친다고 보고 정책유형을 구분함. • 분배정책, 경쟁적 규제정책, 보호적 규제정책, 재분배정책순으로 집행과정에서 저항과 갈등의 정도가 높음. • 경쟁적 규제정책은 분배정책과 유사하며, 보호적 규제정책은 재분배정책과 유사			

10 정답 ②

정답해설 ② 예비타당성조사는 총사업비가 500억 원 이상이고 국가의 재정지원 규모가 300억 원 이상인 신규 사업 중 일부사업에 대하여 기획재정부장관이 대상 사업의 경제성과 정책성을 분석하는 제도이다. 각 중앙관서의 장이 기술적 타당성을 분석하는 제도는 예비타당성조사제도가 아니라 타당성조사제도이다.

11 정답 ③

정답해설 ③ 제한된 합리성과 정보의 불확실성이 결합된 상황에서는 시장을 활용할 경우 거래비용이 증대되기 때문에 인간은 조직화를 통하여 문제해결에 응하게 된다.

핵심체크 윌리암슨(O. E. Williamson)의 조직의 경제이론(거래비용이론)

의의		조직을 분석 단위로 하고, 이들 간에 재화와 서비스를 교환하는 과정에서 발생하는 거래비용을 최소화하기 위한 효율적인 메커니즘을 찾는 이론
특징		미시적 기법을 활용하는 거시조직이론
거래비용		시장기구를 활용할 때 수반되는 모든 비용 또는 경제적 교환(거래)과 연관된 모든 비용(자산특정성, 거래빈도, 정보의 불확실성, 법·제도, 시장 등)
거래비용 이론과 조직	전제	• 시장과 조직은 상호대체적 수단이며, 시장과 조직 중 무엇을 선택할 것인지는 두 방식의 상대적 효율성(비용의 최소화)에 달려 있음. • 거래비용이 조정비용보다 크다면 거래의 내부화(조직통합, 내부 조직화)가 효율적이며, 그 반대라면 시장 활용이 효율적임.

	산업 사회	• 선택: 관료제(위계조직) - 윌리암슨의 시장위계이론의 결론
		• 이유: 시장의 거래비용이 관료제의 조정비용보다 크기 때문
		• 조직이 시장보다 효율적인 근거
		  - 인간의 제한된 합리성의 완화와 불확실성·복잡성 극복
		  - 정보의 비대칭성(밀집성) 및 거래 당사자의 기회주의적 행태 방지
		  - 소수자 교환관계의 문제(독과점) 극복 등

	지식 정보화 사회	• 선택: 민영화, 민간위탁 - 윌리암슨의 시장위계이론의 응용 • 이유: 관료제의 조정비용이 시장의 거래비용보다 크기 때문 • 시장이 조직보다 효율적인 근거 - 정보통신기술의 발달로 정보탐색이 용이해지고 인간의 분석능력이 확대되어 거래비용이 감소하기 때문
평가		• 공공부문 민간화(신공공관리론)의 이론적 근거 제시 • 효율성 및 시장원리만을 강조한 나머지 민주성과 형평성 불고려

12 정답 ①

정답해설 ① 총계적 오류(total error)란 특정 평정자의 평정기준이 일정치 않아 관대화 경향과 엄격화 경향이 불규칙하게 나타나는 것을 말한다. 특정 평정자가 다른 평정자들보다 언제나 후하거나 나쁜 점수를 주는 규칙적 오류는 강제배분법을 활용하거나 평정 이후에 특정 평정자의 평정이 후하거나 박한 정도를 계산하여 그 수치를 원래의 평정에 감하거나 보탬으로써 사후에 조정할 수 있다. 그러나 총계적 오류는 불규칙적인 오류이므로 사후조정이 불가능하다.

핵심체크 평정오류와 극복방법

연쇄효과 (halo-effect, 후광효과)	의의	한 평정 요소에 대한 평정자의 판단이 다른 평정 요소에도 영향을 주는 현상
	극복방안	① 체크리스트법, ② 강제선택법, ③ 평정요소별 평정, ④ 유사한 평정요소는 가급적 멀리 배치, ⑤ 평정요소마다 용지를 달리함.
집중화· 관대화· 엄격화 경향	의의	• 집중화(중간화) : 평정결과의 점수분포가 중간수준에 집중되는 경향 • 관대화 : 평정결과의 점수분포가 우수한 쪽에 집중되는 경향 • 엄격화 : 평정결과의 점수분포가 낮은 쪽에 집중되는 경향
	극복방안	강제배분법
규칙적 오류 · 총계적 오류	의의	• 규칙적 오류(일관된 오류) : 특정 평정자가 다른 평정자들보다 언제나 후하거나 나쁜 점수를 주는 것 • 총계적 오류(불규칙적 오류) : 특정 평정자의 평정기준이 일정하지 않아 관대화·엄격화 경향이 불규칙하게 나타나는 것
	극복방안	규칙적 오류는 강제배분법을 활용하거나 사후에 조정이 가능하나, 총계적 오류는 사후 조정 불가능
최초효과· 근접효과 (시간적 오류)	의의	• 최초(첫머리)효과 : 초기의 업적을 중심으로 평가하는 경향 • 막바지효과(근접오류) : 최근의 업적을 중심으로 평가하는 경향
	극복방안	① 중요사건기록법, ② MBO, ③ 행태기준 평정척도법
상동적 오차	의의	평정요소와 관계가 없는 성별·출신학교·출신지역·종교·연령 등에 대해 평정자가 갖고 있는 편견이 평정에 영향을 미치는 현상(선입견에 의한 오류, 유형화·정형화·집단화의 착오)
	극복방안	① 신상정보 비공개, ② 직속상관 외의 제3자를 평정자로 활용

13   정답 ②

정답해설 ② 현상학적 행정연구에 의하면 인간은 주어진 환경을 객관적으로 받아들이는 것이 아니라, 개인의 지각에 따라 개인이 부과하는 주관적 의미에 입각해 능동적으로 환경을 형성한다.

핵심체크 현상학적 접근

개념	사회현상은 자연현상과 달리 인간의 의식·동기·언어 등으로 구성되며 그들의 상호주관적 경험으로 이룩되므로, 행정현상을 이해하기 위해서는 외면화·표면화된 행태보다는 인간의 내면적인 의식이나 동기를 파악해야 한다고 보는 접근방법
전개	하몬(Harmon)의 '행위이론'에 의해 정립
특징	① 철학적·심리학적 접근(주관주의), ② 선험적 관념론, ③ 주지주의(主知主義)가 아닌 주의주의(主意主義), ④ 가치주의(가치중심 연구), ⑤ 미시적 접근
주요 내용	① 사회현상과 자연현상의 구별, ② 능동적·사회적 자아(행정인의 적극적 책임 중시), ③ 상호주관성(간주관성), ④ 탈물상화, ⑤ 순수이성에 근거한 직관적 포착(괄호 안에 묶어두기, 현상학적 판단정지), ⑥ 행태(behavior)가 아닌 행위(action) 중시, ⑦ 조직을 인간들의 의도적(가치함축적) 행위의 집합물로 인식, ⑧ 환경형성론적 입장(외재적 결정론 배척), ⑨ 투표가 아닌 합의적 의사결정 중시

14   정답 ④

정답해설 ④ 사이어트(Cyert)와 마치(March)의 회사모형은 인간의 제한된 합리성을 가정한 만족모형을 집단 차원의 의사결정에 적용한 모형이다. 회사모형에서 조직은 단기적 목표의 순차적 추구를 강조하며, 단기적 환류에 의존하는 의사결정절차를 이용하여 불확실성을 회피하려 한다.

핵심체크 사이어트(Cyert)와 마치(March)의 회사모형

의의		• 사이먼의 만족모형을 분업화된 계층구조를 지닌 조직 내부의 의사결정에 적용한 모형 • 조직을 결정자에 의해 일사분란하게 움직이는 조직체가 아니라 여러 가지 개성과 목표를 가진 하위부서들의 연합체로 인식(연합모형)
특징	갈등의 준(의장적)해결	개념	하위부서 간에 갈등이 발생하지만 이를 통합해 줄 수 있는 기준이 없어 타협하는 수준에서 의사결정이 이루어지기 때문에 갈등의 완전한 해결이 아닌 준해결 야기
		과정	• 하위부서들은 관할범위 내의 하위목표만 전념하는 국지적 합리성 추구(국지적 최적화) • 하위부서들은 타하위부서의 목표를 제약조건으로 인식하고, 타하위부서가 받아들일만한 수준에서 의사결정 • 조직은 모든 목표를 동시에 고려하지 않고 순차적인 관심을 보임으로써 모순되는 목표들이 큰 갈등 없이 추구됨.
	문제중심의 탐색	개념	조직은 제한된 합리성으로 인해 관심이 가는 문제 중심으로 대안 탐색
		과정	• 문제에 의해 촉발되는 탐색(문제를 인지해야 비로소 탐색 시작) • 분석적·과학적 탐색이 아닌 단순한 탐색 • 탐색상의 편견 존재
	표준운영절차 (SOP) 중시		조직은 경험이 축적됨에 따라 가장 효율적이라고 판단되는 정책결정절차와 방식(표준운영절차[SOP])을 개발·발전시키고 이를 지속적으로 활용
	불확실성의 회피		• 조직은 불확실성을 회피하기 위해 불확실성이 높은 장기적 전략보다는 결과가 확실한 단기적 전략을 중시 • 단기적 환류에 의존하는 단기적 대응책 및 환경 통제방법(장기계약 체결, 거래관행 및 카르텔 형성) 강조
	조직의 학습		조직의 학습은 반복적인 의사결정의 경험이 전수되는 과정이므로 시간의 흐름에 따라 결정수준이 개선되고 목표달성도가 높아지게 됨.

15   정답 ①

정답해설 ① 우리나라의 세입예산과목은 관, 항, 목으로 구분된다. 따라서 세입예산과목에는 장, 세항이 존재하지 않는다.

16   정답 ③

정답해설 ③ 공모직위는 효율적인 정책수립 및 관리가 필요한 직위에 대하여 부처 내·외에서 공개모집하여 최적격자를 선발하는 제도로 경력직 공무원만 응모 가능하다.

오답해설 ① 개방형 직위는 업무 수행상 고도의 전문성이 요구되거나 효율적인 정책수립이 요구되는 직위에 대하여 공직 내·외에서 공개모집하고 최적격자를 선발하는 제도이다.
② 경력개방형 직위는 공직 외부의 민간전문가 간에 경쟁을 통해 최적격자를 선발하는 제도이다.
④ 개방형 직위는 고위공무원단 직위 총수의 20%의 범위에서, 공모직위는 고위공무원단 직위 총수의 30% 범위에서 지정하여야 한다.

핵심체크 개방형 직위와 공모직위의 비교

구분	개방형 직위	공모직위
선발범위	공직 내·외	부처 내·외
채용사유	전문성이 요구되거나 효율적인 정책수립이 요구되는 경우	효율적인 정책수립 또는 관리가 필요한 직위
채용직위	• 각 부처 고위공무원단 직위 총수의 20%의 범위 • 과장급 직위 총수의 20%의 범위	• 경력직 공무원으로 보할 수 있는 고위공무원단 직위 총수의 30%의 범위 • 과장급 직위 총수의 20%의 범위
채용절차	선발시험위원회(인사혁신처장 소속)의 추천을 받아 소속장관이 임용	선발심사위원회(소속장관 소속)의 추천을 받아 소속장관이 임용
임용방법	시험(서류전형, 면접시험)	시험(서류전형, 면접시험)
채용기간	2년 이상 5년 이내(임기제 공무원은 최소 3년 이상)	기간 제한 없음(2년 이상)
직종	임기제공무원을 원칙으로 하되, 임기제가 아닌 경력직으로도 임용할 수 있음.	임기제 공무원이 아닌 경력직 공무원
특이사항	소속장관은 개방형 직위 중 공직 외부에서만 적격자를 선발하는 경력개방형 직위를 지정할 수 있음.	국가직 공모직위에 지방직 공무원도 응모가능하며, 자치단체의 공모직위에 국가직 또는 타 자치단체의 공무원도 응모 가능
보직관리	경력직 공무원이 개방형 직위나 공모직위를 통해 임용된 경우, 임용기간 만료 후 원 소속기관으로 복귀 가능	
자치단체	도입	도입

17 정답 ②

정답해설 ② 외적 타당도란 조사연구의 결론을 다른 모집단, 상황 및 시점에 어느 정도까지 일반화시킬 수 있는지의 정도를 말한다. 반면, 측정도구가 동일한 현상을 반복하여 측정할 때 일관성 있는 결론을 얻을 수 있는 정도는 신뢰도이다.

핵심체크 정책평가의 타당성과 신뢰성

평가의 타당성	내적 타당성	• 정책효과(결과변수)가 다른 경쟁적인 원인들(제3의 변수)에 의해서라기보다는 조작화된 처리(원인변수)에 기인된 것이라고 볼 수 있는 정도(경쟁적 가설 배제의 정도) • 정책과 그 결과 사이에 존재하는 인과관계 추론(실험)의 정확도 • 1차적으로 확보되어야 할 가장 중요한 타당도
	외적 타당성	• 조작화된 구성요소들 가운데에서 관찰된 효과들이 당초의 연구가설에 구체화된 그것들 이외에 다른 이론적 구성요소들까지도 일반화될 수 있는 정도 • 실험결과를 다른 상황에까지 일반화할 수 있는 정도
	구성적 타당성	• 처리·결과·모집단 및 상황들에 대한 이론적 구성요소들이 성공적으로 조작화된 정도 • 이론적 구성요소들을 측정하고자 구성된 척도가 측정대상을 실질적으로 측정해 내는 정도
	통계적 결론의 타당성	• 정책의 결과를 측정하기 위해 충분히 정밀하고 강력하게 연구설계가 이루어진 정도 • 제1종 오류, 제2종 오류가 발생하지 않는 정도
평가의 신뢰성	의의	정책결과의 측정을 위한 도구가 동일한 현상을 시기를 달리하여 반복하여 측정할 때 일관성 있는 결론을 얻을 수 있는 정도
	측정	정책의 대상집단과 내용 등은 동질성을 유지하면서 평가시기를 달리하여 각 시기별 정책결과 측정값의 상관관계 분석

18 정답 ①

정답해설 ① 조직발전(OD)은 외부의 행태전문가에 의존하는 문제해결책으로 구성원의 행태개선에 초점이 있다.

핵심체크 조직발전(OD)

의의	행태과학적 지식과 기술을 활용하여 조직구성원의 가치관·신념·태도 등의 행태를 변화시키고자 하는 계획적·복합적인 관리전략
배경	1960년대 행태론자들에 의해 제시·발전된 조직혁신방법
기법	① 감수성훈련(실험실훈련, T-그룹훈련), ② 블레이크와 모튼(Blake & Mouton)의 관리망훈련, ③ 팀 형성(팀빌딩 기법, 작업집단개선기법), ④ 과정상담과 개입전략, ⑤ 집단 간 회합, ⑥ 태도조사환류기법 등
목적	• 조직의 효과성(문제해결능력) 및 변화대응능력 제고(개방체제적 관점) • 조직구성원 간의 협동적 행위 촉진 및 조직원의 창조적·자기혁신적 능력 향상
특징	• 인간 행태 개혁: 구조나 관리기법이 아닌 인간행태 개선에 초점 • 행태과학적 지식 활용: 경험적 자료에 기초한 조직진단 및 실천계획 수립 • 체제론적 관점: 구성원의 행태뿐만 아니라 조직문화까지 변화시키고자 하는 전략 • 변화관리: 계획적·의식적 변화, 장기적·전체적 변화, 하향적 변화(최고관리자의 지지) • 외부전문가의 개입: 행태과학적 지식을 지닌 외부전문가의 참여 • 과정지향성: 문제해결을 지향하는 인간적·사회적·협동적 과정 중시 • 지속적·장기적·순환적 과정: 지속적인 평가와 환류 중시 • 계층제적 조직의 경직성 타파: 수평적 관계에서 협동적 행위 촉진 • Y이론적 인간관: 구성원들의 자율적 참여 강조 • 집단의 중요성 강조: 집단을 구성하는 구성원들 간의 관계개선에 초점
한계	• 인간적 요소에 치중하여 조직의 구조적·기술적 요인 간과 • 관습과 타성으로 인한 효과의 장기적 지속성에 의문 • 외부전문가에게 지나치게 의존 등

19 정답 ①

정답해설 ① 농산물·임산물·축산물·수산물의 생산 및 유통지원은 지방자치단체의 사무에 속하며, 농산물·임산물·축산물·수산물 및 양곡의 수급조절과 수출입 등 전국적 규모의 사무는 국가사무에 속한다.

핵심체크 우리나라의 사무배분

자치단체의 사무범위	자치단체의 사무를 예시하면 다음과 같으며(포괄적 예시주의), 법률에 이와 다른 규정이 있으면 그러하지 아니함(법률을 통해 예시된 사무처리주체를 변경할 수 있음). • 자치단체의 구역, 조직, 행정관리 등(공유재산관리, 가족관계 등록 및 주민등록 관리 등) • 주민의 복지증진(사회복지시설의 설치 및 관리, 공공보건의료기관의 설립·운영, 감염병과 그 밖의 질병의 예방과 방역, 묘지·화장장 및 봉안당, 청소·생활폐기물 등) • 농림·수산·상공업 등 산업 진흥(농산물·임산물·축산물·수산물의 생산 및 유통지원, 공유림 관리, 소비자 보호 및 저축 장려, 중소기업의 육성 등) • 지역개발과 자연환경보전 및 생활환경시설의 설치·관리(도시·군계획사업의 시행, 주거생활환경 개선의 장려 및 지원, 자연보호활동, 상·하수도의 설치 및 관리, 주차장·교통표지 등 교통편의시설의 설치 및 관리, 재해대책의 수립 및 집행 등) • 교육·체육·문화·예술의 진흥(각종 학교의 설치·운영·지도 등) • 지역민방위 및 지방소방(지역 및 직장 민방위조직의 편성과 운영 및 지도·감독 등) • 국제교류 및 협력(외국 자치단체와의 교류·협력 등)

	자치단체는 다음의 국가사무를 처리할 수 없으나 법률에 이와 다른 규정이 있는 경우에는 국가사무를 처리할 수 있음(법률을 통해 사무처리 주체를 변경할 수 있음).	
국가사무의 처리제한	• 외교, 국방, 사법(司法), 국세 등 국가의 존립에 필요한 사무 • 물가정책, 금융정책, 수출입정책 등 전국적으로 통일적 처리를 할 필요가 있는 사무 • 농산물·임산물·축산물·수산물 및 양곡의 수급조절과 수출입 등 전국적 규모의 사무 • 국가종합경제개발계획, 국가하천, 국유림, 국토종합개발계획, 지정항만, 고속국도·일반국도, 국립공원 등 전국적 규모나 이와 비슷한 규모의 사무 • 근로기준, 측량단위 등 전국적으로 기준을 통일하고 조정하여야 할 필요가 있는 사무 • 우편, 철도 등 전국적 규모나 이와 비슷한 규모의 사무 • 고도의 기술이 필요한 검사·시험·연구, 항공관리, 기상행정, 원자력개발 등 지방자치단체의 기술과 재정능력으로 감당하기 어려운 사무	

20 정답 ④

정답해설 ④ 발생주의와 복식부기 회계제도는 대차평균의 원리에 의한 기장으로 자동검증기능을 지녀 회계정보의 신뢰성을 갖는다.

오답해설 ① 발생주의보다는 현금주의가 기록의 보존과 관리가 간편하며, 현금흐름 파악이 용이하다.
② 발생주의는 회수불가능한 채권이나 지불이 불필요한 채무도 자산과 부채로 파악한다는 한계를 지닌다.
③ 발생주의는 자산가치, 감가상각 등에 대한 주관적이고 자의적인 회계처리를 야기할 수 있다.

핵심체크 현금주의와 발생주의의 장단점

	의의	현금을 수불하는 시점을 기준으로 거래를 인식하는 방식
현금주의	장점	• 회계처리의 객관성이 확보되어 집행통제 용이 • 현금흐름 파악이 용이하며, 이해하기 쉬움. • 절차와 운용이 간편하여 운영경비가 절감되며, 기록보존도 용이 • 통화부문에 대한 재정의 영향 파악 용이
	단점	• 자산·부채를 비망기록으로 관리하므로 재정상태 파악 곤란 • 자산·부채·현금수지 등이 독립적인 대장에 기록되어 연계성 부족 • 채무(부채)에 대한 정보를 제공하지 않아 가용재원에 대한 과대평가 • 감가상각 등을 반영하지 못해 거래의 실질 및 원가 파악 곤란 • 단식부기와 연계되어 조작가능성 높음. • 기록의 정확성을 확인하기 곤란하므로 회계책임 확보 곤란
발생주의	의의	자산과 부채에 미치는 사건을 중심으로 거래를 인식하는 방식
	장점	• 투입비용에 대한 정확한 정보(원가계산, 제품보증비 등) 제공 • 자산과 부채 등 종합적인 재무정보를 제공하여 책임성 및 건전성 확보 • 자기검증기능을 지닌 복식부기와 연계되어 재정투명성 및 신뢰성 확보 • 원가 파악이 용이하여 정부서비스의 정확한 가격 산정(비용편익분석 적용 용이) 및 재정성과 측정 용이 • 자동이월기능으로 출납폐쇄기한 불필요 • 산출물에 대한 원가산정이 가능하므로 분권화된 조직의 자율과 책임 구현
	단점	• 절차가 복잡하여 작성비용이 많이 듦. • 부실채권마저 미수수익으로 인식하여 수익의 과대평가 가능성 • 자산가치·감가상각 및 채권·채무의 자의적 추정(회계처리의 주관성) • 의회통제 회피를 위한 수단으로 악용가능성 • 현금흐름 파악 곤란

핵심체크 단식부기와 복식부기

구분	단식부기	복식부기
개념	거래의 일면만을 수입과 지출로 기록하는 방식	거래의 이중성에 따라 거래의 양면을 차변과 대변으로 이중 기록하는 방식
정확성	오류의 검증 기능이 없어 정확성 낮음.	오류의 검증기능이 있어 정확성 높음.
기록범위	현금수지, 채권·채무만 기록	자산, 부채, 자본 등 모든 재산변화 기록
기록방법	• 상식에 의한 기장 • 경영활동의 일부만을 기록(불완전한 부기방식)	• 일정한 원리에 의한 기장 • 경영활동의 전부를 기록(완전한 부기방식)
적용	소규모 기업에서 주로 활용	대규모 기업에서 주로 활용
평가	• 작성이 단순하고 간편하여 작성 및 관리 용이(관리비용 저렴) • 이익과 손실의 원인 파악 곤란 • 자동검증장치의 결여로 회계정보의 신뢰성 확보 곤란	• 대차평균의 원리에 의한 기장으로 총량 데이터 확보 및 데이터 신뢰성 확보 • 회계정보의 이해가능성 증진 • 결산 및 회계검사의 효율성 증진 (성과관리의 전제) • 책임성과 투명성 확보

제03회 파이널 모의고사

01
정답 ④

정답해설 ④ 이슈네트워크에서는 참여자들의 일부만 자원과 권한을 보유하며 유동적이고 불안정한 상호작용으로 정책내용의 변동이 정책커뮤니티보다 크다.

핵심체크 이슈네트워크

의의	• 특정분야의 전문가들이 공식적·비공식적으로 접촉하면서 형성된 공동체 • 로즈(Rhodes)를 중심으로 한 영국의 학자들에 의해 발전된 개념
특징	• 형성: 정책문제별로 형성되며, 전문지식은 전문가들의 공식적·비공식적 상호접촉과 의견교환으로 획득됨 • 경계 및 관계: 폐쇄적 경계를 지니며, 일시적이고 느슨한 집합체가 아니라 비교적 안정적이고 계속적인 활동을 하는 호혜적 협력관계를 지닌 공동체
기능	• 전문지식의 활용을 통한 정책내용의 합리성 제고 • 정책에 다양한 요구의 반영으로 정책과정의 민주성 제고 • 담당자의 교체에 따른 정책의 혼란 및 정책이 표류하는 현상의 극소화 • 해당 정책 분야에 필요한 검증된 인재의 발탁용이 • 정책의 신뢰성 제고로 반대집단의 저항 및 불복종 최소화(집행의 순응 확보)
한계	• 정책공동체 형성에 장기간 소요 및 끊임없는 논쟁으로 심각한 갈등 야기

02
정답 ②

정답해설 ② 농업사회의 전통에 기반하여 공무원 개인의 능력이나 자격을 기준으로 하는 공직분류는 계급제이며, 사기업체의 과학적 관리운동에 영향을 받아 직무의 성질과 난이도 및 책임도를 기준으로 하는 공직분류는 직위분류제이다. 직위분류제는 지나친 직무 구조의 편협성과 비탄력적 분류 체계 때문에 직위나 직무의 변화 상황에 신속하게 대처하기 곤란하다.

핵심체크 직위분류제

의의	공직을 직책 중심으로 직무의 난이도와 책임의 경중에 따라 등급을 설정하고 이에 따라 공직을 분류하는 제도(직무중심의 공직제도)
발전	산업사회를 배경으로 미국에서 발달
발달 배경	① 사기업의 과학적 관리운동의 영향, ② 보수의 불평등 제거, ③ 산업사회의 전통과 실적주의의 발전, ④ 엽관주의와 실적주의의 조화, ⑤ 절약과 능률을 위한 정부 개혁운동(Taft위원회)의 일환
특징	① 등급의 세분화, ② 낮은 계급의식, ③ 인사행정의 객관화·합리화, ④ 전문행정가 지향성, ⑤ 개방형 충원 체제, ⑥ 낮은 수평적 융통성, 높은 수직적 융통성 등
장점	① 직무급 확립을 통한 보수의 형평성 제고, ② 행정의 전문성 향상, ③ 인사행정의 합리적 기준 제공, ④ 근무성적평정 및 교육훈련 수요 파악, ⑤ 권한과 책임의 명확화, ⑥ 효율적인 사무관리 및 정원관리, ⑦ 예산행정의 능률화, ⑧ 행정의 민주적 통제, ⑨ 공직분류와 조직구조의 연계, ⑩ 규모가 크고 복잡한 조직에 적합, ⑪ 직무중심적 동기유발 촉진 등
단점	① 일반행정가 양성 곤란, ② 인사행정의 탄력성과 신축성 결여, ③ 역동적이고 불확실한 상황에 적응 곤란, ④ 업무협조와 조정(업무 통합) 곤란, ⑤ 약한 신분보장으로 직업공무원제 확립 곤란, ⑥ 편협한 안목과 직위관리의 고립화, ⑦ 구성원의 자발적 헌신 및 연대감 저해, ⑧ 직위분류의 주관성, ⑨ 투입 중시·산출 경시 등

03
정답 ④

정답해설 ④ '작은 정부'를 지향하는 보수주의적 철학은 교환적 정의(사회에의 공헌도에 따른 보상 중시)를, '큰 정부'를 지향하는 진보주의 철학은 배분적 정의(사회에의 공헌도와 무관한 공평한 보상 중시)를 지향하였다.

핵심체크 작은정부와 큰정부

구분	근대입법국가(작은정부)	행정국가(큰정부)
의의	입법부 우위의 국가체제(19C)	행정부 우위의 국가체제(20C)
대두배경	부르주아 혁명(시민혁명)	대공황 및 1,2차 세계대전
사상	자유방임주의, 시장주의, 무국가주의	사회민주주의, 수정자본주의
정치	의회만능주의	대중민주주의, 행정권의 강화
행정	정치행정이원론	정치행정일원론
경제	• Smith의 국부론(예정조화설) • 공급이 수요를 창출(Say의 법칙)	• Keynes의 유효수요이론 • 수요가 공급을 창출
사회	국가와 사회의 이원화	국가와 사회의 동질화
정책	Jefferson-Jackson 패러다임: 최소한의 행정이 최선의 행정	• Roosevelt의 뉴딜(New Deal) 정책 • Johnson의 위대한 사회 건설(Great Society)
정부관	작고 값싼 정부(Small & Cheap Gov.)	크고 강한 정부(Big & Strong Gov.)
문제점	시장실패	정부실패

04
정답 ③

정답해설 ③ 위생요인에는 봉급, 작업조건, 정책과 관리, 대인관계 등이 있다면, 동기요인에는 성취감, 인정감, 직무 그 자체, 보람 등이 있다.

핵심체크 허츠버그(Herzberg)의 욕구충족이원론

의의	\multicolumn{2}{l}{• 기술자들과 회계사를 대상으로 한 연구조사의 결과 인간은 불만(위생)요인과 만족(동기)요인의 이원적 욕구구조를 지니며 이들 요인은 서로 독립된 별개로 작용한다고 봄. • 만족의 반대는 불만족이 아니고 만족이 없는 상태이며, 불만족의 반대는 만족이 아니라 불만족이 없는 상태}
요인	위생요인(불만요인)	동기요인(만족요인)
개념	불만족을 느끼게 하는 요인	만족을 느끼게 하는 요인
성격	사람과 직무상황이나 환경과의 관계	사람과 사람이 하는 일 사이의 관계
역할	불만족만 제거(생산성은 높여주지 못함)	동기부여(생산성을 높여줌)
예	봉급, 감독방식과 내용, 작업조건, 대인관계, 임금, 직위, 신분보장, 정책과 관리(조직의 방침과 관행) 등	성취감, 인정감, 책임감, 승진, 직무 그 자체, 직무에 대한 만족감, 보람 있는 일, 능력신장 등
직무확충	직무확장	직무충실
한계	\multicolumn{2}{l}{• 하위욕구를 추구하는 계층에 적용하기 곤란하기 때문에 일반화하기 곤란 • 중요사건기록법으로 연구자료가 수집되어 동기요인 과대평가 • 개인차 불고려 • 동기유발에 관심을 두지 않고 만족 자체에 중점을 둠. • 직무요소와 동기 및 성과 간의 관계에 대한 분석 미비}

05   정답 ②

정답해설 ② 통솔범위의 조정(㉠), 기능중복의 제거(㉣), 의사전달 체제의 개선(㉥)은 구조적 접근법에 해당한다.

오답해설 리엔지니어링(㉡), 사무자동화(㉢)는 관리·기술적 접근에 해당하며, 감수성 훈련의 활용(㉤)은 인간관계적 접근에 해당한다.

핵심체크 행정개혁의 접근방법

구분		내용
구조적 접근	의의	조직구조의 합리적 설계를 통해 행정개혁의 목표를 달성하려는 접근방법
	방법	① 기구·직제의 간소화와 기능중복의 제거(공무원 수의 감축), ② 책임의 재규정, ③ 조정 및 통제절차의 개선, ④ 표준적 절차의 간소화, ⑤ 의사소통체제의 개선, ⑥ 통솔범위의 수정 등 조직의 제 원리(명령통일·계층제·조정의 원리)와 리스트럭처링(restructuring), ⑦ 분권화 전략 등
관리·기술적 접근	의의	행정이 수행되는 절차나 과정·기술과 장비의 개혁 및 조직 내의 운영과정과 일의 흐름 개선을 통해 행정성과의 향상을 도모하려는 접근방법
	방법	① 관리과학(OR)·체제분석(B/C분석) 등 새로운 분석기법의 도입, ② 컴퓨터의 활용(EDPS, PMIS)·사무자동화(OA) 등 새로운 기술의 도입, ③ BPR(리엔지니어링)·TQM(총체적 품질관리)·BSC(균형성과표) 등을 통한 행정조직 내의 운영과정 및 일의 흐름 개선 등
인간관계적 접근	의의	인간행태의 변화를 통해 행정인의 가치관과 행태를 의도적으로 변화시켜 행정체제의 변화를 유도하려는 접근방법
	방법	감수성훈련, 태도조사, 집단토론 등 조직발전(OD)전략 및 목표에 의한 관리 등의 민주적·분권적·상향적·참여적 접근
종합적 접근		개혁대상의 구성요소(구조, 인간, 과정, 환경)들을 포괄적으로 관찰하고 여러 가지 접근방법을 통합해 해결방안을 탐색하고자 하는 접근방법

06   정답 ②

정답해설 ② 단층제는 통솔범위의 한계로 인하여 효과적인 통솔을 통한 중앙정부의 감독기능 유지가 곤란하다. 반면, 중층제는 이중감독을 통해 중앙정부 감독기능의 실효성 확보가 용이하다.

핵심체크 자치계층 구조 – 단층제와 중층제

구분	단층제	중층제(다층제)
의의	관할구역 안에 자치단체가 하나만 존재하는 구조	관할구역 안에 자치단체가 중첩되어 있는 구조
장점	• 이중행정으로 인한 지연 및 낭비를 방지하여 신속하고 능률적인 행정 수행 • 행정의 책임 소재 명확화 • 지역의 특수성·개별성 존중 • 중앙정부와 주민 간 의사소통 원활화(지역주민의 의사를 중앙정부에 신속하게 전달하고, 중앙정부의 정책을 주민에게 명확히 주지시키기 용이)	• 국가의 직접적 개입을 차단하여 민주주의의 원리 확산 • 기초와 광역 간의 분업적 업무수행을 통한 효율성 증진 • 중앙정부의 감독기능 실효성 확보(이중감독을 통한 효과적인 통솔) • 중앙정부의 과도한 확산 방지 • 자치단체 간 협력 증진 및 분쟁 조정 용이 • 광역자치단체가 기초자치단체의 능력을 보완하여 대규모 사업 수행 용이
단점	• 중앙정부의 직접적인 지시와 감독으로 중앙집권화 야기 • 중앙정부의 비대화 야기 • 중앙정부의 감독기능 확보 곤란 • 대규모 사업 수행 곤란 • 자치단체 간 분쟁 조정 곤란 • 국토가 넓고 인구가 많은 나라에서 채택 곤란	• 이중행정으로 인한 낭비와 지연 • 행정책임 불명확 • 중앙정부와 주민 간 의사소통 왜곡 • 기초자치단체와 광역자치단체 간 갈등 • 광역자치단체가 주도적 역할을 수행할 경우 각 지역의 특수성 경시

07   정답 ②

정답해설 ② ㉠, ㉢은 옳고, ㉡, ㉣은 옳지 않다. 신공공관리론은 주인-대리인이론, 거래비용이론, 공공선택론 등 신제도주의 경제학을 이론적 기반으로 한다(㉠). 신공공관리론은 효율적인 감시와 통제를 위해 성과목표와 기준을 제시하고 이의 달성을 강조하는 성과관리(성과평가 및 성과유인)를 지향한다(㉢).

오답해설 ㉡ 신공공관리론은 정부가 직접적인 서비스 제공자 역할을 수행하기보다는 지방정부나 주민이 할 수 있도록 권한을 부여하는 것을 강조한다.

㉣ 신공공관리론은 정책기능과 집행기능을 분리한 책임행정체제 확립을 강조한다.

핵심체크 신공공관리론

개념	• 최협의: 신관리주의(민간의 능률적인 경영관리기법을 행정에 도입) • 일반적 의미: 신관리주의+시장주의(신자유주의: 시장으로 정부기능의 이전) • 광의: 신관리주의+시장주의+참여주의·공동체주의(자원봉사자의 활용)	
배경	정부실패 – 공공재정의 구조적 위기 및 신보수주의 정권의 등장	
가치	효율성(3Es; 경제성, 능률성, 효과성)과 고객에의 대응성 증진	
내용	작은정부 구축	의의	• 이론적 기반: 시장주의(신자유주의)에 기반한 신제도주의 경제학(주인-대리인이론, 거래비용이론) • 강조점: 민영화와 민간위탁의 확대, 수익자 부담원칙의 강화, 공급(기업)중심 경제정책, 규제완화 등
		내용	• 정부와 민간 간 기능재조정: '시장성검증' 통한 민영화, 민간위탁 • 정부 간 기능재조정: '보충성의 원칙'을 통한 지방정부에게 권한위임 • 정부의 역할변화: 노젓기(rowing)에서 방향잡기(steering)로 • 규제완화: 시장의 자율성 증진 및 정부의 규모 감축
	성과체제 및 고객주의 확립	의의	• 이론적 기반: 신관리주의에 기반한 관료해방론과 고객주의 • 강조점: 기업가 정신, 성과관리(인센티브 메커니즘), 정부 내 경쟁 원리 도입, 권한위양, 품질관리기법, 마케팅 기법, 고객이 가치를 부여하는 결과의 산출 등
		내용	• 내부시장화: 공공조직을 산출물 단위로 분화하여 경쟁 촉진 • 관리자에게 권한 부여: 관리자의 재량적 전문관리 강조 • 성과(결과)에 의한 통제: 규칙·법규 중심 통제(사전적 통제)를 완화하고 성과통제(성과평가 및 제재와 보상 – 사후적 통제) 강화 • 고객주의 확립: 고객의 선택권 보장(경쟁체제 확립), 고객지향적 관리기법 도입(고객헌장, TQM, PAPR 등), 전자정부 구축(One-Stop, Non-Stop 서비스)

08   정답 ②

정답해설 ② 계획예산(PPBS)은 예산편성에서 조직 간 장벽이 없다는 점에서 개방체제적 성격을 지니지만, 영기준예산(ZBB)은 예산편성에서 조직 간 장벽이 있다는 점에서 폐쇄체제적 성격을 지닌다.

핵심체크 계획예산(PPBS)과 영기준예산(ZBB)의 비교

구분	계획예산제도(PPBS)	영기준예산제도(ZBB)
예산의 중점	정책수립 또는 목표설정	사업평가를 통한 예산의 감축
핵심 행위자	최고관리자와 참모	상·하급관리자
예산의 기능	계획 중시(새로운 정책의 형성)	조정·평가 중시(기존 정책의 평가)
책임	• 기획책임 집권화 • 관리책임 분권화	• 기획책임 분권화 • 관리책임 집권화
분석	시스템 분석과 비용편익분석	비용편익분석
조직 간 관계	개방체제(조직 간 구분 없음)	폐쇄체제(조직 간 구분 중시)
결정의 흐름	거시적·하향적(집권)	미시적·상향적(분권)
예산의 지향	기획지향적	평가지향적
사업의 초점	정책지향적(거시적 정책 중시)	사업지향적(미시적 사업 중시)
예산의 초점	사업대안	사업대안과 금액대안
관심 대상	신규사업에만 관심	기존사업과 신규사업 모두 분석
결정의 시각	객관적 시각	주관적 시각
필요 지식	경제정책	관리능력
모형	합리모형과 점증모형의 혼합	완전한 합리모형
시간관	장기적(5년)	단기적(1년)
기준	전년도 예산 기준	영점부터 시작

09   정답 ①

정답해설 ① 고위공무원단은 국가직 공무원 중 직무의 곤란성과 책임성이 높은 실·국장급 직위에 임용되어 재직 중이거나 파견·휴직 등으로 인사관리되고 있는 일반직·별정직, 외무공무원의 군으로 구성된다.

오답해설 ② 적격성 심사는 근무성적평정에서 최하위 등급을 총 2년 이상 받은 때, 정당한 사유 없이 직위를 부여받지 못한 기간이 총 1년에 이른 때, 근무성적평정에서 최하위 등급을 1년 이상 받은 사실이 있고 정당한 사유 없이 6개월 이상 직위를 부여받지 못한 사실이 있는 경우, 조건부 적격자가 교육훈련 또는 연구과제를 수행하지 아니한 때에 실시한다.
③ 고위공무원은 직무의 난이도와 중요도를 반영한 직무등급에 따라 관리되므로 직무분석보다 직무평가가 중요하다.
④ 고위공무원단 대상 직위에는 감사원 공무원과 지방직 공무원을 제외한 국가직 공무원을 대상으로 한다. 또한 도와 광역시의 부시장·부지사 및 교육청의 부교육감 등 국가공무원으로 보하는 지방자치단체 및 지방교육기관의 직위 중 실·국장 및 이에 상당하는 보좌기관에 상당하는 직위도 포함된다.

10   정답 ③

정답해설 ③ 조직의 내부에 초점을 두고 통제를 강조하는 내부과정모형의 목표가치는 안정성과 균형이며, 그 수단으로서 정보전달과 의사전달 등이 강조된다. 반면, 조직의 외부에 초점을 두고 통제를 강조하는 합리목표모형의 목표가치는 생산성과 이윤이며, 그 수단으로서 합리적 기획과 목표설정 등이 강조된다.

핵심체크 퀸(Quinn)과 로보흐(Rohrbaugh)의 경쟁적 가치접근법

의의			

| 의의 | • 조직은 상충되는 다양한 가치를 동시에 추구한다고 보고 여러 가치를 하나의 모형에 종합해 통합적 분석을 제공하는 모형(다중 차원적 접근방법)
• '융통성과 통제', '조직(조직 외부)과 구성원(조직 내부)', '목표와 수단'을 조직의 효과성 측정기준으로 활용하여 4가지 모형 도출 |

모형	구분	외부	내부
	융통성	개방체제모형 • 목표: 성장 및 자원(수단) 확보 • 수단: 유연성, 외적 평가	인간관계모형 • 목표: 인적자원의 개발 • 수단: 구성원의 응집력, 사기
	통제	합리목표모형 • 목표: 생산성, 효율성, 이윤 • 수단: 합리적 기획, 목표 설정	내부과정모형 • 목표: 안정성과 균형 • 수단: 정보관리, 의사전달

| 적용 | • 전제: 조직의 성장주기에 따라 4가지의 경합적 가치가 성장 또는 쇠퇴한다고 보고, 조직의 성장주기에 따른 평가기준 제시
• 성장주기에 따른 평가기준: ① 창업단계 - 개방체제모형, ② 집단공동체단계 - 인간관계모형, ③ 공식화 단계 - 내부과정모형 및 합리적 목표모형, ④ 구조의 정교화 단계 - 개방체제모형 |

11   정답 ④

정답해설 ④ 일선관료는 비정형적인 업무상황에 대응할 수 있도록 광범위한 재량권을 보유하고 있지만 고정관념으로 인해 고객을 재량적으로 선별하고 범주화하며, 단순화·정형화·관례화하여 업무를 처리한다. 따라서 고객의 요구와 필요에 민감하지 않은 반응을 보인다.

핵심체크 일선관료제

의의	• 일선관료: 업무수행과정에서 시민과 직접 접촉하는 공무원(교사, 경찰, 복지요원 등) • 일선관료제: 구성원의 상당부분이 일선관료로 구성되는 공공서비스 기관
직무 특징	• 비정형적 업무상황: 대면적 업무처리, 집행현장의 다양성과 복잡성 • 폭넓은 재량권 보유: 시민과 대면과정에 얻어진 전문지식 독점
업무 환경	• 불충분한 자원: 인적·물적·시간적·기술적 자원의 만성적 부족으로 부분적·간헐적 법집행 또는 즉흥적·피상적 법집행 • 권위에 대한 위협: 위협이 커질수록 권위를 과시하여 권위를 유지하려는 행동경향 • 모호하고 대립적인 기대: 업무의 분할과 경계의 불분명성, 부서목표의 애매성과 이율배반성으로 업무성과를 객관적으로 평가할 기준이 결여되어 있어 역할기대나 고객집단에 대한 재정의를 통해 모호하거나 모순되는 역할기대 회피
업무 방식	• 고정관념에 따른 고객의 범주화: 편견·선입견 등 고정관념을 통해 고객을 재량적으로 범주화·분류하여 선별 • 업무수행의 단순화·정형화: 복잡하고 불확실한 상황을 단순화·정형화하여 문제해결(고객의 요구와 필요에 민감하지 않은 반응)

12   정답 ④

정답해설 ④ 사회학적 제도주의가 횡단면적으로 국가 간 제도의 유사성을 강조하였다면, 역사적 제도주의는 종단면적으로 국가 간 제도의 상이성을 강조하였다.

13   정답 ③

정답해설 ③ 갈등의 해소전략인 협상에는 제로섬(Zero-Sum) 상황에서의 분배적 협상과 넌제로섬(Non Zero-Sum) 상황에서의 통합적 협상이 있다.

14　　정답 ③

정답해설 ③ 세입, 세출의 결산상 생긴 세계잉여금은 국무회의의 심의를 거쳐 대통령의 승인을 얻어 사용 또는 출연하며, 국회의 동의를 구할 필요는 없다.

핵심체크 세계잉여금

개념	매 회계연도 세입세출의 결산상 생긴 잉여금으로, 결산 시 세입액에서 세출액을 차감한 잔액
대상	일반회계와 특별회계, 기금은 제외(기금은 계속 적립하여 운용되기 때문)
발생원인	• 세입에서는 초과액, 세출에서는 이월액과 불용액 • 우리나라는 세입추계가 과학적이지 못해 주로 세입초과에 기인함.
특징	• 적자국채와 관계: 적자국채(매년 예산안 편성 시 예산의 세입부족을 보전하기 위해 발행한 국채)는 세입에 포함되므로 적자국채를 발행하면 세입이 증가하며, 적자 국채 발행 규모가 클수록 세계잉여금(세입 − 세출)은 증가[정(+)의 관계]. • 재정건전성과의 관계: 적자국채의 발행을 통해서도 세계잉여금이 증가할 수 있기 때문에 세계잉여금이 많다고 해서 국가의 재정 건전성이 향상되는 것은 아님.
처리용도의 법정화	• 일반회계예산의 세입 부족을 보전하기 위한 목적으로 해당 연도에 이미 발행한 국채의 금액 범위에서는 해당 연도에 예상되는 초과 조세수입을 이용하여 국채를 우선 상환 • 지방교부세 및 지방교육재정교부금의 정산, 공적자금 상환, 채무 상환, 추가경정예산편성으로 사용 가능 • 세계잉여금 중 사용하거나 출연한 금액을 공제한 잔액은 다음 연도의 세입에 이입
처리절차	국무회의 심의를 거쳐 대통령의 승인을 얻어 사용 또는 출연
사용시기	대통령의 결산승인 이후 사용 가능

15　　정답 ①

정답해설 ① 불확실성에 대한 적극적 대처방안이란 불확실한 것을 확실하게 하려는 방안을 말한다. 반면 불확실성에 대한 소극적 대처방안이란 불확실한 것을 주어진 것으로 보고 이에 대처하는 방안을 말한다. 악조건가중분석(①)은 불확실성을 전제로 가장 우수할 것으로 예상되는 정책대안에 대해서는 매개변수와 외생변수가 최악이라고 가정하고, 나머지 대안은 최선으로 가정하여 정책대안의 결과를 예측하는 방법으로 소극적 대처방안에 속한다.

오답해설 시뮬레이션(②), 델파이와 브레인스토밍(③), 정보의 획득(④)은 모두 적극적 대처방안에 속한다.

핵심체크 불확실성에 대한 적극적 대처방안과 소극적 대처방안

적극적 방안	의의	불확실한 것을 확실하게 하려는 방안
	방안	① 이론이나 모형의 개발(확정적 모형), ② 결정의 지연(정보의 획득), ③ 점증주의적 정책결정, ④ 정책실험(시뮬레이션), ⑤ 정책델파이와 브레인스토밍, ⑥ 공식화 및 표준화, ⑦ 흥정이나 협상
소극적 방안	의의	불확실한 것을 주어진 것으로 보고 이에 대처하는 방안
	방안	① 가외적 장치, ② 한정적 합리성 추구(복잡한 문제를 단순한 문제로 분할하여 분석), ③ 문제의식적 탐색·휴리스틱적 접근(시행착오를 겪으면서 순차적으로 해결책을 찾는 방법), ④ 환경에 대한 조직적 대응(권한위임, 분권화), ⑤ 불확실성 하의 의사결정 기준, ⑥ 민감도분석, ⑦ 분기점분석, ⑧ 악조건가중분석, ⑨ 상황의존도분석

16　　정답 ①

정답해설 ① ㉠, ㉡은 옳고 ㉢, ㉣은 옳지 않다. 경력개발제도는 조직원이 장기적인 경력목표를 설정하고 이를 달성하기 위해 필요한 경력계획을 수립하여 시행함으로써 자신의 역량을 개발해 나가는 활동을 말한다. 경력개발제도는 조직원이 자기 발전 욕구를 충족하는 과정에서 조직의 성과가 향상된다고 전제하고 개인과 조직의 발전에 대한 욕구를 전문성이라는 공통분모에서 접점을 찾아 결합한 인사관리제도이다(㉠). 계급정년제는 특정 계급에서 일정 기간 승진을 하지 못하면 자동 퇴직하는 제도로 인적자원의 유동률을 높여 공직의 신진대사를 촉진할 수 있으나, 공직의 직업적 안정성을 저해할 수 있다(㉡).

오답해설 ㉢ 공무원보수는 일반의 표준 생계비, 물가 수준, 그 밖의 사정을 고려하여 정하되, 민간 부분의 임금수준과 균형을 유지해야 한다. 다만, 외국공무원의 임금수준은 고려요소가 아니다.
㉣ 총액인건비제도는 자율성과 책임성의 조화를 추구하는 제도로 기관장의 도덕적 해이로 인하여 무분별한 기구설치 및 정원관리의 폐해를 야기할 위험성이 있다.

핵심체크 총액인건비제도

의의	중앙당국이 총정원과 인건비 총액만 관리하고, 각 기관은 총정원과 인건비 총액 한도 내에서 인력규모·인력종류(직급·직렬)·기구 설치·인건비 배분을 자율적으로 운영하고 그 결과에 책임을 지도록 하는 제도
배경	신공공관리론을 배경으로 하며, 우리나라는 노무현 정부에서 도입
장점	• 자율과 책임의 조화: 각 기관에 인력관리의 자율성과 책임 부여 • 성과중심의 조직운영: 보수를 성과향상을 위한 인센티브로 활용 • 기관의 특성에 맞는 관리: 분권화를 통한 자율성 부여
한계	• 운영상의 도덕적 해이: 무분별한 기구·정원 팽창 및 직급인플레이션 야기 • 행정서비스 질 저하: 일선공무원은 줄고 중간층이 많아지는 다이아몬드형 조직 야기

17　　정답 ①

정답해설 ① ㉠, ㉡은 옳고, ㉢, ㉣은 옳지 않다. 빅데이터란 방대한 규모(Volume), 짧은 생성주기(Velocity), 다양한 형태(Variety)를 지닌 대규모의 데이터를 말한다(㉠). 유비쿼터스 전자정부는 유비쿼터스 기술을 활용하여 상시화된 서비스, 고객맞춤형 서비스, 지능화된 서비스를 제공하는 전자정부이다(㉡).

오답해설 ㉢ 정부24, 국민신문고 등은 일반국민을 위한 전자서비스(G2C)이나, 온나라 시스템은 행정안전부가 개발한 정부표준 업무관리시스템으로 정부 내 부처 간 또는 부처 내 전자서비스(G2G)에 해당한다.
㉣「전자정부법」에 의하면 행정안전부장관은 관계 행정기관 등의 장과 협의하여 정보기술아키텍처를 체계적으로 도입하고 확산시키기 위한 기본계획을 수립하여야 한다.

핵심체크) 우리나라의 정보화와 전자정부

「지능정보화 기본법」	• 지능정보사회 종합계획의 수립: 과학기술정보통신부장관은 지능정보사회 정책의 효율적·체계적 추진을 위해 관계 중앙행정기관의 장 및 지방자치단체의 장의 의견을 들어 지능정보사회 종합계획을 3년 단위로 수립하며, 정보통신 전략위원회의 심의를 거쳐 수립·확정한다.
「전자정부법」	• 전자정부계획 수립: 중앙행정기관 및 자치단체의 장은 5년마다 기관별 계획을 수립하여 중앙사무관장기관의 장(행정안전부장관)에게 제출해야 하며, 중앙사무관장기관의 장은 5년마다 이를 종합하여 전자정부기본계획을 수립해야 한다. • 정보기술아키텍처 기본계획의 수립: 행정안전부장관은 관계 행정기관 등의 장과 협의하여 정보기술아키텍처기본계획을 수립하고 이에 따라 범정부 정보기술아키텍처(정부업무, 데이터, 응용서비스 요소, 정보기술, 보안 등의 관계를 구조적으로 연계한 체계)를 수립하여야 한다.

18   정답 ①

정답해설 ① 인과관계 증명을 위한 조건으로는 시간적 선행의 조건, 공동변화의 조건, 경쟁적 가설 배제의 원칙 등이 있다. 경쟁적 가설 배제의 조건은 정책결과는 오직 해당 정책수단에 의해서만 설명되어야 하며, 다른 요인들(허위변수, 혼란변수)은 배제되어야 한다는 조건이다.

19   정답 ④

정답해설 ④ 사업구조는 조직의 업무를 산출물별로 부서화한 조직구조로 산출물별 생산라인의 중복으로 인하여 규모의 경제와 효율성을 저해할 수 있다.

핵심체크) 사업구조

의의	조직의 업무를 산출물별로 부서화한 조직구조
특징	• 하나의 서비스를 제공하는 데 필요한 기능들이 한 부서 내에 배치된 자체 완결적 단위 • 사업별로 부서화한 뒤 사업부서 내부를 기능부서화할 만큼 규모가 큰 조직에 적합
장점	• 사업부서 내 기능 간 조정이 용이하므로 환경변화에 신축적 대응 가능 • 산출물 단위로 조직이 운영되기 때문에 고객 만족도 증진에 유리 • 성과에 대한 책임소재가 분명해 성과관리체계에 유리 • 조직원들이 포괄적인 목표관을 지니게 되어 구성원의 동기부여와 만족감 증진
단점	• 산출물별 생산라인의 중복으로 인하여 규모의 경제와 효율성 저해 • 기능직위가 부서별로 분산되므로 기술적 전문지식과 기술발전에 불리 • 사업구조 내의 조정은 용이하지만 사업부서 간 조정은 곤란 • 사업부서 간 경쟁이 심화될 경우 조직 전반적인 목표 달성 곤란

20   정답 ③

정답해설 ③ 지방재정자립도의 산식은 자주재원/일반회계세입총액(자주재원 + 의존재원) × 100(지방채 제외)로 구성된다. 따라서 산식에 있어서 분자와 분모 모두에 자주재원이 반영되며, 지방채 수입은 제외된다.

오답해설 ① 지방재정자립도는 일반회계만 고려할 뿐 특별회계와 기금을 고려하지 않는다.
② 지방재정자립도는 세입중심으로 산정되어 세출을 고려하지 못할 뿐만 아니라 지방채 수입이 제외되어 있어 지방자치단체의 재정력을 효과적으로 파악하기 곤란하다.
④ 국세의 지방세로의 전환은 자주재원을 확대하여 지방재정자립도를 향상시키지만, 의존재원인 지방교부세의 확대는 오히려 지방재정자립도를 저하시킨다.

핵심체크) 지방재정자립도

개념	자주재원(지방세 수입 + 세외수입) / 일반회계세입총액×100(지방채 제외)
한계	• 특별회계와 기금이 고려되지 않아 지방정부의 총 재정규모 파악 곤란 • 세입중심으로 산정되어 자치단체의 세출구조 파악 불가능 • 의존재원의 재정지원 성격 파악 곤란 • 자치단체 간 상대적 재정규모 파악 곤란 • 지방재정력과 충돌 가능성
제고 방안	• 조세체제 개편을 통한 국세와 지방세의 합리적 조정 • 각종 부담금의 지방세화 등 새로운 지방세원의 개발 • 수익자부담주의를 활용하여 사용료·수수료 등 세외수입 확충 • 경영수익사업의 개발을 통한 세외수입 확충

제 04회 파이널 모의고사

01
정답 ③

정답해설 ③ 대표관료제는 관료들의 재사회화현상(채용 전과 채용 후에 이해관계나 신념이 변화되는 현상)으로 출신집단의 이익이 반영되기 곤란하다는 비판을 받는다.

핵심체크 대표관료제

의의	사회를 구성하는 모든 주요 집단(인종·종교·성별·직업·신분·계층·지역 등)으로부터 한 나라의 인구 전체 안에서 차지하는 비율에 따라 관료를 충원하여 정부 관료제가 그 사회의 모든 계층과 집단에 공평하게 대응하도록 하는 제도
대표성의 의미	• 소극적·수동적·피동적·구성론적 대표성[상징적 측면(standing for)] : 사회를 구성하는 모든 주요 집단의 인구비례에 따라 관료를 충원하는 것 • 적극적·능동적·역할론적 대표성[행동적 측면(acting for)] : 관료들이 자신들의 출신집단을 대변하여 정책을 결정하고 출신집단에 책임을 지는 것 • 관계 : 대표관료제는 소극적 대표성이 자동적으로 적극적 대표성을 보장한다는 가정을 전제하고 있으나, 소극적 대표성과 적극적 대표성의 관계는 현실에서 명확하게 검증되지 못했으며 허구에 불과하다는 비판을 받음
장점	① 실질적 기회균등(적극적·진보적 평등), ② 관료제의 민주적 대표성 확보, ③ 행정의 대응성 증진, ④ 사회적 형평성 제고, ⑤ 행정의 책임성 제고(민중통제를 관료제에 내재화하여 행정통제 강화), ⑥ 행정의 신뢰성 증진, ⑦ 주관적(심리적) 책임의 적정화를 통한 행정의 공정성 증진, ⑧ 다양성 관리기법 발전, ⑨ 실적주의의 폐단 시정, ⑩ 합리적 정책결정
단점	① 역차별과 사회적 분열 조장, ② 집단이기주의의 발현, ③ 공직취임 후의 재사회화 불고려, ④ 대표성 확보의 기술적 어려움, ⑤ 행정의 전문성·생산성 저하, ⑥ 시민통제의 무력화(국민주권의 원리에 반할 위험성), ⑦ 감축관리나 작은 정부 이념과의 충돌, ⑧ 자유주의 원리와 충돌(사회주의 이념에 입각) 등

02
정답 ④

정답해설 ④ ㄷ, ㄹ은 옳고, ㄱ, ㄴ은 옳지 않다. 포스트모더니즘을 행정학에 도입한 파머(Farmer)는 합리성 및 과학성에 기초한 모더니즘을 비판하고 상상, 해체, 타자성, 탈영역화 등의 개념을 제시하였다(ㄷ). '타자성'이란 나 아닌 다른 사람을 인식적 타인(epistemic other)이 아닌 도덕적 타인(moral other)으로 인정하고 개방적 태도를 가져야 함을 의미한다(ㄹ).

오답해설 ㄱ 포스트모더니티는 진리의 기준을 '맥락의존적'이라고 보고, 인간 이성 및 합리성의 성격과 역할을 부인한다.
ㄴ 포스트모더니티 행정이론은 보편주의와 근본주의를 추구하는 것은 헛된 꿈이라고 비판하고 거시이론, 거시정치, 거대한 설화 등을 부인한다.

핵심체크 포스트모더니티

의의		산업사회(모더니즘) 이후 사회의 조건을 설명하고 처방하는 하나의 관점
배경		합리주의에 입각한 산업사회에 대한 비판
모더니티 행정이론	의의	인간의 이성과 합리성을 전제로 사회현상도 자연과학적 연구방법을 적용
	특징	① 특수주의, ② 과학주의, ③ 기술주의, ④ 근본주의(메타설화)의 신봉
포스트 모더니티 행정이론	의의	진리의 기준은 맥락의존적이라고 보며, 이성(합리성)의 성격과 역할, 거시이론, 거시정치, 거대한 설화를 부인하고 미시이론, 미시정치 중시
	특징	① 해방주의(인본주의), ② 구성주의(주관주의), ③ 다원주의(상대주의)

파머(Farmer)의 탈근대적 행정학	상상	부정적으로는 규칙에 얽매이지 않는 행정을, 긍정적으로는 문제의 특수성을 인정해야 함
	해체	확실성하에 전개된 이야기, 메타설화, 언어, 이론 등의 텍스트의 근거를 파헤쳐 새롭게 해석해야 함('행정은 능률적이어야 한다', '행정학은 객관적으로 연구될 수 있다' 등의 설화를 당연한 것으로 인정하지 않음)
	탈영역화	모든 지식의 고유영역이 해체되어 경계가 사라져야 함
	타자성	타인을 인식적 타인이 아닌 도덕적 타인으로 인정하고 타자에 대해 개방성을 지녀야 함(행정 측면에서는 반관위적 행정수행, 공무원 측면에서는 시민참여 촉진 및 담론적 행정수행)

03
정답 ①

정답해설 ① 조합주의는 이익집단 간 경쟁과 균형보다는 상호협력을 위한 합의를 중시한다.

핵심체크 조합주의

의의		다양한 이익집단을 기능적으로 대표성을 지닌 대규모의 조직체(조합)로 묶고 지배기구로 편입시켜 국가와 함께 상호협력을 통한 의사결정을 하는 체제
배경		미국의 다원주의적 이익집단체제의 무질서와 혼란에 대한 반발로 유럽에서 발달
특징	이익집단(조합)	• 전문화된 단일의 독점적 정상이익집단 : 기능적으로 분화된 특정집단이익의 독점적 대표로 기능하기 때문에 단일의 강제적·비경쟁적·위계적으로 조직화되며, 특정영역에서 전문화되고, 전국적이고, 독점적인 정상이익집단의 형태를 지님
	참여	• 제도적·공식적 참여 : 고용주 연합이나 노동조합 등의 조직체들은 지배기구로 편입되어 국가와 함께 정책과정 주도 (노사정위원회)
	국가	• 능동적 존재 : 정부는 자체이익을 가지면서 조합의 활동을 규정하고 포섭·억압하는 능동적·자율적·독립적 실체로 중립적이지 않으며, 특정 이익집단을 차별하는 등 민간부문에 대해 강력한 주도권을 행사하는 존재
	의사결정	• 상호협력을 통한 합의 : 조합은 구성원의 이익뿐만 아니라 사회적 책임 등을 공유하며, 정부와 협력을 통한 합의를 형성해 나감

04
정답 ②

정답해설 ② ㄱ, ㄷ은 옳고, ㄴ, ㄹ은 옳지 않다. 매슬로우(Maslow)의 욕구단계이론은 만족진행모형으로 욕구의 발로는 하위욕구에서 상위욕구로 순차적으로 발현되며, 하위욕구가 어느 정도 충족되면 다음 단계의 상위욕구로 진행된다고 보았다(ㄱ). 페리(Perry)의 공직동기이론은 민간부문 종사자와 달리 공무원은 공익, 이타심, 사회에 기여하고자 하는 욕구 등에 의해 행동이 촉발된다고 보았다(ㄷ).

오답해설 ㄴ 아지리스(Argyris)는 개인의 성격은 미성숙한 상태에서 성숙한 상태로 변하나, 조직은 인간을 미성숙상태로 가정하여 관리하므로 인간적 발전을 저해한다고 보았다.
ㄹ 로크(Locke)는 행동의 결과에 초점을 두는 강화이론과 달리 행동의 원인이 동기부여를 가져올 수 있다고 보았다.

05

정답 ③

정답해설 ③ 예비타당성조사는 기획재정부장관이 실시하며, 그 결과를 국회 소관 상임위원회와 예산결산특별위원회에 제출해야 한다.

핵심체크 예비타당성조사

의의		신규사업의 무분별한 착수를 막기 위해 일정액 이상의 대규모사업에 대해 중앙예산당국이 대상 사업의 경제성과 정책성을 분석하는 제도(1999년 도입)
대상	기준	기재부장관은 총 사업비가 500억 원 이상이고 국가의 재정지원 규모가 300억 원 이상인 신규사업 중 대상사업에 해당하는 대규모사업에 대한 예산을 편성하기 위해 미리 예비타당성조사를 실시하고, 그 결과를 요약하여 국회 소관상임위와 예결특위에 제출해야 함.
	대상사업	① 건설공사가 포함된 사업, ② 지능정보화 사업, ③ 국가연구개발사업, ④ 사회복지, 보건, 교육, 노동, 문화 및 관광, 환경 보호, 농림해양수산, 산업·중소기업 분야의 사업(④는 재정지출이 500억 원 이상 수반되는 신규 사업으로 함)
	선정	기재부장관이 중앙관서의 장의 신청 또는 직권으로 선정할 수 있으며, 국회가 그 의결로 요구하는 사업에 대해서는 실시해야 함.
분석		• 경제성 분석: 비용편익비, 순현재가치, 내부수익률, 민감도분석 등 • 정책성 분석: 지역경제 파급효과, 균형발전을 위한 낙후도 평가, 정책의 일관성 및 추진의지, 사업에서의 위험요인, 상위계획과 관계, 환경 영향 등
절차		기재부장관은 대규모사업에 대한 예산을 편성하기 위해 미리 예비타당성조사를 실시하고, 그 결과를 요약하여 국회 소관 상임위원회와 예산결산특별위원회에 제출해야 함.

타당성조사와 비교	구분	타당성 조사	예비타당성 조사
	대상	모든 사업	대통령령이 정하는 대규모사업
	주체	주무사업부	중앙예산기관(기획재정부)
	분석	기술성 분석	경제성 분석, 정책성 분석
	범위	해당 사업	국가재정 전반적 관점
	특징	사후적·세부적	사전적·개략적
	기간	장기	단기

06

정답 ①

정답해설 ① 지방자치단체의 사무에 관한 시·군·구의 단체장의 명령이나 처분이 법령에 위반되거나 현저히 부당하여 공익을 해친다고 판단됨에도 시·도지사가 시·군·구에 대하여 시정명령 및 취소·정지 등의 조치를 취하지 않을 경우 주무부장관이 기간을 정하여 시정명령을 하도록 명할 수 있고, 이를 이행하지 않을 경우 직접 시정명령 및 취소·정지할 수 있다.

오답해설 ② 지방자치단체의 장이 그 의무에 속하는 (자치사무가 아닌) 위임사무의 관리와 집행을 명백히 게을리하고 있다고 인정되면 시·도에 대하여는 주무부장관이 기간을 정하여 이를 이행할 것을 명하고, 이를 이행하지 않을 경우 그 지방자치단체의 비용으로 대집행하거나 행·재정상 필요한 조치를 할 수 있다.
③ 지방자치단체의 사무에 관한 그 장의 명령이나 처분이 법령에 위반되거나 현저히 부당하여 공익을 해친다고 인정되면 시·군·구에 대하여는 시·도지사가 기간을 정하여 서면으로 시정할 것을 명하고, 그 기간 내에 이행하지 아니하면 이를 취소하거나 정지할 수 있다. 자치사무에 관한 명령이나 처분에 대하여는 법령에 위반하는 것에 한정한다.
④ 주무부장관이나 시·도지사는 지방의회에서 재의결된 사항이 법령에 위반된다고 판단됨에도 불구하고 해당 지방자치단체의 장이 소를 제기하지 아니하면 그 단체장에게 제소를 지시하거나 대법원에 직접 제소할 수 있다.

07

정답 ②

정답해설 ② 통일성의 원칙은 특정수입을 특정지출과 연계해서는 아니 된다는 원칙으로 특별회계, 기금, 수입대체경비, 수익금마련지출제도, 목적세(국세 - 교육세, 농어촌특별세 / 지방세 - 지역자원시설세, 지방교육세) 등이 그 예외이다.

오답해설 ① 사전의결의 원칙은 회계연도 개시 전 예산확정을 의미하며, 예비비와 준예산은 사전의결의 원칙의 예외이나 잠정예산은 그 예외가 아니다.
③ 예산총계주의의 원칙은 세입과 세출 내역의 명시적 나열을 의미하며, 현물출자와 수입대체경비는 예산총계주의의 원칙의 예외이나 추가경정예산은 그 예외가 아니다.
④ 단일성의 원칙은 예산은 하나의 장부에 기록해야 함을 의미하며, 기금과 추가경정예산은 단일성의 원칙의 예외이나 예비비는 그 예외가 아니다.

핵심체크 고전적 예산원칙과 예외

사전의결의 원칙	개념	예산은 행정부가 집행하기 이전에 입법부에 의해 먼저 심의·의결되어야 한다는 원칙(절차성의 원칙)
	예외	준예산, 사고이월, 전용, 이체, 예비비, 긴급재정경제명령·처분, 단체장의 선결처분 등
엄밀성의 원칙	개념	예산과 결산은 되도록 일치되어야 한다는 원칙(정확성의 원칙)
	예외	예산의 신축성 확보 장치들
완전성의 원칙 (예산총계주의)	개념	예산에 모든 세입과 세출이 명시적으로 나열되어 빠짐없이 계상되어야 한다는 원칙(포괄성의 원칙)
	예외	순계예산, 기금, 수입대체경비, 국가의 현물출자, 전대(轉貸)차관 등
공개성의 원칙	개념	예산과 결산은 국민에게 공개되어야 한다는 원칙
	예외	우리나라 일부 국방비·외교활동비·정보비, 신임예산 등
단일성의 원칙	개념	예산은 하나의 장부에 전부 기록되어야 한다는 원칙
	예외	특별회계, 기금, 추가경정예산 등
명확(료)성의 원칙	개념	예산은 예산구조와 과목이 단순하고 명확하여 국민과 국회가 이해하기 쉬워야 한다는 원칙(예산공개의 전제조건)
	예외	총액계상예산(총괄예산), 안전보장 관련 예비비 등
통일성의 원칙	개념	예산은 특정세입을 특정세출에 연계하면 안 된다는 원칙(정부의 모든 수입은 국고로 편입되고 여기에서 지출되어야 한다는 원칙 - 국고통일의 원칙·비영향의 원칙·수입금 직접사용 금지의 원칙)
	예외	특별회계, 기금, 수입대체경비, 수익금마련지출제도, 목적세(국세 - 교육세, 농어촌특별세, 교통·에너지·환경세 / 지방세 - 지역자원시설세, 지방교육세) 등
한정성의 원칙	개념	예산은 국회가 의결해 준 목적범위 내, 규모범위 내, 시간범위 내에서 사용되어야 한다는 원칙
	예외	• 목적(질적) 한정성 예외: 이용, 전용 • 규모(양적) 한정성 예외: 예비비, 추가경정예산 • 시간(기간) 한정성 예외: 이월, 계속비, 과년도 수입과 지출, 조상충용

08

정답 ④

정답해설 ④ 규제정책은 영합(zero sum) 게임이 벌어지며, 집단 간 갈등의 정도가 분배정책보다 높은 편이다. 다만, 리플리와 프랭클린(Ripley & Franklin)에 의하면 재분배정책이 규제정책(보호적 규제정책, 경쟁적 규제정책)보다 갈등의 정도가 높다.

◎ 핵심체크 규제정책의 의의

개념	민간의 의사결정과 행위를 강제로 제약하는 통제적 성격의 정책수단
비용부담자와 수혜자	비용부담자와 수혜자가 명확히 구분되고 이슈에 따라 정부, 이익집단, NGO 등 다양한 사회세력들 간 정치적 연합 및 상호작용이 발생 (다원주의적 성격)
갈등	영합게임(Zero-Sum game)이 벌어지고 집단 간 갈등의 수준이 높음.
특성	비용부담자와 수혜자가 정책결정 시에야 비로소 선택됨.
형식	법률로 정하는 것이 원칙(규제법정주의)이지만 관료의 재량권 행사도 가능

◎ 핵심체크 경쟁적 규제정책과 보호적 규제정책

구분		내용
보호적 규제정책	의의	일반 공중을 보호하기 위해 사적 행위에 제한을 가하는 정책
	성격	재분배정책과 유사한 성격
	예	식품 및 의약품 허가, 근로기준설정, 최저임금제, 공공요금 규제, 환경 규제(개발제한구역 설정), 과대광고 규제, 독과점 규제, 부실기업 구조조정 등
경쟁적 규제정책	의의	다수의 경쟁자 중에서 특정 개인 또는 집단에만 일정한 재화나 서비스를 제공할 수 있는 권한을 부여하여 경쟁을 제한하는 정책
	성격	분배정책과 유사한 성격, 규제정책과 분배정책의 이질혼합
	예	항공노선·해운노선·버스노선 인가, 방송국 설립인가, 이동통신사업자 선정 등

09 　　　　　　　　　　　　　　　　　　　　　　　정답 ④

◎ 정답해설 ④ 공공선택론은 관할권의 중첩 및 다원조직제를 강조하며, 권력은 분산될수록 권력의 낭비가 감소하며, 다양한 의사결정 단위가 잠재적인 거부권으로 작용하는 것이 바람직하다고 본다.

◎ 오답해설 ① 공공선택론은 관료로서 개인도 일반국민과 마찬가지로 이기적·합리적 행태를 보인다고 가정한다.
② 공공선택론은 관료도 부패할 수 있으므로 권력의 분산을 통한 상호통제가 필요하다고 주장한다.
③ 공공선택론은 관할권의 분리가 아닌 관할권의 중첩을 통해, 지역 중심의 지방자치보다는 기능 중심의 지방자치를 통해 행정의 효율성을 개선할 수 있다고 본다.

◎ 핵심체크 관료제와 공공선택론의 비교

Wilson-Weber패러다임(관료제)	민주행정패러다임(공공선택론)
초점: 관료제	초점: 다양한 서비스 전달체제
단일의 권력중추에 의한 완벽한 부패통제	정부관료도 일반국민과 마찬가지로 부패 가능
권력의 집중	권력의 분산
대표에게 통치권한 부여(대의민주주의)	다양한 정부기관과 일반 국민들도 권한 부여
정치행정이원론(행정은 정치와 분리된 존재)	정치행정일원론
행정조직의 강한 구조적 유사성	행정조직의 다양한 조직구조 활용 강조
전문지식을 갖춘 관료들로 구성된 관료제의 완성이 효율성 극대화	관료제를 타파하고 관할권의 중첩 및 다원조직제가 행정의 효율성과 대응성 증진

10 　　　　　　　　　　　　　　　　　　　　　　　정답 ①

◎ 정답해설 ① 관대화 경향은 평정결과의 점수분포가 우수한 쪽에 집중되는 경향으로 평정결과를 공개할 경우 더 강화될 수 있다. 관대화 경향은 근무성적평정결과의 성적 분포 비율을 미리 정해놓는 평정방법인 강제배분법을 통해 완화할 수 있다.

11 　　　　　　　　　　　　　　　　　　　　　　　정답 ③

◎ 정답해설 ③ 조직군생태학은 조직을 외부 환경의 선택에 따라 좌우되는 피동적 존재로 보고, 조직의 존속 및 소멸의 원인을 환경에 대한 조직의 적합도에서 찾는 극단적인 환경결정론적 관점의 조직이론이다. 이 이론에 따르면 조직은 구조적 타성으로 인해 환경에 적응하지 못하고 도태된다.

◎ 오답해설 ① 구조적 상황론은 모든 상황에 적합한 유일최선의 방법을 모색하는 전통적 조직이론을 비판하고 상황에 따른 효과적인 조직구조나 관리방법을 찾고자 하였다.
② 거래비용이론에 의하면 거래비용이 조정비용보다 크다면 내부조직화나 조직통합이 효율적이다.
④ 제도화 이론은 조직의 합리성이나 효율성보다는 조직의 정당성이나 적절성을 중시한다.

12 　　　　　　　　　　　　　　　　　　　　　　　정답 ①

◎ 정답해설 ① 티부(Tiebout)의 '발로 하는 투표(vote by feet) 가설'은 지방정부는 최저평균비용으로 지방 공공재를 생산할 수 있는 최적규모를 추구한다고 가정한다.

◎ 오답해설 ② 티부가설은 당해 지역 정책의 이익은 당해 지역 주민들에게만 돌아가며, 이웃지역의 주민들에게는 영향을 주지 않는다고 가정한다(외부효과 부존재).
③ 티부가설은 모든 지방정부는 공공재 생산을 위한 단위당 평균비용이 동일하다고 가정한다.
④ 티부가설은 '공공재는 주민의 선호와 관계없이 중앙집권적·일방적 과정을 통하여 공급되어야 한다고 보는 사무엘슨(Samuelson)이론'에 대한 반론으로 지방분권화 체제를 지향한다.

◎ 핵심체크 티부(Tiebout)의 '발로 하는 투표(vote by feet) 가설'

의의	다수의 지방정부로 구성된 분권화 체제에서 완전경쟁시장의 가정하에 주민들이 자신의 선호에 따라 마음에 드는 재정프로그램을 제공하는 지방정부를 선택하여 자유롭게 이동하는 '발로 하는 투표(vote by foot)'가 이루어진다면 주민들을 유치하기 위한 지방정부 간 경쟁으로 지방정부의 경영이 효율화된다고 보는 이론(효율성 측면에서 지방자치의 당위성을 강조하는 재정논리)
배경	사무엘슨이론에 대한 반론: '공공재는 분권적 배분체제가 비효율적이므로 중앙집권적 과정을 통해 공급되어야 한다'는 사무엘슨이론에 대한 반론
기본 가정	완전경쟁시장의 가정: ① 다수의 지방정부 존재, ② 완전한 정보, ③ 지역 간 자유로운 이동 및 완전한 이동, ④ 외부효과 부존재, ⑤ 최소한 한 개 이상의 고정적 생산요소 존재, ⑥ 국고보조금 부재, ⑦ 단위당 평균비용 동일(규모수익불변의 원리), ⑧ 최적 규모 추구(최저평균비용으로 지방 공공재를 생산할 수 있는 인구 규모 추구), ⑨ 재원은 재산세로 충당, ⑩ 배당수입에 의한 소득 등
결론	각 지방정부는 경쟁을 통해 적정 수준의 서비스를 제공하게 되어 효율적인 자원배분(파레토 최적) 달성

13
정답 ③

정답해설 ③ ⓒ, ⓔ은 옳고, ⓐ, ⓓ은 옳지 않다. 준실험은 짝짓기(matching) 방법으로 실험집단과 통제집단을 구성하여 정책영향을 평가하거나(축조에 의한 통제), 시계열적인 방법으로 정책영향(재귀적 통제)을 평가한다(ⓒ). 비실험은 비교집단을 구성하지 않고 단일집단 사전·사후연구가 일반적으로 활용되며, 허위변수나 혼란변수 등 외생변수의 개입이 커 내적 타당성이 낮다(ⓔ).

오답해설 ⓐ 진실험은 무작위배정을 통해 실험집단과 비교집단의 동질성을 확보하여 하는 실험으로 내적 타당성이 높다. 그러나 엄격한 조건으로 인하여 실현가능성이 낮기 때문에 현실에서 활용되기 곤란하다.
ⓓ 준실험이 아닌 진실험은 자연과학과 같이 대상자들을 격리하여 인위적 환경을 조성한 다음 실험하기 때문에 호손효과(Hawthorne effect)를 강화시킨다.

핵심체크 실험설계

진실험	의의		실험집단과 통제집단의 동질성을 확보하여 행하는 사회실험
	실험방법		통제집단 사전·사후측정연구
	변수통제		무작위배정 또는 사전측정에 의한 통제
	장단점		허위변수나 혼란변수가 통제되어 내적 타당성은 높으나, 인위적 환경에서의 실험으로 호손효과를 강화하여 외적 타당성과 실행가능성은 낮음.
준실험	의의		실험집단과 통제집단의 동질성을 확보하지 못한 상태에서 행하는 사회실험(진실험이 현실적으로 실현 곤란하기 때문에 가장 일반적으로 활용)
	변수통제와 실험방법	축조에 의한 통제 – 매칭(짝짓기)에 의한 배정	실험집단과 비교집단이 구분될 때 : 비동질적 통제집단 설계, 사후비교집단설계, 회귀불연속설계[유자격자 중 정책혜택을 받는 집단(실험집단)과 정책혜택을 받지 못한 집단(비교집단)을 비교하여 정책효과 추정]
		재귀적 통제	실험집단과 비교집단이 구분되지 않을 때 : 분절적(단절적) 시계열 분석, 분절적 시계열 비교집단설계
	장단점		진실험보다 내적 타당성은 낮으나, 자연상태의 실험으로 호손효과가 방지되어 외적 타당성과 실행가능성은 높음.
비실험	의의		통제집단을 구성하지 않고 실험집단에만 정책을 처리하여 정책효과를 추론하는 방법(검증이 아닌 인과관계 추론방법)
	실험방법		단일집단 사전·사후 측정연구 등
	변수통제	통계적 통제	시계열 분석, 회귀분석 등을 통한 효과 추정
		포괄적 통제	기대되는 변화를 토대로 효과 추정
		잠재적 통제	전문가들의 의견을 토대로 효과 추정
	장단점		내적 타당성은 극도로 낮으나, 자연상태의 실험으로 외적 타당성과 실행가능성은 높음.

14
정답 ②

정답해설 ② 공급이란 정책결정, 생산자결정, 서비스에 대한 감독 및 최종책임을 지는 것을 의미하며, 생산이란 서비스의 구체적인 전달이나 집행을 수행하는 것을 의미한다. 계약(ⓐ), 허가(ⓒ), 보조금 지급(ⓔ)은 생산은 민간이 담당하며, 공급은 정부가 담당하는 민간위탁방식이다. 반면, 증서 지급(ⓑ), 자조(ⓓ), 자원봉사(ⓕ)는 생산과 공급을 모두 민간이 담당하는 민간위탁방식이다.

핵심체크 공공서비스의 생산 및 공급방식

구분		공급(provide)	
		정부	민간
생산(produce)	정부	· 정부 서비스 · 정부 간 협약	정부 판매
	민간	· 민간과의 계약 · 허가·면허 방식 · 보조금 지급 방식	· 증서지급 방식 · 시장 기구 · 자조 방식 · 자원봉사 방식

15
정답 ④

정답해설 ④ 금품수수와 관련하여 선물이란 금전, 유가증권, 음식물, 경조사비를 제외한 일체의 물품 등이며, 그 가액범위는 5만원이다.

핵심체크 금품수수에 해당하지 않은 가액범위

대통령령으로 정하는 가액 범위 안의 금품 등	
음식물	3만원
경조사비	5만원(이를 대신하는 화환·조화는 10만원)
선물	· 금전, 유가증권, 음식물, 경조사비를 제외한 일체의 물품 등 · 5만원(농수산물이나 농수산가공품은 10만원, 다만, 설날·추석을 포함한 기간 중에는 20만원)

16
정답 ②

정답해설 ② 엘리슨모형Ⅱ는 마치와 사이어트(March & Cyert)의 회사모형의 논리개념들을 그대로 이용하여 구성된 모형으로 SOP에 의하여 프로그램 목록에서 대안을 추출하고 권력은 반독립적인 하위조직에 분산되며, 정부는 느슨하게 연결된 연합체로 간주한다.

오답해설 ① 쓰레기통모형은 참여자들이 특정 주제에 대하여 문제성 있는 선호를 보이는 경우 설명이 용이하다.
③ 사이버네틱스모형은 정책결정과정을 정책결정자의 기대가치나 기대효용을 만족화하는 과정으로 본다.
④ 연합모형은 환경의 불확실성을 제거하기 위해 거래관행을 수립하거나 단기적 환류에 의존하는 의사결정절차를 활용한다.

핵심체크 엘리슨 모형

구분	합리자모형(Ⅰ)	조직과정모형(Ⅱ)	(관료)정치모형(Ⅲ)
의의	개인차원의 합리모형을 집단차원에 적용	회사모형의 논리개념을 이용하여 구성된 모형	개인차원의 점증모형을 집단차원에 적용
조직관	조정과 통제가 잘된 유기체	느슨하게 연결된 하위조직들의 연합체	독립적인 개인적 행위자들의 집합체
권력의 소재	조직의 두뇌인 최고지도자가 보유	반독립적인 하위부서들이 분산 소유	개인적 행위자들의 정치적 자원에 의존
행위자의 목표	조직전체의 목표	조직전체의 목표 + 하위부서들의 목표	조직전체의 목표 + 하위부서들의 목표 + 개별 행위자들의 목표
응집성	매우 강함.	약함.	매우 약함.
정책결정의 양태	합리적 정책결정	SOP에 의한 의사결정, 갈등의 준해결	정치적 표결이 아닌 정치적 게임의 규칙에 따른 타협, 갈등, 흥정
합리성	완전한 합리성	제한된 합리성	정치적 합리성

정책결정의 일관성	매우 강함. (항상 일관성 유지)	약함. (자주 바뀜)	매우 약함. (거의 일치하지 않음)
적용계층	모든 계층에서 나타남.	주로 하위계층에 나타남.	주로 상위계층에 나타남.
적용	3가지 모형이 정·반·합의 관계가 아니라 하나의 정책이나 조직에 동시에 적용 가능		

17　　　　　　　　　　　　　　　　　　　　　정답 ③

정답해설 ③ 위원회제는 위원들 간의 책임회피로 인하여 책임성의 저하를 야기할 수 있으며, 위원들 간의 타협적 결정으로 보수적 결정을 야기할 수 있다.

핵심체크 위원회제의 유형

개념	민주적 결정과 조정을 촉진하기 위하여 동일한 계층과 지위에 있는 사람들이 의사결정을 하고 그에 대하여 책임을 지는 합의제 조직		
특징	① 합의제조직, ② 통합조직, ③ 분권성과 민주성, ④ 탈관료제조직		
유형	행정 위원회 (협의)	개념	• 의사결정에 법적 구속력이 있고 집행권을 보유하고 있는 위원회 • 독립적 지위를 지닌 행정관청으로 법률에 의해 설치
		예	중앙선거관리위원회, 국가인권위원회, 방송통신위원회, 공정거래위원회, 금융위원회, 국민권익위원회, 개인정보 보호위원회, 원자력안전위원회 등
	행정 위원회 (광의)		
	의결 위원회	개념	• 의사결정의 법적 구속력은 있으나 집행권이 없는 위원회 • 행정위원회(협의)와 자문위원회의 중간 조직의 성질
		예	각 부처의 징계위원회, 공직자 윤리위원회, 소청심사위원회, 토지수용위원회, 행정심판위원회 등
	자문 위원회	개념	• 의사결정에 법적 구속력이 없는 위원회 • 참모기관으로 자문기능만 수행
		예	지방자치발전위원회, 경제사회발전노사정위원회, 정부업무평가위원회 등
	조정 위원회	개념	기관 간 또는 기관 내 부서 간 서로 대립되는 의견을 조정·통합하기 위해 설치된 위원회
		예	차관회의, 지방자치단체중앙분쟁조정위원회, 경제관계장관회의 등
	독립규제 위원회	개념	행정부로부터 독립하여 준입법권, 준사법권을 가지고 경제 및 사회의 규제업무를 담당하는 위원회
		발달	① 행정권의 비대화 방지, ② 규제업무의 전문성 제고
		예	미국의 독립위원회와 완벽하게 동일한 위원회는 존재하지 않음.

18　　　　　　　　　　　　　　　　　　　　　정답 ④

정답해설 ④ 국가공무원과 지방공무원은 모두 「공직자윤리법」, 「공무원연금법」, 「부정청탁 및 금품수수의 금지에 관한 법률」의 적용대상이다.

오답해설 ① 국가공무원은 「국가공무원법」과 「정부조직법」, 지방공무원은 「지방공무원법」과 「지방자치법」의 적용을 받는다.
② 국가공무원은 고위공무원단제가 시행되고 있으나, 지방공무원은 고위공무원단제가 시행되고 있지 않다.
③ 국가공무원의 보수재원은 국비로, 지방공무원의 보수재원은 지방비로 충당한다.

핵심체크 국가공무원과 지방공무원의 비교

구분	국가공무원	지방공무원
법적 근거	「국가공무원법」, 「정부조직법」	「지방공무원법」, 「지방자치법」, 각 지자체의 조례
	「국가공무원법」, 「지방공무원법」, 「지방자치법」의 추구 가치 : 민주성과 능률성	
임용권자	• 5급 이상 - 대통령(3급 이하 장관에 위임) • 6급 이하 - 소속장관 또는 위임된 자	지방자치단체의 장
공직분류	• 일반직 : 1~9급 • 고위공무원단 도입	• 일반직 : 1~9급 • 고위공무원단 미도입
보수 재원	국비	지방비
기타	「공직자윤리법」, 「공무원연금법」은 국가 및 지방공무원 모두를 적용대상으로 함.	

19　　　　　　　　　　　　　　　　　　　　　정답 ①

정답해설 ① ㉠, ㉡은 옳고, ㉢, ㉣은 옳지 않다. 점증주의적 예산결정에 의하면 현년도 행정부의 요구액은 국회의 전년도 승인액에 대해 선형적 함수관계에 있다(㉠). 총체주의적 예산결정론자인 루이스(Lewis)의 대안적 예산이론에 의하면 예산은 증분분석을 활용한 상대적 가치 및 상대적 효율성에 의하여 결정된다(㉡).

오답해설 ㉢ 예산통일성 원칙의 예외장치들은 수입이 지출을 결정하므로 전년도 기준이 현년도 지출을 결정하는 점증주의적 예산결정을 적용하기 곤란하다.
㉣ 미래에 대한 불확실성이 클수록 불확실성에 대한 적극적 대처방안인 점증주의적 예산결정의 타당성이 높아진다.

핵심체크 점증주의 예산결정

의의	과정 측면	• 미시적 과정 : 연속적이고 제한된 비교분석(전략적 점증주의) • 거시적 과정 : 참여적 과정을 통한 정치적 상호조정(분할적 점증주의)
	결과 측면	소폭적 변화(단순 점증주의)
점증성의 대상		• 총예산규모 : 현년도 예산은 전년도 예산의 함수 • 기관 간 관계 : 현년도 행정부의 예산요구액과 전년도 의회의 예산 승인액 간에는 선형적 함수관계 • 사업별 예산 : 경직성 경비는 점증적이지만, 비경직성 경비는 점증성이 나타나지 않음.
학자		버크헤드(초기의 대표적인 학자), 윌다브스키(점증주의 집대성)
적용이 용이한 경우		• 권력이 분산되어 있을 때, 입법기관의 지지를 얻고자 할 때 • 가용재원의 여유가 크지 않을 때, 결정비용을 경감하고자 할 때 • 미래에 대한 불확실성이 클 때(점증주의의 소폭적 변화는 잘못을 최소화) • 예산주기가 단기적일 때(단기적일 때 예산변동 폭이 좁기 때문) • 예산결정에 대한 이론이 없거나 이론에 대한 불신이 클 때 등
적용이 곤란한 경우		• 자원이 부족할 때(예산증액 곤란) • 예산 통일성의 원칙의 예외인 특별회계와 목적세가 많을 때

🔑 핵심체크 총체주의 예산결정

의의	과정측면	가정	전지전능인과 합리적 경제인 - 예산결정자는 사회후생함수 및 문제해결과 관련된 모든 요소를 검토할 수 있는 완전한 정보를 가지고 있으며, 합리적으로 행동함.
		과정	① 사회문제의 확인 및 명확한 목표의 정의 ⇨ ② 모든 대안의 탐색·개발 ⇨ ③ 각 대안이 초래할 결과 예측 ⇨ ④ 대안결과의 평가 및 비교 ⇨ ⑤ 최적 대안 선택 ⇨ ⑥ 선택된 대안(사업)에 예산 배분
	결과측면		• 거시적 배분: 공공부문과 민간부문 간의 최적 자원배분 • 미시적 배분: 예산총액 범위 내에서 각 사업 간에 최적 자원배분
학자			• 루이스의 대안적 예산: ① 상대적 가치, ② 증분분석, ③ 상대적 효율성에 따른 예산배분 • 쉬크의 체제예산(PPBS): 비용편익분석, 관리과학 등 합리적 분석기법 활용

20　　　　　　　　　　　　　　　　　　　　　정답 ②

⊕ 정답해설 ② ㄴ, ㄷ은 옳고, ㄱ, ㄹ은 옳지 않다. 주민세와 취득세는 특별시·광역시세에 해당하나, 등록면허세와 재산세는 자치구세에 해당한다(ㄴ). 지방교육세와 지역자원시설세는 목적세에 해당하며, 특별시·광역시세와 도세로 배분되어 있어 기초자치단체는 목적세를 부과할 수 없다(ㄷ).

⊖ 오답해설 ㄱ 광역시 안에 군을 두고 있는 경우에는 도세와 시·군세의 세목구분이 적용된다.
ㄹ 우리나라의 지방세는 소득과세나 소비과세가 아닌 재산과세 중심으로 이루어져 안정성은 높지만 신장성과 신축성은 낮다.

🔑 핵심체크 지방세의 구성 및 주요쟁점

구분	특별시·광역시 / 자치구		도 / 시·군	
	특별시·광역시세	자치구세	도세	시·군세
보통세	• 주민세 • 취득세 • 담배소비세 • 레저세 • 지방소비세 • 지방소득세 • 자동차세	• 등록면허세 • 재산세	• 취득세 • 등록면허세 • 지방소비세 • 레저세	• 주민세 • 재산세 • 자동차세 • 담배소비세 • 지방소득세
목적세	• 지역자원시설세 • 지방교육세		• 지역자원시설세 • 지방교육세	
주요쟁점	• 소득과세나 소비과세가 아닌 재산과세 중심(안정성은 높으나 신장성과 탄력성은 낮음) • 재산보유과세보다 재산거래과세의 비중이 높음. • 재산보유과세는 주로 기초의 세목으로, 재산거래과세는 주로 광역의 세목으로 구성 • 광역시 안에 군을 두고 있는 경우 도세를 광역시세로 봄. • 광역시는 주민세(개인분, 사업소분, 종업원분) 중 사업소분 및 종업원분을 구세로 함. • 분리과세가 원칙이나 특별시 관할구역 안에 있는 자치구의 재산세는 공동과세함[특별시분(50%)과 자치구분(50%)으로 구분하고, 특별시분 전액을 자치구에 균등분배] • 내국세인 부가가치세의 21%를 특별시·광역시세이면서 도세인 지방소비세로 전환 • 특별시·광역시세이면서 시·군세인 지방소득세 신설 • 과거 지방세인 경주·마권세를 레저세로 명칭 변경			

제05회 파이널 모의고사

01
정답 ②

정답해설 ② 「공직자윤리법」은 퇴직공무원의 취업제한을 규정하고 있으며, 비위면직자의 취업제한은 「부패방지 및 국민권익위원회의 설치와 운영에 관한 법」에 규정하고 있다.

핵심체크 우리나라의 윤리규범

「국가공무원법」 (공무원의 13대 의무)	• 성실의무 • 친절·공정의무 • 청렴의무 • 집단활동금지의무 • 직장이탈금지의무 • 비밀준수의무 • 정치적중립의무 • 복종의무 • 종교중립의무 • 영예 등 제한 • 선서의무 • 영리·겸직금지의무 • 품위유지의무
「공직자윤리법」	• 재산등록 및 공개의무 • 퇴직공무원의 취업제한 • 직무관련성 있는 주식의 매각 또는 신탁 • 이해충돌방지 의무 • 외국인 또는 외국정부로부터 받은 선물신고
「부패방지 및 국민권익위원회 설치·운영법」	• 부패신고의무 • 공무원 행동강령 • 내부고발자 보호 • 비위면직자 취업제한 • 국민감사청구
「부정청탁 및 금품등 수수의 금지에 관한 법률」	• 부정청탁금지 • 금품수수금지

02
정답 ③

정답해설 ③ 단체자치에서 중앙정부의 주된 통제방식으로는 입법통제와 사법통제보다는 행정통제가 활용된다.

핵심체크 주민자치와 단체자치

구분	주민자치	단체자치
의미	정치적 의미(민주주의 원리)	법률적 의미(지방분권의 원리)
국가	영국·미국	독일·프랑스
자치권의 인식	자연적·천부적 권리	국가에서 전래된 권리
자치권의 범위	광범위함.	협소함.
자치권의 중점	지방정부와 주민과의 관계 (주민참여에 초점)	중앙정부와 지방정부와의 관계 (사무배분에 초점)
권한부여방식	개별적 수권주의	포괄적 수권주의
지방정부 구성형태	기관통합형(의회우월형)	기관대립형(집행기관우월형)
사무구분	고유사무와 위임사무 미구분	고유사무와 위임사무 구분
조세제도	독립세(자치단체가 과세주체)	부가세(국가가 과세주체)
중앙과 지방의 관계	기능적 상호협력관계	권력적 감독관계
자치단체의 지위	순수한 자치단체	이중적 지위(자치단체 + 일선기관)
특별지방행정기관	많음.	적음.
통제	주민통제(아래로부터의 통제)	중앙통제(위로부터의 통제)
민주주의와 관계	상관관계 인정설	상관관계 부정설
국가공무원	없음.	있음.
위법통제	입법적·사법적 통제	행정적 통제

03
정답 ②

정답해설 ② 체제론에 의하면 외부환경으로부터 발생하는 요구의 다양성 때문이 아니라 체제내부의 능력상의 한계로 인해 모든 사회문제가 정부의제화되기 곤란하다.

04
정답 ④

정답해설 ④ 우리나라는 행정안전부장관이 기획재정부장관 및 해당 중앙행정기관의 장과 협의하여 대통령령으로 책임운영기관을 설치할 수 있다. 우리나라의 책임운영기관은 정부조직 내부에 설치되므로 소속 구성원은 공무원의 신분을 지닌다.

오답해설 ① 책임운영기관은 정책기능과 집행기능을 분리하여 집행기능을 담당하는 독립기관을 설치하고 이 기관에 조직운영의 자율성을 부여하는 반면, 운영성과에 대해 책임을 지도록 하는 제도이다.
② 책임운영기관은 정부가 수행하는 사무 중 공공성이 강하면서도 경쟁원리에 따라 운영하는 것이 바람직하거나 성과관리가 용이한 부분에 적용된다.
③ 책임운영기관의 장은 성과에 대한 책임성을 높이고 효율적인 통제를 위해 원칙적으로 공직 외부에서 유능한 인재를 공개모집하여 임기제 공무원으로 채용한다.

핵심체크 책임운영기관

의의	• 정책기능과 집행기능을 구분하여 집행기능을 담당하는 독립기관을 설치하고 이 기관에 인사·예산 등 조직 운영에 자율성을 부여하는 반면 운영성과에 대하여 책임을 지도록 하는 제도 • 공공성이 강해 민영화가 어려운 부분을 정부가 직접 수행하기 위해 설치
배경	신공공관리론
내용	• 대상 - 집행기능: 집행·사업적 성격이 강한 부분 중 공공성이 강해 민영화가 곤란한 부분 • 경쟁 - 개방형 직위: 공직외부에서 공개모집을 통해 선발(임기제 공무원) • 자율 - 관리상 자율: 성과계약을 체결하는 대신 기관장에게 인사·예산 관리상 자율성 부여 • 책임 - 성과평가 및 성과책임: 성과평가 및 이에 따른 기관장 교체 • 소속 및 직원 - 내분봉: 정부조직이며, 구성원의 신분은 공무원

05
정답 ④

정답해설 ④ 행정학 성립에 영향을 준 윌슨(Wilson)은 행정의 부패를 야기하는 정당정치로부터 행정을 분리하고(정치행정이원론), 행정을 전문적이고 기술적인 영역으로 보았다. 따라서 윌슨(Wilson)에 따르면 행정관료는 대표성을 갖추는 것보다 전문성을 갖추는 것이 중요하다.

06
정답 ②

정답해설 ② 계속비는 경비의 총액과 연부액을 정하여 국회의 의결을 얻었다고 하더라도 매년의 연부액에 대해서는 다시 국회의 의결을 얻어 지출한다.

오답해설 ① 예비비는 일반회계 예산총액의 1/100 이내의 금액을 국회의 의결을 얻어 세입세출예산에 계상하며, 기획재정부장관이 관리한다.
③ 국가가 특별한 용역 또는 시설을 제공하고 그 제공을 받은 자로부터 비용을 징수하는 경우의 당해 경비로서 기획재정부장관이 정하는 경비인 수입대체경비는 예산총계주의 원칙의 예외이다.

④ 이체는 정부조직 등에 관한 법령의 제정·개정·폐지로 인하여 중앙관서의 직무와 권한에 변동이 있을 때 이루어지는 것으로 국회의 승인이 불필요하다.

핵심체크 계속비

의의	완성에 수년이 필요한 공사나 제조 및 연구개발사업의 경우 그 경비의 총액과 연부액을 정하여 미리 국회의 의결을 얻은 범위 안에서 수년도에 걸쳐서 지출할 수 있는 자금
연한	• 계속비의 연한은 그 회계연도부터 5년 이내로 함(사업규모 및 국가재원 여건을 고려하여 필요한 경우에는 예외적으로 10년 이내로 할 수 있음). • 기재부장관은 필요하다고 인정한 때에는 국회의 의결을 거쳐 지출연한을 연장할 수 있음.
관리	매년의 연부액에 대해서는 다시 국회의 의결을 얻어 지출해야 함.
체차이월	계속비의 연도별 연부액 중 해당 연도에 지출하지 못한 금액은 계속비 사업의 완성연도까지 계속 이월하여 사용할 수 있음.
원칙	시기(기간) 한정성의 원칙의 예외
평가	사업의 일관성 있는 추진이 가능하나 재정운영의 경직성을 초래할 위험성이 있음.

07 정답 ③

정답해설 ③ ⓒ, ⓔ은 옳고, ⓐ, ⓓ은 옳지 않다. 엽관주의는 미국의 잭슨(Jackson) 대통령이 소수 상위계층의 공직독점을 타파할 목적으로 도입되었다(ⓒ). 대표관료제는 영국의 킹슬리(Kingsley)에 의해 주창되었으며, 소극적 대표성이 적극적 대표성을 보장할 것이라는 가정에 기반하고 있으나 이는 현실에서 검증되지는 못하였다(ⓔ).

오답해설 ⓐ 직업공무원제는 절대왕정시대의 관료제에 연원을 두고 있으며, 강력한 신분보장, 폐쇄적 임용, 일반행정가주의, 전문직업주의를 특징으로 한다.
ⓓ 실적주의는 미국의 경우 공개경쟁채용시험, 전문행정가주의, 실적제 보호위원회가 아닌 연방중앙인사위원회를 규정한 「펜들턴법」에 의해 도입되었다.

08 정답 ②

정답해설 ② '협상가형'에서는 결정자가 목표와 수단을 설정하지만 집행자는 결정자의 목표와 수단에 동의하지 않고 결정자와 협상을 통해 정책의 변화를 겪는 관계이다.

핵심체크 나카무라와 스몰우드(Nakamura & Smallwood)의 정책집행자 모형

구분		내용
고전적 기술자형	의의	결정자가 세부적인 내용까지 결정하고, 집행자는 제한된 재량권만 인정받아 집행하는 관계
	결정자	명확한 목표 설정, 집행과정에 대한 통제, 집행자에게 기술적 권한 위임
	집행자	결정자의 목표 지지, 목표달성을 위한 기술적 수단 강구
지시적 위임자형	의의	결정자는 정책목표 및 대체적인 방향을 설정하고, 집행자는 폭넓은 재량권을 위임받아 집행하는 관계
	결정자	명확한 목표 설정, 집행자에게 행정적 권한까지 위임
	집행자	결정자의 목표 지지, 목표달성에 필요한 기술적·행정적·협상적 능력 보유, 집행자들 상호 간 행정적 수단에 관해 교섭(협상)
협상자형	의의	결정자가 정책목표를 설정하지만 집행과정에서 결정자와 집행자 간 목표와 수단에 대해 협상과정을 거치게 되고, 그 결과 정책의 변화를 겪는 관계
	결정자	목표설정
	집행자	결정자의 목표에 동의하지 않고 목표와 수단에 대해 결정자와 협상
재량적 실험가형	의의	• 결정자는 추상적인 수준의 정책방향을 제시하고, 집행자는 광범위하고 구체적인 책임하에 정책을 집행하는 관계 • 결정자들이 무엇을 어떻게 해야 할지를 모르는 경우 또는 대립·갈등하고 있는 결정자들 간에 구체적인 목표 및 수단에 대해 합의를 보지 못하는 경우에 적합
	결정자	추상적인 목표의식은 갖고 있으나 목표를 명확히 표명하지 못하고 집행자에게 광범위한 재량권 위임
	집행자	결정자를 위해 목표와 수단을 구체화
관료적 기업가형	의의	집행자가 대부분의 권한을 갖고 정책과정을 주도하는 관계
	결정자	집행자가 설정한 목표와 수단 지지
	집행자	• 집행자가 목표를 수립하고 결정자에게 이를 받아들이도록 종용 • 집행자는 자신들의 목표달성에 필요한 능력 보유 • 집행자는 결정자와 협상해서 목표달성에 필요한 수단 확보

09 정답 ①

정답해설 ① 구조적 상황론은 조직의 기술, 전략, 환경, 규모 등을 상황변수로 보고 상황에 적합한 조직구조를 처방한다.

핵심체크 상황적응이론(구조적 상황론)

의의	모든 상황에 적용될 수 있는 유일최선의 조직구조나 관리방법은 존재하지 않는다고 보고, 상황에 적합한 효과적인 조직구조나 관리방법을 찾아내고자 하는 이론(적합성 가설)
학자	로렌스와 로쉬(Lawrence & Lorsch), 민츠버그(Mintzberg), 번스와 스토커(Burns & Stalker), 우드워드(Woodward), 페로우(Perrow), 톰슨(Thompson) 등
특징	• 보편적 원리 부인 : 과학적 관리론, 관료제론, 원리주의에 대한 비판 • 상황에 따른 조직관리 : 상황에 따른 조직설계와 관리방식의 융통성 강조 (상대주의 관점) • 중범위이론 : 상황적 조건을 유형화하여 제한된 수준에서 일반성과 규칙성 발견 • 실증적·과학적 분석 : 실증적인 자료수집과 과학적 분석에 근거한 경험적 조직이론 • 환경결정론(수동적 적응론) : 극단적인 환경결정론이 아닌 수동적 적응론 • 분석 : 분석단위는 개인·부서·조직 등 다양하나, 분석수준은 개별조직
한계	조직관리자의 적극적 역할 불고려

10 정답 ②

정답해설 ② 행정협의조정위원회의 조정결정을 통보받은 단체장은 조정결정사항을 이행해야 하지만 직무상 이행명령 등 이를 강제하는 규정이 없어 실질적인 구속력은 없다.

핵심체크 중앙정부와 지방자치단체 간의 분쟁조정

행정적 분쟁조정	• 위법·부당한 명령처분에 대한 주무부장관의 시정명령 및 취소·정지 • 위임사무에 대한 주무부장관의 직무이행명령 및 대집행 • 행정안전부장관의 자치사무에 대한 감사 • 지방의회의 의결에 대한 재의 요구 지시 및 제소지시와 직접 제소 등
사법적 분쟁조정	• 헌법재판소 : 권한쟁의심판 • 대법원 : 중앙정부의 취소·정지처분 및 직무이행명령에 대한 심판 등
국무총리 소속 협의조정기구	• 중앙행정기관의 장과 단체장이 사무를 처리할 때 의견을 달리하는 경우 이를 협의·조정하기 위하여 국무총리 소속으로 행정협의조정위원회를 둠. • 신청에 의해 조정하며, 조정통보를 받은 관계 중앙행정기관의 장과 단체장은 조정사항을 이행해야 하지만 이를 강제하는 규정이 없이 실질적인 구속력은 없음.
인사교류	중앙과 지방 간 이해와 협조 증진 및 네트워크 형성에 기여

핵심체크 지방자치단체 간의 분쟁조정

분쟁조정위원회의 조정	조정 신청	• 신청에 의한 조정 : 자치단체 상호 간 또는 단체장 상호 간에 사무를 처리할 때 다툼이 생기면 행안부장관이나 시·도지사가 당사자의 신청에 따라 조정할 수 있다. • 직권에 의한 조정 : 분쟁이 공익을 현저히 저해하여 조속한 조정이 필요하다고 인정되면 행안부장관이나 시·도지사는 당사자의 신청 없이 직권으로 조정할 수 있다(직권조정권 부여).
	조정	행안부장관이나 시·도지사가 분쟁을 조정하고자 할 때에는 관계 중앙행정기관의 장과의 협의를 거쳐 지방자치단체중앙분쟁조정위원회(행안부에 설치) 또는 지방자치단체지방분쟁조정위원회(시·도에 설치)의 의결에 따라 조정해야 한다.
	조정의 이행	• 행안부장관이나 시·도지사는 조정을 결정하면 서면으로 지체 없이 관계 단체장에게 통보해야 하며, 통보를 받은 단체장은 그 조정결정사항을 이행해야 한다. • 조정결정사항 중 예산이 필요한 사항에 대해서는 관계 자치단체는 필요한 예산을 우선적으로 편성해야 한다. • 행안부장관이나 시·도지사는 조정결정사항이 성실히 이행되지 아니하면 그 자치단체에 대하여 이행을 명령하고 이행명령을 이행하지 아니하면 그 자치단체의 비용부담으로 대집행하거나 행·재정상 필요한 조치를 할 수 있다.
헌법재판소		자치단체 상호 간에 권한의 유무 또는 범위에 관해 다툼이 있는 경우 헌법재판소에 권한쟁의심판을 청구할 수 있다.

11 정답 ③

정답해설 ③ 행태론적 접근방법은 가치와 사실을 구분하고 사실영역만을 연구대상으로 삼았으며, 특정질문을 통해 파악가능한 태도, 의견, 개성 등을 행태로 보고 이를 연구하였다.

12 정답 ④

정답해설 ④ 특별회계는 재정운영주체의 자율성을 증대함으로써 재정운영의 효율성을 증대할 수 있다는 장점이 있는 반면, 예산통제가 곤란하다는 단점을 지닌다. 따라서 예산통제를 강조한다면 특별회계의 수는 적을수록 바람직하다.

핵심체크 특별회계

의의	일반회계와 별도로 특정한 세입에 의해 특정한 세출을 충당하도록 편성한 예산		
목적	재정운영주체의 자율성을 증대함으로써 재정운용의 효율성을 강화할 목적으로 설치		
유형 (20개)	유형	설치요건	현황
	기업 특별회계	국가에서 특정한 사업을 운영하고자 할 때(5개)	① 양곡관리, ② 조달, ③ 우편사업, ④ 우체국예금, ⑤ 책임운영기관
	자금 특별회계	국가가 특정한 자금을 보유하여 운영하고자 할 때	없음.
	기타 특별회계	특정한 세입으로 특정한 세출에 충당함으로써 일반회계와 구분하여 회계처리할 필요가 있을 때(15개)	① 교통시설, ② 교도작업, ③ 행정중심복합도시건설, ④ 주한미군기지이전 등
설치	• 기업특별회계 : 「정부기업예산법」에 근거해 설치 • 기타특별회계 : 「국가재정법」 별표1에 규정된 법률에 의해서만 설치 • 설치 시 기획재정부장관의 신설 타당성 심사		
운영	수입금마련지출제도, 목간 자유로운 전용, 국채발행 등을 통한 신축적 운영		
장점	• 재정운영주체의 자율성을 증대하여 경영의 합리화 및 효율성 증진 • 특정 정부사업 재정수지의 명확한 파악 • 행정기능의 전문화와 다양화에 대응		
단점	• 예산구조의 복잡화로 예산통제가 곤란하여 재정팽창(재정 인플레이션) 야기 우려 • 단일성의 원칙의 예외로 국가재정의 전체적 관련성 파악 곤란 • 통일성의 원칙의 예외로 재원배분구조의 왜곡 가능성 야기		

13 정답 ①

정답해설 ① ㉠, ㉡은 옳고, ㉢, ㉣은 옳지 않다. 맥그리거(McGregor)는 Y이론적 관리전략으로 MBO 등을 통한 개인목표와 조직목표의 통합(통합적 관리)을 지향하였다(㉠). 헤크먼(Hackman)과 올드햄(Oldham)의 직무특성이론에 의하면 직무동기지수는 경험적 의미성(기술다양성, 직무정체성, 직무중요성), 책임감(자율성), 결과에 대한 지식(환류)로 구성되며, 이 중 자율성과 환류가 동기부여에 보다 많은 영향을 미친다고 보았다(㉡).

오답해설 ㉢ 허츠버그(Herzberg)는 조직구성원에게 만족을 주는 요인과 불만족을 주는 요인은 상호 독립되어 있는 것으로 보았다.
㉣ 포터와 롤러(Porter & Lawler)는 만족감을 중시하여 업적(성과)이 만족에 선행된다고 보았다.

14 정답 ①

정답해설 ① 우리나라는 경력직 공무원과 특수경력직 공무원으로 공직을 분류하고 있다. 경력직 공무원이란 실적과 자격에 따라 임용되고 그 신분이 보장되며(실적주의), 평생동안 공무원으로 근무할 것이 예정되어 있는 공무원(직업공무원제)을 말한다. 특수경력직 공무원이란 경력직 공무원 외의 공무원을 말한다.

오답해설 ② 특수경력직은 정무직 공무원과 별정직 공무원으로 구분된다.
③ 일정기간을 정하여 임용하는 임기제 공무원은 경력직 공무원에 해당한다.
④ 일반직은 기술·연구 또는 행정 일반 업무를 담당하며, 특정직은 특수분야의 업무를 담당한다.

핵심체크 경력직과 특수경력직

경력직 공무원	의의		실적과 자격에 의하여 임명되고 그 신분이 보장되며, 평생토록 공무원으로 근무할 것이 예정되어 있는 직업공무원
	일반직	의의	기술·연구 또는 행정 일반에 대한 업무를 담당하는 공무원
		구성	① 행정·기술직, ② 우정직, ③ 연구·지도직, ④ 전문경력관
	특정직	의의	담당업무가 특수하여 자격·신분보장·복무 등에서 특수성이 인정되는 공무원(특별법이 우선 적용되는 공무원)
		구성	① 법관·검사, ② 외무공무원, ③ 경찰공무원(자치경찰 포함), ④ 소방공무원(지방소방사 포함), ⑤ 교육공무원(교육감 소속 교육전문직원 포함), ⑥ 군인·군무원, ⑦ 헌법재판소 헌법연구관, ⑧ 국가정보원의 직원·경호공무원 등 특수 분야의 업무를 담당하는 공무원(검찰총장, 경찰청장, 해양경찰청장 포함)
특수 경력직 공무원	의의		직업공무원제의 적용을 받지 않는 경력직 외의 비직업공무원
	정무직	의의	선거로 취임하거나 임명할 때 국회의 동의가 필요한 공무원 또는 고도의 정책결정 업무를 담당하거나 이러한 업무를 보조하는 공무원
		구성	• 선출직: 대통령, 국회의원, 자치단체의 장, 지방의회의원 등 • 임명 시 국회의 동의: 국무총리, 감사원장, 헌법재판소장, 국회에서 선출하는 헌법재판관·중앙선거관리위원회 위원 • 고도의 정책결정업무 담당 또는 보조: 장·차관, 청장, 처장, 국무조정실장·차장, 차관급 이상의 보수를 받는 비서관 등
	별정직	의의	비서관·비서 등 보좌업무 등을 수행하거나 특정한 업무 수행을 위하여 법령이나 조례에서 별정직으로 지정하는 공무원
		구성	① 비서관·비서, ② 장관정책보좌관·차관보, ③ 국회 수석전문위원, ④ 국가정보원 기획조정실장, ⑤ 지방의회 전문위원 등

15 정답 ③

정답해설 ③ 공공서비스에 대한 요건을 구체적으로 명시하기 곤란하거나 서비스가 기술적으로 복잡하고 불확실한 경우에 주로 활용되는 방식은 보조금지급(grants)이다.

핵심체크 민간위탁의 유형

계약 (좁은 의미의 민간위탁 : contracting-out)	개념	주민이 정부에게 사용료를 지불하면 정부는 민간조직과 계약을 통해 경비를 지불하는 대신 민간조직이 주민에게 서비스를 제공하는 방식
	방식	민간조직은 생산자로서 이용자에게 서비스를 제공하며, 정부는 공급자로서 생산자 결정 및 비용을 지불하고, 이용자는 정부에게 서비스에 대한 비용을 지불하는 방식
	특징	① 경쟁입찰을 통한 사업자 선정 ② 정부와 민간조직 간 계약을 체결하고 이에 따른 감시와 관리 ③ 정부는 평가체제를 확립하여 성과가 낮은 계약자 교체
면허 (franchises)	개념	정부가 특정 민간조직에 일정한 구역 내에서 특정 공공서비스를 제공하는 권리를 인정하는 협정을 체결하는 방식
	방식	민간조직은 생산자로서 이용자에게 서비스를 제공하며, 정부는 공급자로서 생산자 결정 및 서비스의 수준과 질을 규제하고, 이용자는 서비스 제공자에게 직접 비용을 지불하는 방식
	특징	① 요금재 공급에 적합하며, 규모의 경제 실현 용이 ② 정부가 서비스의 수준을 통제하면서 생산을 민간에게 이양 ③ 서비스 제공자 간 경쟁이 미약할 경우 이용자의 비용부담 가중화
보조금 지급 (grants)	개념	정부가 민간조직 또는 개인의 서비스 제공 활동에 대한 재정 또는 현물을 지원하는 방식
	특징	① 공공서비스에 대한 요건을 구체적으로 명시하기 곤란하거나, 서비스가 기술적으로 복잡하고 불확실한 경우에 활용 ② 자율적인 시장가격의 왜곡 야기
증서교부 (vouchers)	개념	정부가 공공서비스 생산을 민간에게 위탁하되 시민의 서비스 구입부담을 완화하기 위해 금전적 가치가 있는 증서를 제공하는 방식
자원봉사 (volunteer)	개념	서비스의 생산과 관련된 현금 지출에 대해서만 보상받고 직접적인 보수를 받지 않으면서 정부를 위해 봉사하는 사람들을 활용하는 방식
	예	레크리에이션, 안전모니터링, 복지사업 등
자조 (self-help)	개념	공공서비스의 수혜자와 제공자가 같은 집단에 소속되어 서로 돕는 방식
	예	이웃감시, 주민순찰, 보육사업, 고령자 대책 등

16 정답 ①

정답해설 ① 설문은 측정효과에 대한 것이다. 측정효과란 실험을 실시하기 이전에 실험집단을 구성하기 위한 측정이 실험실시 이후 실험집단의 측정점수에 영향을 미쳐 실험결과를 왜곡시키는 요소를 말한다.

17 정답 ④

정답해설 ④ ㉠, ㉣은 옳고, ㉡, ㉢은 옳지 않다. 4급 이상 공무원은 직무성과계약제에 의해 성과계약의 성과목표달성도에 의한 평가를 연 1회, 5급 이하 공무원의 평정은 근무성적평가에 의해 근무실적과 직무수행능력에 대한 평가를 연 2회 실시한다(㉠). 역량평가는 일종의 사전적 검증장치로 단순한 근무실적 수준을 넘어 평가대상자가 자신이 담당해야 할 업무수행과 관련된 역량을 보유하고 있는지에 대해 평가하는 제도이다. 역량평가는 실제업무와 유사한 모의상황을 설정하여 현실적 직무상황에 근거한 행동을 관찰하는 평가로 미래의 잠재력을 평가한다(㉣).

오답해설 ㉡ 직무성과계약제는 성과계약서에 제시된 성과책임을 바탕으로 성과목표를 설정·관리·평가하는 하향식(top-down) 제도이다.
㉢ 다면평가는 상사뿐만 아니라 동료, 부하, 고객 등이 참여하여 평가하는 평가체제로 종합적 평가를 통한 평가의 공정성을 확보하기 용이하나, 담합에 의한 평가의 왜곡 및 조직 내의 포퓰리즘으로 인하여 피평가자들이 목표나 능력의 성취보다는 인기관리에 급급할 우려가 있다.

18

정답 ①

정답해설 ① 바움가트너와 존스(Baumgartner & Jones)의 단절균형모형은 점증주의를 비판하면서 급격한 단절적 예산변화를 설명한다. 다만, 이 모형은 예산의 단절균형이 발생할 수 있는 시점을 예측하지 못하기 때문에 사후적 분석에는 용이하나, 미래지향성 측면에는 한계가 있다.

핵심체크 윌다브스키(Wildavsky)의 예산문화론

구분		국가의 재정력	
		부유	빈곤
재정의 예측력	높음	• 점증적 예산 • 선진국(미국연방정부)	• 양입제출적(세입적) 예산 • 미국의 지방정부
	낮음	• 보충적 예산 • 중동의 산유국	• 반복적 예산 • 후진국

핵심체크 윌로비와 서메이어(Wiloughby & Thurmaier)의 다중합리성모형

의의	예산과정에서 관료들은 예산과정의 다양한 시점별로 각각 다른 합리성 기준이 적용되는 다중적 결정으로 구성된다고 보는 모형(과정론적 접근)
내용	• '킹던의 정책결정모형(정책과정의 복잡하고 불확실한 역동성 강조)'과 '루빈의 실시간 예산운영모형(세입, 세출, 균형, 집행, 과정 등과 관련한 의사결정 흐름 개념 활용)'을 통합한 모형 • 정부 예산의 성공을 위해서는 예산과정 각 단계에서 예산활동 및 행태를 구분해야 함 강조 - 세입의 흐름(설득의 정치), 세출의 흐름(선택의 정치), 예산균형의 흐름(제약조건의 정치), 예산집행의 흐름(책임성의 정치), 예산과정의 흐름(누가 예산을 결정하는가의 정치)
평가	• 미시적 분석: 예산운영자들의 다중합리성과 기회주의적 예산전략에 기초를 두고 미시적으로 예산과정 분석 • 예산결정 행태 분석: 다양한 예산운영자들의 의사결정 행태 분석

핵심체크 바움가트너와 존스(Baumgartner & Jones)의 단절균형모형

의의	정책이나 예산은 안정(균형)을 유지하다가 급격한 변동(단절, 중단)이 이루어지며, 이후 새롭게 도입된 정책이나 예산의 안정(균형)이 유지된다고 보는 이론
평가	• 점증주의적 예산결정을 비판하고 급진적 예산변동을 설명함. • 단절균형이 발생할 수 있는 시점을 예측하지 못하기 때문에 사후적 분석에는 적절하지만, 미래지향성 측면에는 한계가 있음.

19

정답 ③

정답해설 ③ 공공선택론은 비시장적 의사결정에 대한 경제학적 연구로 정당 및 관료를 공공재의 생산자로, 시민 및 이익집단을 공공재의 소비자로 인식하고 교환으로서의 정치를 강조한다.

오답해설 ① 공공선택론은 비시장적 의사결정에 대한 경제학적 접근을 지향할 뿐 시장적 의사결정에 대한 정치학적 접근을 지향하는 것은 아니다.
② 공공선택론은 행정기능을 수행하는 모든 정부기관은 구조적으로 유사한 형태를 지녀야 한다고 주장하는 관료제를 비판하고 다원조직제를 주장한다.
④ 공공선택론은 역사적으로 누적·형성된 개인의 기득권을 유지하기 위한 보수적 접근이라는 평가를 받는다.

핵심체크 공공선택론

의의	비시장적 의사결정(정치·행정적 의사결정, 공공재 공급에 대한 의사결정, 집단적 의사결정 - 국가이론, 투표 규칙, 투표자의 행태, 정당정치, 관료행태, 이익집단 등)에 대한 경제학적 연구(정치경제학적 접근, 합리선택적 신제도주의)
연구 방법	• 방법론적 개체주의(환원주의적 시각, 미시적 연구) • 경제학적 가정에 기반한 연역적 연구
기본 가정	• 공공서비스의 성격: 정부(정치인, 관료)는 공공재의 생산지로, 시민 및 이익집단은 공공재의 소비자로 인식 • 인간관 - 합리적 경제인: 인간을 자기이익추구적인 합리적 경제인으로 인식 [생산자인 정치인은 득표극대화(교환으로서의 정치를), 관료는 예산극대화(니스카넨의 예산극대화 모형)를 추구하며, 소비자인 시민은 무임승차자로 행동] • 제도적 장치(유인설계장치)의 마련: 합리적 경제인의 행동을 유인하기 위한 제도적 장치의 마련 강조
특징	• 정부실패의 원인 파악 및 대책 마련 • 집단적 의사결정 연구 및 합리적 의사결정 구조 설계 • 공공부문의 시장경제화를 통한 생산의 비용 극소화와 소비의 편익 극대화 추구 • 경쟁체제(다원조직제) 확립을 통한 시민 선호와 대응성 향상
한계	• 인간의 사회적 상호작용 및 심리적 요소를 불고려하는 경제학적 가정의 편협성 • 역사적으로 누적·형성된 개인의 기득권을 유지하기 위한 보수주의적 접근(경쟁적 시장논리 중시) • 시장원리의 지나친 신봉으로 인한 시장실패 가능성(형평성 불고려)

20

정답 ④

정답해설 ④ 지방자치단체의 장은 지방채 발행 한도액 범위더라도 외채를 발행하는 경우에는 지방의회의 의결을 거치기 전에 행정안전부장관의 승인을 받아야 한다.

핵심체크 우리나라의 지방채

발행요건	단체장은 재정투자사업과 그에 직접적으로 수반되는 경비의 충당, 재해예방 및 복구사업, 천재지변으로 발생한 예측할 수 없었던 세입결함의 보전, 지방채의 차환, 지방교육재정교부금 차액의 보전, 명예퇴직 비용의 충당을 위한 자금 조달에 필요할 때에는 지방채를 발행할 수 있음.
발행절차	단체장은 지방채를 발행하려면 재정 상황 및 채무 규모 등을 고려하여 대통령령으로 정하는 지방채 발행 한도액의 범위에서 지방의회의 의결을 얻어야 함.
기채승인권 폐지와 예외	원칙: 기채승인권 폐지: 지방채 발행시 행안부장관의 승인권 폐지 예외: ① 단체장은 지방채 발행 한도액 범위더라도 외채를 발행하는 경우에는 지방의회의 의결을 거치기 전에 행안부장관의 승인을 받아야 함. ② 자치단체조합의 장은 지방채를 발행할 수 있으며, 이 경우 행안부장관의 승인을 받은 범위에서 조합의 구성원인 각 자치단체 지방의회의 의결을 얻어야 함. ③ 단체장은 행안부장관과 협의한 경우에는 그 협의한 범위에서 지방의회의 의결을 얻어 지방채 발행 한도액의 범위를 초과하여 지방채를 발행할 수 있음(행안부장관의 승인권을 폐지하고 협의사항으로 변경).

제06회 파이널 모의고사

01 정답 ①

정답해설 ① ㉠, ㉡은 옳고, ㉢, ㉣은 옳지 않다. 규모의 경제 산업(자연독점산업)은 공적공급 또는 정부규제로 대응한다(㉠). 제3자에게 의도하지 않은 이익이나 손해를 주고 이에 대한 대가를 받거나 지불하지 않을 때 생기는 현상은 외부효과이며, 긍정적 외부효과는 공적유인으로, 부정적 외부효과는 정부규제로 대응한다(㉡).

오답해설 ㉢ 비배제성과 비경합성을 지닌 재화인 공공재의 존재는 공적공급을 통해 대응해야 한다.
㉣ 정보의 불균형으로 인한 역선택과 도덕적 해이는 정부규제나 공적유인을 통해 대응해야 한다.

핵심체크 시장실패의 유형과 대응방안

유형	내용	대응방안
공공재의 존재	비배제성과 비경합성을 지닌 재화(공공재)의 존재는 시장에서 이기적인 소비자들의 무임승차와 이에 따른 생산자들의 과소생산을 야기하여 시장실패 초래	공적공급
자연독점의 발생 (규모의 경제)	시장에는 자연독점 산업(규모의 경제·비용체감·수익체증 산업)이 존재하며, 자연독점 산업은 과소생산을 통한 초과이윤을 추구함으로써 시장실패 초래	• 공적공급 • 정부규제
정보의 비대칭성 (정보의 편재)	시장에서는 소비자의 무지(정보의 비대칭·불균형·편재)로 인한 역선택과 도덕적 해이가 야기되어 시장실패 초래	• 공적유도 • 정부규제
외부효과 (외부성)	시장에서 이기적 행위자들은 긍정적 외부효과(正의 외부효과, 외부경제효과, 외부편익효과)는 과소생산을, 부정적 외부효과(負의 외부효과, 외부불경제효과, 외부비용효과)는 과다생산을 함으로써 시장실패 초래	• 正의 외부효과 - 공적유도 • 負의 외부효과 - 정부규제
불완전경쟁 (독과점 형성)	시장에서는 경쟁의 결과로 독과점이 형성되며, 독점기업들은 과소생산을 통한 초과이윤을 추구함으로써 시장실패 초래	정부규제
분배의 불공평	시장은 빈익빈·부익부의 문제를 야기하여 시장실패 초래	
경기변동	시장은 반복적인 경기 호·불황을 야기하여 시장실패 초래	

02 정답 ②

정답해설 ② ㉠, ㉢은 옳고, ㉡, ㉣은 옳지 않다. 품목별 예산(LIBS)은 지출대상별 예산편성으로 상향적 의사결정구조를 지니며, 재정지출에 대한 통제가 용이해 재정민주주의 실현에 가장 효율적인 예산제도이다(㉠). 성과주의예산(PBS)은 사업별·활동별 예산편성으로 장기사업보다는 단위사업 중심의 예산편성이 이루어지기 때문에 총괄계정에 적합하지 못하다(㉢).

오답해설 ㉡ 체제예산(PPBS)은 장기적 시각과 객관적인 분석도구를 활용한 합리주의적 예산제도이다. 체제예산(PPBS)은 최고관리자와 막료에 의한 예산편성으로 하향적 의사결정구조를 지닌다.
㉣ 영기준예산(ZBB)은 비용편익분석이 활용되나, 사업의 우선순위 선정에서 예산결정자의 주관성이 반영된다.

03 정답 ④

정답해설 ④ 델파이는 합의를 중시하므로 중위값을 통계적으로 처리하는 반면, 정책델파이는 합의보다는 쟁점을 파악하고자 하는 분석기법으로 양극화된 통계처리가 중시되며, 이를 통해 전통적 델파이기법의 약점을 보완한다.

핵심체크 델파이와 정책델파이의 비교

구분	차이점		공통점
	델파이	정책델파이	
적용	일반문제에 대한 예측	정책문제에 대한 예측	• 다수 응답자의 선정 • 반복된 환류(환류과정을 3~5회 반복) • 컴퓨터에 의한 통계처리(통계처리된 요약정보를 참여자에게 제공)
응답자	특정정책과 관련된 전문가	식견 있는 다수의 창도(이해관계자도 참여 가능)	
익명성	격리성과 익명성 보장	선택적 익명성(초기에만 익명성)	
통계처리	도수분포형태(중앙경향, 분산도 등)	의견차이나 갈등을 부각시키는 양극화된 통계처리	
합의	합의의 도출(유도된 합의)	구성된 갈등(유도된 의견대립)	
토론	토론 부재	컴퓨터를 통한 회의 및 토론	

04 정답 ①

정답해설 ① 계층제에 의한 명령과 강제는 갈등해소전략에 해당하나, 조직의 수평적 분화의 촉진은 갈등조성전략에 해당한다.

핵심체크 갈등관리전략

	갈등의 원인	갈등예방 및 해소전략
예방 및 해소 전략	개인차(성격·태도 등)	역할연기·감수성 훈련 등 교육훈련, 고충해결장치의 마련 등
	분업구조	직급교육 강화, 공동교육훈련, 인사교류, 부서 간 통폐합 등
	목표의 차이	상위목표 제시, 목표수준의 차별화, 계층제적 권위 활용 등
	자원의 희소성	더 많은 자원의 확보, 자원배분기준의 명확화 등
	업무의 상호의존성	부서 간의 접촉 필요성 완화
	관할영역의 모호성	업무수행의 목표·절차·규칙 등의 정형화(표준운영절차)
	지위부조화	지위체제의 개편, 업무배분의 변경 등
	• 협상: 분배적 협상(제로섬 상황에서의 협상 - 타협전략 활용), 통합적 협상(넌제로섬 상황에서의 협상 - 협력전략 활용) • 공동의 적 설정: 공동의 적을 강조하는 방법(상위목표 제시의 소극적 측면) • 완화 혹은 수용: 차이점을 호도하고 공동의 이익을 강조하는 방법 • 구조적 요인의 개편: 갈등을 일으키는 조직 간 합병이나 분리, 조정기구나 직위 신설 등	
조성 전략	• 개방형 임용제 등을 통한 외부인사의 영입 • 성과급제, 행정서비스헌장마크제 등을 통한 경쟁의 조장 • 기존의 업무수행방식·관행에 변화를 주거나 위기감을 조성하여 불확실성 제고 • 의사전달 통로의 변경을 통한 정보의 재분배나 권력의 재분배 촉진 • 정보전달의 억제(권력감소) 또는 정보과다(대상집단의 활성화) 등 정보량 조정 • 구성원의 재배치(인사이동)와 직위 간 관계의 재설정 • 구조적 분화(계층의 수나 기능적 조직단위의 수를 늘림)의 촉진을 통한 견제 • 리더십의 유형을 적절히 교체함으로써 갈등 조장	

05

정답 ④

⊙ **정답해설** ④ 직무분석과 직무평가에 따라 결정된 직급의 직책내용, 자격요건 및 시험의 내용, 직무수행의 예시 등을 직급별로 명시한 것으로 정급의 지표가 되며, 채용·승진·보수·근무성적평정의 기준으로 활용된다.

⊙ **오답해설** ① 직무분석은 직무의 성질과 종류를 구분하는 것으로 시험의 내용적 타당성을 확보하는 데 활용된다.
② 직무평가는 직무의 상대적인 가치를 분류하여 등급화하는 것으로 공정한 보수를 확립하는 데 활용된다.
③ 등급·직급을 구분하는 직무평가보다 직군·직렬·직류를 구분하는 직무분석이 선행하는 작업이다.

⊙ **핵심체크** 직위분류제의 수립절차

준비단계		직위분류작업을 위한 사전단계(분류를 위한 법적 근거 및 기관 결정 등)
직무조사	의의	분류대상이 된 직위들의 직무내용에 대한 정보를 수집하는 작업
	내용	직무기술서의 작성 : 직무조사에 사용되는 질문서로 특정 직위에 부여된 직무의 내용과 책임에 관한 자료와 정보를 구체적으로 정리한 문서
직무분석	의의	직무조사(직무기술서)를 토대로 직위를 직무의 종류 또는 성질에 따라 직군·직렬·직류를 형성하는 종적 분류작업(사실상 횡적 분업)
	활용	인력채용, 시험의 내용적 타당성, 교육훈련, 직무수행 평가 등에 활용
직무평가	의의	각 직위의 직무에 대한 책임도·난이도·곤란도 등을 기준으로 직무의 상대적 가치를 평가하여 등급·직급을 결정하는 횡적 분류작업(사실상 종적 분업)
	활용	보수의 차등화(직무급 확립), 고위공무원단의 직무등급 확립
직급 명세서 작성	의의	직무분석과 직무평가에 따라 결정된 직급의 직책 내용, 자격요건 및 시험의 내용, 직무수행의 예시 등을 직급별로 명시
	활용	정급의 지표 제시 및 채용·승진·보수·평정의 기준으로 활용
정급 및 유지·관리		분류 대상 직위들을 직급 또는 직무등급에 배치하는 활동

06

정답 ①

⊙ **정답해설** ① 준예산은 예산안이 회계연도 개시일까지 의결되지 못할 때 활용되며, 집행범위는 ㉠ 헌법이나 법률에 의하여 설치된 기관 또는 시설의 유지·운영비(공무원보수와 사무처리에 관한 기본경비 등), ㉡ 법률상 지출의 의무가 있는 경비, ㉢ 이미 예산으로 승인된 사업의 계속을 위한 경비 등으로 제한적이다.

⊙ **핵심체크** 준예산

의의	새로운 회계연도가 개시될 때까지 예산이 국회에서 의결되지 못한 때에 의회의 승인 없이 전년도 예산에 준하여 경비를 지출할 수 있는 예산(사전의결 원칙의 예외)
적용 경비	① 헌법이나 법률에 의하여 설치된 기관 또는 시설의 유지·운영(공무원보수와 사무처리에 관한 기본경비 등), ② 법률상 지출의무의 이행, ③ 이미 예산으로 승인된 사업의 계속
현황	• 2공화국(3차 개헌) 때 채택되었으나 중앙정부 차원에서 준예산이 편성된 적 없음. • 지방정부 차원에서는 준예산이 편성된 적이 있음. • 1공화국 때 채택되었던 가예산은 거의 매년 편성됨.

⊙ **핵심체크** 추가경정예산

의의	• 국회에서 예산이 심의·의결되어 이미 성립된 예산에 변경을 가하는 예산 • 예산단일성 및 예산한정성 원칙의 예외
편성 사유	• 전쟁이나 대규모 재해(자연재난과 사회재난)가 발생한 경우 • 경기침체, 대량실업, 남북관계의 변화, 경제협력과 같은 대·내외 여건에 중대한 변화가 발생하였거나 발생할 우려가 있는 경우 • 법령에 따라 국가가 지급하여야 하는 지출이 발생하거나 증가하는 경우
특징	• 정부는 국회에서 추가경정예산안이 확정되기 전에 이를 미리 배정하거나 집행할 수 없음. • 추가경정예산은 일단 성립하면 본예산에 흡수되어 본예산과 통산하여 전체로서 집행되고, 통산하여 전체로서 결산심의를 받음. • 최근 우리나라는 추가경정예산의 잦은 편성을 통제하기 위하여 「국가재정법」에 편성 사유를 엄격히 제한하고 있음(편성횟수 제한은 없음).
현황	거의 매년 1 ~ 2회 편성

07

정답 ②

⊙ **정답해설** ② 탈신공공관리론은 신공공관리론의 지나친 탈관료제화를 비판하면서 조직개편의 기본방향으로 관료제와 탈관료제의 조화를 지향한다.

⊙ **핵심체크** 탈신공공관리론

의의	정치·행정체제의 통제와 조정을 개선하기 위해 통치역량을 강화하고, 재집권화·재규제·구조 통합 등을 주장하는 개혁의 흐름
배경	신공공관리론을 대체하기 위한 것이 아니라 조정 또는 보완을 목적으로 대두

비교 국면		신공공관리론	탈신공공관리론
정부 기능	정부-시장 관계	시장지향주의 : 규제완화	정부의 정치·행정적 역량 강화 : 재규제 및 정치적 통제 강조
	행정의 가치	능률성, 경제적 가치 강조	민주성·형평성 등 전통적 행정가치 동시 고려
	정부규모와 기능	정부 규모와 기능의 감축 : 민간화(민영화·민간위탁 등)	민간화·민영화의 신중한 접근
	공공서비스의 제공방식	• 시민과 소비자 관점 강조 • 시장메커니즘의 활용	공공부문과 민간부문의 파트너십 강조
조직 구조	기본모형	탈관료제모형	관료제와 탈관료제의 조화
	조직구조의 특징	비항구적·유기적 구조(임시조직·네트워크 활용, 비계층적 구조, 권한이양과 분권화)	재집권화 - 분권화와 집권화의 조화
	조직개편의 방향	소규모의 준자율적 조직으로 분절화(책임운영기관 등)	• 분절화의 축소 및 총체적 정부·합체된 정부[통(通)정부] • 집권화, 역량 및 조정의 증대
관리 기능	관리철학	경쟁과 자율을 강조하는 민간 기법 도입	자율성과 책임성의 증대
	통제방식	결과·산출중심의 통제	-
	인사관리	경쟁적 인사관리	공공책임성 중시
기타		환경적·역사적·문화적 요소 불고려	환경적·역사적·문화적 요소 유의

08 정답 ④

정답해설 ④ 주민조례제·개폐청구(「주민조례발안법」), 주민투표(「주민투표법」), 주민소환(「주민소환에 관한 법률」)은 별도의 법률에 구체적인 사항을 정하고 있으나, 주민감사청구·주민소송은 「지방자치법」에 구체적인 사항을 정하고 있다.

09 정답 ④

정답해설 ④ 수단규제는 정부가 민간 행위자들이 사용하는 기술이나 행위 등을 통제하는 규제로 정부가 목표 달성 수준을 정하고 피규제자에게 수단선택에 대한 자율성을 부여하는 성과규제보다 피규제자의 자율성이 낮다.

핵심체크 규제의 대상 - 수단규제, 성과규제, 관리규제

수단(투입) 규제	의의	정부가 민간 행위자들이 사용하는 기술이나 행위 등(투입수단)을 사전적으로 통제하는 규제
	예	• 환경오염방지를 위해 기업에게 특정 환경 통제기술을 사용케 하는 것 • 작업장 안전을 위해 반드시 안전장비를 착용케 하는 것
	평가	• 규제준수여부를 측정하여 정책순응도 파악 용이 • 피규제자의 재량이 가장 낮고, 불필요한 규제 준수비용 유발가능성
성과(산출) 규제	의의	정부가 목표 달성 수준을 정하고 피규제자에게 달성할 것을 요구하는 규제
	예	• 대기오염방지를 위해 이산화탄소 농도를 일정수준으로 유지토록 하는 것 • 인체건강을 위해 개발된 신약에 허용 가능한 부작용 수준을 요구하는 것
	평가	• 피규제자에게 목표달성을 위한 수단과 방법에 대한 재량을 부여하여 수단규제보다 피규제자의 재량이 큼. • 정부가 최적의 목표 수준을 찾아 제시하기 곤란
관리(과정) 규제	의의	정부가 피규제자에게 스스로 각 과정별 위해요소를 규명하고 중요 관리점을 선정해 관리를 수행하도록 과정을 통제하는 규제
	예	식품안전을 위한 식품위해요소 중점관리기준(HACCP) 등
	평가	• 피규제자에게 규제설계의 자율성을 부여하여 피규제자의 특성과 상황에 맞는 유연한 규제설계 가능(수단규제의 한계 극복) • 정부가 직접 성과목표 달성 수준을 정하고 확인할 필요 없음(성과규제의 한계 극복).

핵심체크 규제의 개입범위 - 네거티브규제와 포지티브 규제

네거티브 규제	의의	'원칙 허용', '예외 금지'의 형태를 지닌 규제
	형식	'~할 수 없다', 혹은 '~가 아니다'의 형식
포지티브 규제	의의	'원칙 금지', '예외 허용'의 형태를 지닌 규제
	형식	'~할 수 있다' 혹은 '~이다'의 형식
평가		네거티브 규제는 포지티브 규제에 비해 민간행위자들의 자율성을 확보하면서 규제당국의 행정비용을 감소시킬 수 있음.

핵심체크 규제의 수행주체 - 직접규제, 자율규제, 공동규제

직접 규제	규제주체인 정부가 피규제자인 민간의 행위와 의사결정을 통제하는 규제방식
자율 규제	피규제자인 민간이 스스로 합의된 규칙을 설계하고 이를 구성원에게 적용하는 규제방식
공동 규제	정부로부터 규제권한을 위임받은 민간집단에 의해 이뤄지는 규제방식(자율규제와 직접규제의 중간적 성격)

10 정답 ①

정답해설 ① ㉠, ㉡은 옳고, ㉢, ㉣은 옳지 않다. 블레이크(Blake)와 모우튼(Mouton)의 관리그리드모형은 '생산에 대한 관심'과 '인간에 대한 관심'의 두 가지 기준을 토대로 관리망을 구성하고 무기력형, 컨트리클럽형, 과업형, 중도형, 팀형으로 리더십 유형을 구분하고 팀형을 가장 이상적인 리더십 유형으로 보았다(㉠). 피들러(Fiedler)의 상황이론은 상황변수로 리더와 부하와의 관계, 직위권력, 과업구조를 제시하고, 상황이 유리하거나 불리할 때는 과업형 리더십이, 그렇지 않을 때는 민주적 리더십이 효율적임을 주장하였다(㉡).

오답해설 ㉢ 허쉬(Hersey)와 브랜챠드(Blanchard)는 부하의 성숙도를 상황요인으로 인식하고 리더십의 유형을 지시형, 설득형, 참여형, 위임형으로 구분하였다.
㉣ 하우스(House)는 과업환경과 조직원의 특성을 상황변수로 보면서 과업이 구조화되어 있지 않고 부하의 경험과 지식이 부족할 때에는 지시적 리더십이 효과적이라고 보았다.

11 정답 ①

정답해설 ① 퇴직수당은 공무원이 1년 이상 재직하고 퇴직 또는 사망할 때 지급하는 수당으로 정부가 전액 지급한다.

핵심체크 우리나라의 「공무원연금법」

연혁		1960년에 「공무원연금법」이 제정·공포된 이후 현재까지 지속
적용대상		「국가공무원법」,「지방공무원법」, 그 밖의 법률에 따른 공무원(정규공무원) 및 국가 및 자치단체에 근무하는 직원 중 대통령령으로 정하는 사람(청원경찰 등)
적용제외		군인, 선거직 공무원(대통령, 국회의원, 자치단체장, 지방의회의원), 공무원 임용 전의 수습기간 및 견습직원, 기간제 교사 등
주관 및 운영		운영에 관한 사항은 인사혁신처장이 주관하며, 공무원연금관리공단은 인사혁신처장의 권한 및 업무를 위탁받아 공무원연금기금을 관리·운용
퇴직급여 중 퇴직연금	의의	공무원이 10년 이상 재직하고 퇴직한 경우에 65세가 되었을 때부터 사망할 때까지 지급되는 연금(1996년 이후 임용된 자부터 적용)
	기여금	• 공무원으로 임명된 날이 속하는 달부터 퇴직한 날의 전날이 속하는 달까지 월별로 납부(다만, 기여금 납부기간이 36년을 초과한 사람은 내지 아니함) • 기여금은 기준소득월액의 9%(국가의 연금부담금 : 보수예산의 9%)
	연금 지급률	• 연금액을 산정할 때 사용되는 비율 • 평균기준소득월액의 1.9%에서 2035년까지 단계적으로 1.7%로 인하
	산정	총재직기간의 기준소득월액×총재직기간×연금지급률
퇴직수당	의의	공무원이 1년 이상 재직하고 퇴직 또는 사망할 때 국가예산으로 지급하는 수당
	재원	정부가 전액 지급

12 정답 ③

정답해설 ③ 기관통합형은 의회의 신중한 심의에 의한 의사결정을 가져올 수 있으나, 전문성이 약한 지방의회에 지방행정이 종속되어 지방행정의 전문성을 저해할 수 있다.

핵심체크 기관통합형

의의	의결기능과 집행기능을 모두 지방의회에 귀속시키는 형태(권력통합주의)
채택	주로 주민자치형 국가에서 채택
유형	• 영국의 의회형: 지방의회가 정책을 결정하고 지방의회의 각 분과위원회가 소속공무원을 지휘하여 구체적인 집행을 수행하는 형태 • 미국의 위원회형: 지방의회 의원들이 정책을 결정하고, 선출된 의원 중 1인이 시장으로 지명되며 다른 의원들은 행정부서를 나누어 맡아 행정을 수행하는 형태 • 프랑스의 의회의장형: 지방의회 의장이 집행기관의 장을 겸하는 형태

핵심체크 기관분립형

의의	의결기능은 의회에, 집행기능은 집행기관에 분리시키는 형태(권력분립주의)
채택	주로 단체자치형 국가에서 채택
유형	• 선임방식에 따른 분류: 집행기관 직선형, 집행기관 간선형, 집행기관 임명형 • 의결기관과 집행기관의 권한에 따른 분류: 강시장 - 약의회형, 약시장 - 의회형 • 시장 - 수석행정관제(총괄관리관형): 강시장형에서 시정 전반에 대한 전문지식을 지닌 수석행정관을 두고 있는 체제(강시장 - 약의회형에 포함됨) • 의회 - 시지배인형: 의회가 집행기관을 실질적으로 총괄하는 시지배인을 선임하는 유형으로 시장은 주민직선으로 선출된 경우라도 의례적이고 명목적인 기능만 수행(약시장 - 의회형에 포함됨)

13 정답 ②

⊙정답해설 ② 총액배분자율편성예산제도는 기획재정부가 총액 한도를 지정한 후에 각 중앙관서가 사업별 예산을 편성하는 제도이다.

14 정답 ③

⊙정답해설 ③ ㉠, ㉣은 옳고, ㉡, ㉢은 옳지 않다. 공익실체설은 규범적 공익관으로 도덕적 선, 정의, 공동사회의 보편적 가치를 공익으로 인식한다(㉠). 공익과정설은 공익은 민주적 의사결정과정에서 형성된다고 보고 의사결정과정의 합리화를 중시하면서 적법절차의 원리를 강조하였다(㉣).

⊙오답해설 ㉡ 공익실체설은 개별이익을 합한 전체이익의 극대화를 통해 공익을 달성할 수 있다고 본다(공리주의적 공익관, 전체효용극대화 가설).
㉢ 공익실체설은 현실주의적 공익관이 아닌 규범적·선험적 공익관으로 관료의 적극적 역할을 중시한다.

핵심체크 공익실체설과 공익과정설

	의의	공익이란 사익을 초월하여 선험적·객관적으로 존재하는 규범적·도덕적 실체
공익 실체설 (적극설, 규범설)	근거	• 도덕적·규범적 보편적 실체: 플라톤, 루소, 아리스토텔레스 등 정치철학자들의 입장으로 개별 이익을 초월한 사회 전체로서의 공동선(사회의 보편적 이익 - 정의, 형평, 자연법 등) 또는 국가이익을 공익으로 인식하는 입장 • 전체(총)효용극대화설(공리주의적 공익관, 후생경제학): 사회구성원의 개별적 이익을 모두 합한 전체 이익(총효용)을 최대화하는 것을 공익으로 보는 입장(목적론적 윤리관, 효율성 가치 중시) • 공동체실체설(신비주의적 형이상학적 공동체론): 공동체를 살아 있는 유기체로 인식하고(국가유기체론), 그 시대의 통치자에 의해 결정된 공동체 스스로의 의지와 욕구를 공익으로 인식하는 입장(엘리트주의적 공익관)
	특징	• 규범적·선험적 공익관: 공익을 선험적으로 존재하는 도덕적 실체로 인식 • 공익우선주의 및 국가주의: 전체주의적·집단주의적·국가우월적 관점 • 엘리트적 공익관: 합리모형 및 관료의 적극적 역할 강조(적극설) • 사법부 판례: 집단이기주의를 극복하기 위해 공익과 사익의 비교형량
공익 과정설 (소극설, 민주적 공익이론)	의의	공익이란 사익의 총합이거나 사익 간의 타협 또는 집단 간 상호작용의 산물
	근거	• 다원론적 공익관: 다양한 이익집단 간 정치적 상호작용(흥정, 타협) 중시 • 슈버트(Schubert)의 공익관: 공익은 사익의 합이며, 공익은 민주적 정책과정에서 결정되며, 공익극대화를 위해서는 정책결정과정을 합리화해야함.
	특징	• 절차(과정)적·현실(경험)적 공익관: 현실에서 공익이 형성되는 과정 중시 • 공익과 사익의 동등성 및 개인주의: 자유주의·국민주권주의적 관점 • 민주적 공익관: 점증모형 및 관료의 중립적 조정자 역할 강조(소극설) • 정책과정의 합리화 중시: 적법절차, 대표관료제 도입 강조

15 정답 ②

⊙정답해설 ② 1종 오류는 정책대안이 효과가 없음에도 있다고 잘못 평가한 오류를 말한다. 1종 오류는 알파(α)오류, 잘못된 대안을 채택하는 오류, 옳은 영가설을 기각하는 오류, 틀린 대립가설을 채택하는 오류이다. 올바른 대안을 기각하는 오류는 2종 오류이다.

핵심체크 정책분석의 오류

1종 오류[알파(α)오류]	2종 오류[베타(β)오류]	3종 오류(메타오류)
정책대안이 효과가 없음에도 있다고 잘못 평가한 오류	정책대안이 효과가 있음에도 없다고 잘못 평가한 오류	정책문제의 잘못된 인지로 인하여 대안을 잘못 선택하는 오류(근본적인 오류)
잘못된 대안을 채택하는 오류	올바른 대안을 기각하는 오류	
옳은 귀무가설(영가설)을 기각하는 오류	틀린 귀무가설(영가설)을 채택하는 오류	
틀린 대립가설을 채택하는 오류	옳은 대립가설을 기각하는 오류	

16 정답 ②

⊙정답해설 ② 네트워크구조는 핵심영역을 제외한 주변영역을 외주화한 조직구조로 성과평가가 용이하지 않은 조직에는 적용이 곤란하며, 조직의 정체성이 약하다는 단점이 있다.

핵심체크 네트워크구조

의의	• 각기 높은 독자성을 지닌 조직들 간에 협력적 연계를 통해 구성된 조직 • 핵심기능(기획, 결정 등)만 수행하는 조직을 중심에 놓고 다수의 독립된 조직들을 네트워크를 통해 협력 관계로 묶어 일을 수행하는 조직(전략적 제휴, 아웃소싱, 컨소시엄)
기본 원리	• 통합지향성(수직적·수평적·공간적 통합): 수직적·수평적·공간적으로 공식적인 조직의 경계를 뛰어넘는 통합메커니즘을 지닌 조직 • 집권화와 분권화의 조화: 각 구성단위 조직들에 대한 의사결정권의 위임 수준이 높기 때문에 분권적이며, 공동목표 추구를 위해 의사전달과 정보의 통합관리를 추구하기 때문에 집권적 • 계층통합(수평적·유기적 구조): 상하계층이 뚜렷하지 않으며 모든 계층은 함께 노력하고 조직 전체의 한 부분으로 기능하는 조직 • 기타: 공통된 목적 추구, 자율성을 지닌 독립적 구성원, 자발적 연결, 다수의 지도자, 비공식적 조정 중시 등
장점	① 계층제와 시장의 단점 극복, ② 조직의 유연성과 자율성 강화로 환경에의 신축적 대응 및 창의성 증진, ③ 환경의 불확실 완화, ④ 지식의 공유, ⑤ 직무동기와 사기의 증진, ⑥ 조직 내부의 감독비용 감소, ⑦ 시·공간상 제약 극복, ⑧ 조직의 간소화·단순화 등
단점	① 공동목표 설정 곤란, ② 관리상 통합성 확보 곤란(중앙권위체가 존재하지 않아 밀접한 감독과 통제 곤란), ③ 구성단위 조직의 기회주의적 행동으로 서비스의 안정적 공급 곤란 및 감시 및 조정비용 증가, ④ 성과평가가 곤란한 경우 적용 곤란, ⑤ 유동적이고 모호한 조직경계로 조직 정체성과 응집력의 약화, ⑥ 낮은 조직몰입, ⑦ 네트워크의 배타성 등

17

정답 ③

◆정답해설 ③ 「공공기관의 정보공개에 관한 법률」에 의하면 정보공개청구는 정보공개 청구서 또는 말로써 할 수 있다.

◆핵심체크 「공공기관의 정보공개에 관한 법률」

목적	국민의 알권리 보장 및 국민의 참여와 국정운영의 투명성 확보
공개기관	국가기관(국회·법원·헌재·중앙선관위, 중앙행정기관 등), 자치단체, 공공기관, 지방공사 및 지방공단, 그 밖에 대통령령으로 정하는 기관
청구권자	모든 국민, 대통령령으로 정하는 일정한 요건에 해당하는 외국인
청구대상	공공기관이 직무상 작성 또는 취득하여 관리하고 있는 문서(전자문서 포함) 및 전자매체를 비롯한 모든 형태의 매체 등에 기록된 사항
청구방법	공공기관에 정보공개 청구서를 제출하거나 말로써 청구
입법방식	• 정보공개의 원칙 • 예외적 비공개 - 비공개정보에 대한 입법방식(한정적 열거주의)
공개시점	청구를 받은 날부터 10일 이내에 공개 여부 결정(다만, 10일 연장 가능)
구제제도	이의신청, 행정심판(임의적 절차), 행정소송 등
비용부담	정보공개 및 우송 등에 드는 비용은 실비의 범위에서 청구인이 부담
정보공개시스템	공공기관은 정보공개시스템 등을 구축하도록 노력해야 하며, 행안부장관은 통합정보공개시스템을 구축·운영해야 함.
행정정보의 공표	① 국민생활에 큰 영향을 미치는 정책에 관한 정보, ② 대규모 예산이 투입되는 사업에 관한 정보, ③ 행정감시를 위해 필요한 정보, ④ 그 밖에 공공기관의 장이 정하는 정보에 대해서는 정보공개시스템 등을 통해 정기적으로 공개해야 함(비공개대상정보는 그러하지 아니함).
전자적 정보공개	공공기관은 전자적 형태로 보유·관리하는 정보 중 공개대상으로 분류된 정보를 국민의 정보공개 청구가 없더라도 정보공개시스템 등을 통하여 공개해야 함.

18

정답 ④

◆정답해설 ④ 「지방공무원법」에 의하면 공무원의 징계, 그 밖에 그 의사에 반하는 불리한 처분이나 부작위(不作爲)에 대한 소청을 심사·결정하기 위하여 시·도에 임용권자별로 지방소청심사위원회 및 교육소청심사위원회를 둔다.

◆오답해설 ① 우리나라는 중앙인사기관이 비독립단독형의 형태로 구성되어 인사행정의 정실화를 야기할 위험성이 있다.
② 인사혁신처 소속 소청심사위원회는 행정기관 소속 공무원의 소청을 심사·결정한다.
③ 중앙고충처리위원회의 기능은 소청심사위원회가 담당하며, 고충처리에 대한 결정은 관계기관의 장을 기속하지 아니한다.

◆핵심체크 소청심사위원회

의의	공무원의 징계처분, 그 밖에 그 의사에 반하는 불리한 처분이나 부작위에 대한 소청을 심사·결정하는 기관
설치	• 행정부: 인사혁신처 소속 소청심사위에서 담당 • 자치단체: 시·도(광역자치단체)별로 설치된 지방소청심사위에서 담당 • 헌법상 독립기관: 국회·법원·헌법재판소·선관위 소속 공무원에 대한 소청은 각각의 조직에 설치된 소청심사위에서 담당
심사대상	일반직 공무원을 대상으로 하며, 다른 법률로 정하는 바에 따라 특정직 공무원의 소청을 심사·결정할 수 있음(특수경력직은 신분보장이 되지 않기 때문에 소청심사청구가 인정되지 않음).
결정	• 결정은 재적 위원 2/3 이상의 출석과 출석 위원 과반수의 합의에 따르되, 의견이 나뉠 경우에는 출석 위원 과반수에 이를 때까지 소청인에게 가장 불리한 의견에 차례로 유리한 의견을 더하여 그중 가장 유리한 의견을 합의된 의견으로 봄. • 결정은 처분 행정청을 기속하며, 행정소송은 소청심사위의 심사·결정을 거치지 아니하면 제기할 수 없음(필요적 전심절차).
특징	• 소청 사건을 심사할 때에는 소청인에게 진술 기회를 주어야 하며, 진술 기회를 주지 아니한 결정은 무효로 함. • 소청심사위의 결정은 원징계처분보다 무거운 징계를 부과할 수 없음. • 근무성적평정의 결과나 승진탈락은 소청의 대상이 되지 않음. • 중앙고충처리기능도 소청심사위가 담당(소청심사에 대한 결정은 구속력이 있으나, 고충처리에 대한 결정은 구속력 없음)

19

정답 ③

◆정답해설 ③ 정책유지는 현존하는 정책의 기본적 특성을 그대로 유지하면서 본래의 정책목표를 달성하기 위해 사업의 내용이나 인적·물적 자원의 투입 또는 정책 집행 절차 등을 변경하는 것을 말한다. 정책유지는 정책대상집단의 범위가 변동된다거나 정책의 수혜 수준이 달라지는 경우와 관련된다.

◆핵심체크 정책변동의 유형

정책혁신	기존의 정책을 폐지하고 새로운 형태의 개입을 결정하는 것(새로운 조직 형성, 새로운 법률 제정, 새로운 정부지출) - 사이버수사대 창설	
정책승계	의의	현존하는 정책의 기본적 성격을 변화시키는 것(기존 조직개편, 법률 개정, 기존 예산 변경) - 과속운전단속을 경찰관에서 CCTV로 대체
	유형	① 정책대체(선형적 승계: 정책목표를 유지하면서 정책내용을 새롭게 바꾸는 것), ② 정책분할, ③ 정책통합, ④ 부분종결, ⑤ 복합적 정책승계, ⑥ 파생적 승계(우발적 승계) 등
정책유지	• 현존하는 정책의 기본적 특성을 유지하면서 정책내용을 변화시키는 것(기존 조직, 기존 법률, 미미한 예산변동) - 교육비 보조를 상위 계층 자녀에게 확대 • 정책산출의 변화 야기(정책대상집단의 범위나 정책수혜수준의 변화 등)	
정책종결	현존하는 정책을 완전히 폐지하고 이를 대체할 다른 정책수단을 마련하지 않는 것(기존 조직 폐지, 관련 법률 폐지, 모든 예산 소멸) - 야간통행금지 철폐	

20

정답 ③

◆정답해설 ③ 집약적 기술은 다양한 기술이 개별적인 고객의 성격과 상태에 따라 다르게 배열하는 기술로 교호적 상호의존성을 지니며, 중개적 기술은 고객들을 연결해주는 기술로 집합적 상호의존성을 지닌다.

◆핵심체크 톰슨(Thompson)의 기술유형론

기술유형	길게 연결된 기술	중개적 기술	집약적 기술
의의	표준화된 상품을 반복적으로 대량 생산할 때 사용되는 기술	고객들을 연결하는 기술	다양한 기술이 개별적인 고객의 성격과 상태에 따라 다르게 배합되는 기술
상호의존성	순차적	집합적	교호적
갈등	중간	낮음.	높음.
조정난이도	중간	가장 용이	가장 곤란
조정방법	계획(일정표)	표준화(루틴화)	상호조정(쌍방향적 의사전달)
생산비용	중간	낮음.	높음.
복잡성	중간	낮음.	높음.
공식성	중간	높음.	낮음.
예	대량생산 조립라인 등	은행, 직업소개소 등	종합병원, 연구실험실 등

제07회 파이널 모의고사

01   정답 ②

⊙ 정답해설 ② ㉠, ㉢은 옳고, ㉡, ㉣은 옳지 않다. 다원주의에서 정부는 갈등적 이익을 조정하는 중개인(브로커형 국가), 혹은 게임 규칙의 준수를 독려하는 심판자(중립국가관)로써 역할을 수행한다(㉠). 신다원주의는 전문화된 체제를 갖추고 능동적으로 기능하는 정부관을 취하면서, 정부가 중립적인 조정자가 아니라 기업가에게 특권을 부여한다고 주장한다(㉢).

✓ 오답해설 ㉡ 다원주의에서 각종 이익집단은 정부의 정책과정에 동등한 접근기회를 가지고 있으나 이익집단 간의 영향력에는 차이가 있다. 다만, 영향력의 차이는 이익집단 내부의 문제에 기인한 것이지 차별적인 접근허용에 기인한 것이 아니다.
㉣ 다알(Dahl)의 다원주의에 의하면 선거과정을 통한 엘리트 간의 경쟁으로 모든 사회문제가 거의 무작위적으로 정치체제에 투입된다고 본다.

◉ 핵심체크 다원론의 의의

개념	권력은 다양한 이해관계세력에게 널리 분산되어 있기 때문에 다양한 의사가 정책에 반영된다고 보는 이론
주요 이론	• 고전적 다원주의론 : 잠재적 이익집단론, 중복회원이론, 공공이익집단론 • 다알(R. Dahl)의 다원론
특징	**권력의 분산** : 권력은 다양한 세력에게 분산되어 있으나 분산된 불평등의 형태를 지님.
	동등한 접근기회 • 각종 이익집단은 정부 정책에 동등한 접근기회를 지님. • 다만, 정부의 차별적 접근허용이 아닌 이익집단 내부의 문제(구성원의 수, 재력력, 응집력 등)로 인하여 영향력에는 차이가 있음.
	경쟁과 균형 : 이익집단 간에는 게임의 규칙에 따른 경쟁이 이루어지며, 잠재적 이익집단의 존재와 이익집단에의 중복가입으로 인해 전체적으로 균형을 이룸.
	정부의 역할 • 브로커형 국가 : 갈등적 이익을 조정하는 중개인 • 중립국가관 : 게임의 규칙을 형성하고 준수를 독려하는 심판자 • 풍향계 정부 : 다양한 이익집단의 요구를 수동적으로 받아들이는 소극적 역할

◉ 핵심체크 다알(Dahl)의 다원론

연구 대상	뉴헤븐시를 대상으로 도시의 정책결정 사항들을 경험적으로 연구
내용	• 엘리트의 존재 및 정책영역별 엘리트의 분산 • 선거과정을 통한 엘리트 간의 경쟁으로 다양한 대중의 선호가 정책에 반영됨. • 공식적으로는 소수가 정책과정을 좌우하지만 실질적으로는 다수에 의한 정치
결론	어떤 사회문제로 인하여 고통을 받고 있는 집단이 있으면, 이들의 지지를 필요로 하는 엘리트에 의해 그 사회문제가 정책문제로 채택되므로 모든 사회문제가 거의 무작위적으로 정치체제에 투입됨.

◉ 핵심체크 신다원론

의의	사회에 존재하는 이익집단들 간에 정치이익의 균형과 조정이 민주주의의 핵심적 동력이지만, 현실에서 국가는 모든 이익집단들의 요구를 균등하게 반영되는 것이 아니라 기업집단에 보다 많은 특권을 준다고 보는 이론(R. Dahl의 다원론과 무의사결정론의 결합)
내용	• 기업집단에 특권적 지위 부여 : 이데올로기 및 외적 환경(세계화)의 영향에 기인 • 정부관 : 독자적 자율성을 지니며 기업의 이익에 보다 민감하게 반응하는 능동적 존재
함의	정부가 기업의 특수이익에 보다 민감하게 반응하여 구조적 불평등이 야기되기 때문에 이를 방지하기 위해 구조적 개혁(분권화)이 필요하다고 봄.

02   정답 ②

⊙ 정답해설 ② 효과성(effectiveness)은 목적적·기능적 차원의 이념으로 과정이나 산출보다는 결과를 중시한다.

◉ 핵심체크 능률성, 효과성, 효율성의 비교

능률성	효과성	효율성
최소의 비용으로 최대의 산출(output)을 얻는 것	목표달성도를 나타내는 결과(outcome)지향적 이념	경제성(투입)+능률성(산출/투입)+효과성(목표달성도)
투입대비 산출(산출/투입)	목표대비 산출(산출/목표)	산출/투입, 산출/목표 모두 고려
수단·과정적 측면 중시 (조직 내적 조건)	목표달성도 중시 (조직과 환경과의 관계)	수단·과정적 측면과 목표 달성도 모두 중시
하위목표적 성격	상위목표적 성격	종합적 성격
구조적 단일목표의 달성비율	기능적 전체목표의 달성비율	모두 고려
양적·단기적	질적·장기적	종합적

03   정답 ①

⊙ 정답해설 ① 기획재정부장관은 국무회의의 심의를 거쳐 대통령의 승인을 얻은 다음 연도의 예산안편성지침을 매년 <u>3월</u> 31일까지 각 중앙관서의 장에게 통보해야 한다. 각 중앙관서의 장은 지출한도와 편성기준에 따라 다음 연도의 예산요구서를 작성하여 매년 <u>5월</u> 31일까지 기획재정부장관에게 제출해야 한다. 정부는 감사원의 검사를 거친 결산보고서 및 첨부서류를 다음 연도 <u>5월</u> 31일까지 국회에 제출해야 한다. 국회는 감사원이 검사를 완료한 국가결산보고서를 정기회 <u>개회</u> 전까지 심의·의결을 완료해야 한다.

04   정답 ③

⊙ 정답해설 ③ 직업공무원제는 전통적 관료제 구성원리와 부합되는 인사제도이나, 공직채용 시 직무경험이나 직무수행능력보다 장기적 발전가능성을 중시한다.

◉ 핵심체크 직업공무원제

의의	공직을 유능하고 인품 있는 젊은 남녀에게 개방하고 그들이 전 생애에 걸쳐서 공무원으로 근무하며, 능력발전에 따라 상위직으로 승진할 수 있도록 하는 제도
연원	영국 등 유럽국가에서 절대군주주의 시대부터 체계화
우리 나라	「국가공무원법」상 경력직 공무원을 대상으로 헌법상 제도적 보장하고 있음.
확립 요건	① 실적주의의 우선적 확립(실적주의는 직업공무원제의 필요요건), ② 공직에 대한 높은 사회적 평가, ③ 유능한 젊은 인재의 채용(학력과 연령 제한) 및 강력한 신분보장, ④ 장기적 발전가능성 및 능력발전 중시, ⑤ 적정한 보수(생활급) 및 연금제도의 확립, ⑥ 장기적인 인력계획의 수립, ⑦ 폐쇄형 인사제도, ⑧ 정치적 중립, ⑨ 일반행정가주의
장점	① 행정의 전문성·능률성 제고(전문직업주의 확립), ② 행정의 중립성·공익성 제고, ③ 행정의 안정성·계속성 제고, ④ 공무원의 질적 향상에 기여, ⑤ 근무규율 수용도 제고, ⑥ 재직공무원의 사기 제고, ⑦ 고급공무원의 양성에 유리, ⑧ 관료제의 구성원리에 부합 등
단점	① 강력한 신분보장, 일반행정가주의 등으로 행정의 전문성·능률성 저해, ② 강력한 신분보장으로 정치적·민주적 통제 곤란, ③ 관료주의화·특권집단화, ④ 환경변화에 대한 대응성 저하, ⑤ 민주주의 평등이념과 충돌, ⑥ 퇴직시 직업전환 곤란 등

05

정답 ①

정답해설 ① ㉠, ㉡은 중앙집권을 대변하며, ㉢, ㉣은 지방분권을 대변한다. 도시헌장은 도시정부의 주요사항을 규정한 도시의 헌법으로, 자치단체가 되고자 하는 도시정부가 주의회에 청원하여 얻을 수 있다. 따라서 도시헌장제도에 의하면 도시정부는 주의회가 제정해주는 헌장에 의해 조직된 법인체로서 주정부의 창조물에 불과하다(㉠). 딜런의 법칙이란 재판관 딜런이 주정부와 지방정부의 관계를 주정부의 절대적 우위로 판시한 것에서 유래한 법칙으로 중앙집권과 관련된다(㉡).

핵심체크 지방정부의 권리

지방정부의 권리와 법칙	딜런의 법칙	지방정부는 주정부의 창조물로서 주정부의 자유재량에 따라 창조되고 폐지될 수 있다는 법칙(주정부와 지방정부의 관계를 계층제적 관계로 인식, 지방정부는 명시적으로 허용된 권한만 행사 – 중앙집권)
	쿨리의 법칙	지방정부의 권리를 고유권으로 인식한 법칙(지방분권)
도시헌장 제도	의의	• 주정부가 도시정부의 주요사항을 규정해 준 도시의 헌법으로 미국의 자치단체에 대한 권한부여방식 • 도시헌장제도에 의하면 도시정부는 주의회가 제정해주는 헌장에 의해 조직된 법인체로서 주정부의 창조물에 불과함(중앙집권)
	홈룰운동	주의회의 도시에 대한 권리 남용으로부터 도시 자신의 자치발전을 획득하려는 분권화 운동(주의회의 입법적 통제에 대한 항거 운동 – 지방분권)

06

정답 ④

정답해설 ④ ㉢, ㉣은 옳고, ㉠, ㉡은 옳지 않다. 신공공관리론이 신고전파 경제이론 등에 기반한다면, 신공공서비스론은 민주주의이론, 실증주의, 해석학, 비판이론, 포스트모더니즘 등 다양한 이론에 기반하고 있다(㉢). 전통적 행정론이 개괄적 합리성을 추구한다면, 신공공관리론은 기술적·경제적 합리성을, 신공공서비스론은 전략적 합리성을 추구한다(㉣).

오답해설 ㉠ 전통적 행정론은 상명하복하는 관료제 조직을, 신공공관리론은 주요통제권이 유보된 분권화된 조직을, 신공공서비스론은 조직 내외적으로 리더십을 공유하는 협력적 구조를 선호한다.

㉡ 전통적 행정론은 법률로 표현된 정치적 결정을, 신공공관리론은 개인이익의 총합을, 신공공서비스론은 공유된 가치에 대한 담론의 결과를 공익으로 인식한다.

핵심체크 전통적 행정론, 신공공관리론, 신공공서비스론의 비교

관점 \ 이론	전통적 정치행정이원론	신공공관리론	신공공서비스론
이론 및 인식론적 토대	• 초기 사회과학의 정치이론 • 사회학이론	• 신고전학파 경제이론 • 드러커의 성과관리론	• 민주주의 이론 • 실증주의·해석학·비판이론·포스트모더니즘 등 복합적
합리성과 인간 행태 모형	• 개괄적 합리성 • 행정인	• 기술적·경제적 합리성 • 경제인 또는 사익에 기초한 의사결정자	• 전략적 합리성 • 정치·경제·조직적 합리성에 대한 다원적 검증
공익의 개념	법률로 표현된 정치적 결정	개인 이익의 총합(집합체)	공유가치에 대한 담론의 결과
관료의 반응 대상	고객과 유권자	고객	시민

정부의 역할	노젓기 – 정치적으로 정의된 목표에 초점을 맞춘 정책 설계 및 집행 역할	방향잡기 – 시장의 힘을 활용한 촉매자 역할	봉사 – 공유된 가치 창출을 위한 시민 및 지역공동체 집단과 이익을 협상하고 중재하는 역할
정책목표 달성 기제	기존의 정부기구를 통한 프로그램 관리	민간 및 비영리기구를 활용해 정책 목표를 달성할 기제와 유인체계 창출	상호합의된 필요를 충족시키기 위한 공공기관·비영리 및 민간 기관들의 네트워크
책임성 확보 방법	계층제적(위계적) 책임 – 관료는 민주적으로 선출된 대표에게 책임	시장 지향적 책임 – 사익의 총합은 고객에게 바람직한 결과 창출	다면적 책임 – 관료는 법, 공동체, 정치규범, 전문성, 시민의 이익 존중
행정재량의 수준	관료에게 제한된 재량만 허용	관료에게 폭넓은 재량 허용	재량이 필요하지만 제약과 책임 수반
기대되는 조직구조	상명하복하는 관료제 조직과 고객에 대한 규제와 통제	조직 내 주요 통제권이 유보된 분권화된 조직	조직 내외적으로 리더십을 공유하는 협력적 구조
관료의 동기유발 수단	• 보수와 편익 • 공무원 신분보장	• 기업가정신 • 정부 규모를 축소하고자 하는 이데올로기적 욕구	• 사회봉사 • 공익의 실현 및 사회에 기여하려는 욕구

07

정답 ④

정답해설 ④ 최근 법률 개정으로 일반직 노조의 가입범위는 ㉠ 일반직 공무원, ㉡ 특정직 공무원 중 외무영사직렬·외교정보기술직렬 외무공무원, 소방공무원 및 교육공무원(다만, 교원은 제외), ㉢ 별정직 공무원, ㉣ ㉠부터 ㉢까지의 어느 하나에 해당하는 공무원이었던 사람으로서 노동조합 규약으로 정하는 사람이다. 즉, 공무원노조 활성화를 위해 과거와 달리 직급 제한을 폐지하고, 소방·교육공무원 및 퇴직공무원의 노동조합 가입을 허용하였다.

핵심체크 공무원 노동조합의 가입범위

• 가입가능 공무원 – 직급제한 폐지, 소방·교육공무원 및 퇴직공무원 노동조합 가입 허용 : ① 일반직 공무원, ② 특정직 공무원 중 외무·소방·교육공무원(다만, 교원 제외), ③ 별정직 공무원, ④ ① ~ ③까지에 해당하는 공무원이었던 사람으로서 노동조합 규약으로 정하는 사람
• 가입불가 공무원 : ① 다른 공무원에 대해 지휘·감독권을 행사하거나 다른 공무원의 업무를 총괄하는 업무에 종사하는 공무원, ② 인사·보수 또는 노동관계의 조정·감독 등 노동조합의 조합원 지위를 가지고 수행하기에 적절하지 아니한 업무에 종사하는 공무원, ③ 교정·수사 등 공공의 안녕과 국가안전보장에 관한 업무에 종사하는 공무원

08

정답 ④

정답해설 ④ 품목별 분류는 지출대상별 분류로 사업의 목적을 알 수 없어 예산의 효과성 파악이 곤란하고 예산집행의 경직성을 초래할 수 있다.

핵심체크 예산분류

품목별 분류	의의	지출대상(품목)별로 분류하는 방식(우리나라의 '목')
	장점	① 지출의 합법성에 치중하는 회계검사 용이, ② 예산집행자의 회계책임 명확, ③ 행정통제 용이, ④ 인사행정에 대한 유용한 정보 제공, ⑤ 명세계정에 적합
	단점	① 정부지출의 전체규모·지출목적·사업의 우선순위 파악 곤란, ② 예산집행의 신축성 저해, ③ 새로운 사업의 창안이나 촉진 곤란, ④ 국민의 이해 곤란, ⑤ 지나친 세분류로 번문욕례 초래(총괄계정에 부적합), ⑥ 사업의 성과파악 곤란

기능별 분류	의의	정부가 수행하는 기능을 중심으로 예산을 분류하는 방식(우리나라의 '장', '관')
	장점	① 국민의 정부활동에 대한 이해 용이(시민을 위한 분류), ② 의회의 예산심의 용이, ③ 행정수반의 예산정책 수립 용이, ④ 정부활동의 우선순위 파악 용이, ⑤ 장기간에 걸친 정부활동 분석 용이, ⑥ 총괄계정에 적합(예산의 전체 윤곽을 밝히는 데 유용) 등
	단점	① 회계책임 확보 곤란(입법통제 곤란), ② 기관별 예산의 흐름(정부예산의 유통과정) 파악 곤란, ③ 예산의 국민경제적 효과 파악 곤란, ④ 특정사업이 두 개 이상의 기능에 속하는 경우 분류 곤란
조직별 분류	의의	예산을 정부의 조직단위에 따라 분류하는 방식(우리나라의 '소관')
	장점	① 입법부의 예산통제 용이, ② 국회의 예산심의 용이, ③ 예산과정단계의 명확화, ④ 경비지출의 책임소재 분명, ⑤ 비교적 총괄계정에 적합, ⑥ 주체별 구분으로 예산집행 용이
	단점	① 경비지출의 목적 파악 곤란, ② 예산의 경제적 효과 파악 곤란, ③ 조직 활동의 성과 및 효과평가 곤란, ④ 사업의 우선순위 파악 곤란
경제성질별 분류	의의	예산이 국민경제에 미치는 영향을 중심으로 분류하는 방식
	장점	① 경제정책 수립의 기초자료 제공, ② 국가 간 예산 경비의 비중 비교, ③ 예산의 국민경제적 효과 파악, ④ 정부거래의 경제적 효과 분석
	단점	① 경제적 영향의 일부만 측정 가능, ② 다른 분류방법과 병행하여 사용, ③ 하위직 공무원에게는 유용하지 않음, ④ 소득배분·산업부문별 영향분석 등은 불가능

09 정답 ①

정답해설 ① 합리모형은 급격한 변화가 일어나는 사회에 적용하기 용이하다.

오답해설 ② 최적모형은 불완전한 합리모형으로 초합리성을 강조하며, 초합리성의 강조는 신비주의나 주먹구구식 결정을 초래할 위험성이 있다.
③ 점증모형에 영향을 준 만족모형은 개인의 주관적 만족에 의한 의사결정을 지향하므로 집단적 의사결정에 적용하기 곤란하다.
④ 만족모형은 한정된 대안의 순차적 비교분석을 통해 대안을 선택하고자 한다.

10 정답 ④

정답해설 ④ 학습조직은 구성원의 권한강화를 전제로 하며, 개인학습이 아닌 팀학습을 지향한다.

핵심체크 학습조직(Learning Organization)

의의		조직 자체의 성장과 발전 또는 문제해결능력을 개선하기 위해 개방체제와 자아실현적 인간관을 바탕으로 구성원이 새로운 지식을 창출하고 이를 조직 전체에 보급하여 지속적인 학습활동을 전개하는 조직
센지(Senge)의 제5수련		① 시스템적(체제적) 사고, ② 전문적 소양(자기완성·자기숙련), ③ 사고의 틀(기존의 사고방식을 깨는 과정), ④ 공동의 비전, ⑤ 팀학습
특징	구조상 특징	• 문제해결능력 향상을 위한 실험적 조직 • 수평적이고 유연한 조직구조(네트워크 구조, 팀제, 가상조직 등) • 사려 깊은 리더의 학습형 리더십 중시 • 정보인프라 구축을 통한 정보공유 활성화
	운영상 특징	• 구성원의 권한 강화를 통한 자율적 학습 강조 • 관계지향성과 집합적 행동을 통한 강한 조직문화 형성 • 시행착오적 학습(실패를 용인하는 문화 - 성과급이나 신상필벌 거부) • 변화와 발전을 지속적으로 추구하는 장기적이고 유동적 과정

11 정답 ③

정답해설 ③ 옴부즈만은 개인적 신망과 영향력에 의존하는 제도로 행정작용을 직접 취소 또는 변경할 수 없다는 점에서 그 효과는 법적이라기보다는 사회적·정치적 성격을 띤다.

오답해설 ① 옴부즈만 제도는 융통성과 신속성이 높은 제도이지만, 부당한 행정행위를 법적으로 강제하고 취소할 수 있는 권한을 갖지 못하며, 부당한 행정작용에 대하여 취소와 변경을 관계기관에게 요청 또는 권고할 수 있을 뿐이다.
② 옴부즈만은 신청에 의해 조사하는 것이 일반적이나, 예외적으로 직권으로 활동을 개시하기도 한다.
④ 옴부즈만은 입법부에 임명된 조사관으로 옴부즈만에 의한 통제는 외부통제 중 하나이다. 다만, 옴부즈만은 의회소속이지만 의회로부터 독립성과 자율성을 지니고 직무수행의 독립성과 정치적 중립성을 지닌 불편부당의 기관이다.

핵심체크 옴부즈만 제도

의의		국회를 통해 임명된 조사관이 공무원의 권력남용 등을 조사·감시하는 행정통제제도(호민관·민정관·행정감찰관제도)
배경		입법부 통제와 사법부 통제의 한계에 대한 보완책으로 대두
기원		스웨덴에서 기원하였으나 각 국가마다 의회소속형, 행정부소속형 등 다양한 형태를 지님.
특징	구성	직무수행의 독립과 정치적 중립 : 의회소속이지만 의회로부터 독립성과 자율성을 지닌 불편부당의 기관
	영역	고발영역의 다양성 : 불법행위뿐만 아니라 공직의 요구에서 일탈된 모든 행위에 대한 합법적·합목적적 통제
	통제	간접적 통제 : 행정작용을 직접 취소·변경할 수 없으며, 관계기관에 요청 또는 권고(문제의 근본적 대책 강구 곤란)
	절차	접근의 용이성과 비용의 저렴성 : 공식적 절차가 없고 융통성이 높아 접근이 용이하며, 융통성과 신속성이 높음.
	권한	신청조사와 직권조사 : 신청조사가 주가 되나 직권조사도 가능
	위상	헌법상 독립기관 : 헌법에 근거를 둔 독립기관으로 조직의 안정성 높음.
	성격	사회적·정치적 성격 : 옴부즈만 개인의 신망과 영향력에 의존한다는 점에서 법적이라기보다는 사회적·정치적 성격
	임기	긴 임기와 임기보장 : 임기는 대통령보다 길며, 강력한 임기보장을 받음.

12 정답 ②

정답해설 ② ㉠, ㉢은 옳고 ㉡, ㉣은 옳지 않다. 행태론적 접근방법은 자연현상과 사회현상을 구별하지 않고 사회현상에 대한 연구에 자연과학적 연구방법을 활용하였다(㉠). 행태론적 접근방법은 논리실증주의를 통해 행태의 규칙성과 인과성을 경험적으로 입증하고 설명하는 데 초점을 두었다(㉢).

오답해설 ㉡ 행태론적 접근방법은 연구주제보다는 연구방법을 중시함으로써 연구범위가 제한적이었다.
㉣ 행태론적 접근방법은 모든 국가에 적용 가능한 보편적 원리(일반법칙)만을 강조하였다.

핵심체크 | 행태론적 접근방법

의의	조직 내부의 인간행태를 경험적·실증적·과학적으로 연구하는 접근방법
대두배경	• 원리주의적 접근 비판: 제시된 '원리'가 과학적 검증을 거치지 못했음을 비판 • 구제도론적 접근 비판: 제도 내의 인간행태의 중요성을 간과하였음을 비판
행정개념	행정이란 사실에 관한 집단적(협동적) 의사결정과정
연구범위	가치중립적 연구: 가치와 사실을 구분하고 사실 중심의 연구
연구대상	• 행태: 관찰·질문·면접 등을 통해 파악 가능한 외면화·표면화된 가치관·사고·태도 • 집단규범(집단행태)과 문화 중시
연구방법	• 자연(순수)과학적 연구: 행태의 규칙성과 인과성을 경험적으로 입증 (논리실증주의) • 조작적 정의를 통한 계량적 분석 및 확률적 설명
접근방법	• 미시적 접근(방법론적 개체주의, 환원주의적 시각) • 연역적 접근과 귀납적 접근의 통합 • 연합(종합)학문적 성격(심리학, 사회학, 문화인류학 등과 통합) • 사회심리학적 접근: 인간을 감정, 신념, 인격을 지닌 존재로 인식
행정관점	종합적 관점(과학적 관리론과 인간관계론의 절충 – 행정인, 제한된 합리성 등)
공헌	행정학 연구의 과학화 및 보편적·일반법칙적 이론 구축에 기여

13 정답 ③

정답해설 ③ 로위(Lowi)는 강제력의 행사방법과 강제력의 적용영역에 따라 정책의 유형을 분배정책, 규제정책, 재분배정책, 구성정책으로 구분하였다.

핵심체크 | 정책유형론의 의의 및 학자별 유형

의의	종래의 시각	정책을 정치체제의 산출물로 인식하여 정책을 종속변수로 인식
	정책유형론	정책유형에 따라 정치패턴(정책과정이나 정책환경에서 이해관계자들 간의 상호작용)이 달라진다고 보아 정책을 독립변수로 인식

학자별 유형	Almond & Powell	Lowi	Salisbury	Ripley & Franklin
	규제정책	규제정책	규제정책	경쟁적 규제정책
	배분정책	배분정책	배분정책	보호적 규제정책
	상징정책	재분배정책	재분배정책	배분정책
	추출정책	구성정책	자율규제정책	재분배정책

14 정답 ③

정답해설 ③ 상황적응이론과 자원의존모형은 모두 조직군이 아닌 개별조직 중심의 연구이다.

핵심체크 | 상황적응이론

의의	모든 상황에 적용될 수 있는 유일최선의 조직구조나 관리방법은 존재하지 않는다고 보고, 상황에 적합한 효과적인 조직구조나 관리방법을 찾아내고자 하는 이론(적합성 가설)
특징	• 보편적 원리 부인: 과학적 관리론, 관료제론, 원리주의에 대한 비판 • 상황에 따른 조직관리: 상황에 따른 조직설계와 관리방식의 융통성 강조 (상대주의 관점) • 중범위이론: 상황적 조건을 유형화하여 제한된 수준에서 일반성과 규칙성 발견 • 실증적·과학적 분석: 실증적인 자료수집과 과학적 분석에 근거한 경험적 조직이론 • 환경결정론(수동적 적응론): 극단적인 환경결정론이 아닌 수동적 적응론 • 분석: 분석단위는 개인·부서·조직 등 다양하나, 분석수준은 개별조직
한계	조직관리자의 적극적 역할 불고려

핵심체크 | 자원의존모형

의의	어떤 조직도 필요로 하는 모든 자원을 획득할 수 없다는 것을 전제로 최고관리자의 희소자원에 대한 통제능력이 환경을 조작하고 통제할 수 있다고 보는 이론(전략적 선택이론의 하나의 관점)
특징	• 자원의존성: 조직 간 자원의존성을 관리자가 다루어야 할 가장 중요한 요인으로 인식 • 조직의 주도적·능동적 환경관리(환경형성론): 환경에 대한 피동적 대응이 아닌 관리자의 희소자원 통제능력에 의한 능동적·적극적 환경관리 강조

15 정답 ①

정답해설 ① 개방형 인사체제는 직무가 없어지면 담당공무원도 퇴직하는 약한 신분보장을 특징으로 한다.

핵심체크 | 개방형 인사체제

개념	공직의 모든 계층에 공직 내·외부로부터의 신규채용이 허용되는 인사 체계 (성과중심 인사체제)
발달	미국의 직위분류제와 친화성
특징	• 전문행정가 중심의 인력구조 • 개방과 경쟁을 통한 성과중심 인사 촉진 • 직무가 없어지면 담당 공무원 퇴직(약한 신분보장)
장점	① 민주통제가 용이하여 행정의 대응성 제고, ② 정치적 리더십이 강화되어 개혁의 추진세력 형성, ③ 공직의 신진대사를 촉진하여 공직침체 및 관료주의화 방지, ④ 민간의 우수인재 유치를 통한 행정의 전문성 제고 및 행정의 질적 수준 향상, ⑤ 개방과 경쟁을 통해 재직공무원의 자기개발 노력 촉진, ⑥ 성과중심 인사를 통해 권위주의 행정문화 타파, ⑦ 인력양성을 위한 교육·훈련비용 감소, ⑧ 공무원의 정책에 대한 충성심 제고 등
단점	① 장·단기적으로 직업공무원제 저해, ② 엽관(정실)인사 가능성, ③ 빈번한 교체로 행정의 책임성·일관성·안정성 저해, ④ 임용절차의 이원화로 임용비용 증가, 구성원 간의 불신 및 조직의 응집성 약화, ⑤ 재직공무원의 승진 기회 축소로 공무원의 사기 저하, 공직에 대한 애착심 및 충성심 저하, ⑥ 민관유착으로 인한 공공성 훼손 가능성, ⑦ 계속적 근무경험에 의해 축적될 수 있는 전문성 저해 등

16 정답 ②

정답해설 ② ①은 다수적 처리에 의한 간섭을, ②은 회귀인공요소를, ③는 호손효과를, ④는 실험조과과 측정의 상호작용을 의미한다. 회귀인공요소(②)는 내적 타당성 저해요인이며, 나머지는 외적 타당성 저해요인이다.

핵심체크 | 정책평가의 내적 타당성 저해요인

선발요소 (선정요인)	실험집단과 통제집단을 구성할 때 서로 다른 특성을 지닌 개인들을 선발하여 할당함으로써 실험결과를 왜곡시키는 요소(내적 타당성 저해요소 중 외재적 요소)
역사적 요소 (사건효과)	실험기간 동안에 실험자의 의도와 상관없이 일어난 사건이 실험에 영향을 미쳐 실험결과를 왜곡시키는 요소
성숙효과 (성장효과)	평가에 동원된 구성원들이 정책의 효과와는 관계없이 스스로 성장함으로써 실험결과를 왜곡시키는 요소
상실요소 (이탈효과)	실험대상자들이 연구기간 동안에 이사·전보 등으로 이탈하여 실험결과를 왜곡시키는 요소
회귀인공요소 (통계적 회귀)	실험 직전의 측정결과를 토대로 집단을 구성할 때 평소와는 달리 유별나게 좋거나 나쁜 결과를 얻은 사람들이 선발되는 경우 이들이 실험 진행 동안 자신의 원래 위치로 돌아가게 되어 실험결과를 왜곡시키는 요소
측정요소 (검사요소)	실험을 실시하기 이전에 실험집단을 구성하기 위한 측정이 실험실시 이후 실험집단의 측정점수에 영향을 미쳐 실험결과를 왜곡시키는 요소

오염효과 (모방효과)	통제집단이 실험집단 구성원의 행동을 모방함으로써 실험결과를 왜곡시키는 요소
측정도구의 변화	정책집행 전과 후에 측정하는 절차나 측정도구가 달라져 실험결과가 왜곡되는 것
기타	선정과 역사적 사건의 상호작용, 선발과 성숙의 상호작용, 처지와 상실의 상호작용 등

핵심체크 정책평가의 외적 타당성 저해요인

호손효과 (실험조작의 반응효과)	실험집단 구성원이 실험의 대상이라는 인식 때문에 심리적 긴장감으로 인해 평소와는 다른 특별한 행동을 보이는 경우 이로부터 얻어진 결과는 일반화 곤란
선택과 실험조작의 상호작용	'실험집단과 통제집단의 선발에서의 편견'과 '실험집단의 실험조작'의 상호작용으로부터 얻어진 결과는 일반화 곤란
실험조작과 측정의 상호작용	'실험 전 측정 받은 경험'과 '피조사자의 실험조작'의 상호작용으로부터 얻어진 결과는 일반화 곤란
표본(표본추출)의 비대표성	두 집단 간에 동질성을 확보하여 실험결과를 얻었더라도 선정된 실험집단(표본)이 사회적 대표성이 없으면 일반화 곤란
크리밍효과	효과가 크게 나타날 사람만을 실험집단에 포함시키고, 그들을 대상으로 실험을 실시하여 얻어진 결과는 일반화 곤란
다수적 처리에 의한 간섭	동일 집단에 여러 번 실험적 처리를 실시하여 실험조작에 익숙해진 집단으로부터 얻어진 실험결과는 일반화 곤란

17 정답 ①

정답해설 ① 총체적품질관리(TQM)는 기능(기계적 구조 − 기능구조)이 아닌 과정과 절차(유기적 구조 − 프로세스구조)를 중심으로 조직을 구조화한다.

핵심체크 총체적품질관리(TQM)

의의	서비스의 품질향상을 통해 고객의 요구에 부응하기 위해 조직원의 광범위한 참여를 통하여 절차나 과정뿐만 아니라 문화까지를 개선하고자 하는 경영철학
배경	미국 통계학자인 데밍(Deming)이 고안 ⇨ 일본기업 도입 ⇨ 미국기업으로 전파
목표	고객만족 : 품질은 고객에 의해 정의되며, 고객만족을 추구
전략	사전적·예방적 통제 : 프로세스의 개선을 통해 오류를 사전에 방지
속도	업무과정의 지속적·장기적·점증적 개선
방식	과정과 절차의 표준화 : 서비스의 가변성 방지
대상	과정·절차·문화 : 고객만족을 추구하기 위해 조직의 총체주의적인 헌신 강조
활동	팀활동 : 팀활동 및 팀워크 강조(관료제의 근본을 부정하거나 철폐를 주장하지는 않음)
과정	참여지향 : 고객(외부고객) 및 구성원(내부고객)의 참여 강조
기법	다양한 혁신기법과 결합 : ISO 9000, 6시그마[σ], 무결점운동 등
정부에 적용	• 공공서비스의 무형성 및 고객개념의 모호성으로 인한 적용 곤란 • 투입과 절차 중심의 개혁으로 결과중심의 신공공관리론과 충돌 가능성

18 정답 ④

정답해설 ④ 행태관찰척도법은 한편에는 행태에 관한 구체적인 사건을 제시하고(평정항목) 다른 한편에는 사건의 빈도수를 표시하는 척도를 구성하여 평정하는 방식으로 평정자의 주관을 줄일 수 있으나 여전히 등급 간의 비교기준이 모호하며, 연쇄효과를 야기할 우려가 있다.

핵심체크 근무성적평정제도

도표식 평정 척도법	의의	한편에는 평정요소를, 다른 편에는 평정등급을 숫자나 언어로 표시할 수 있는 도표를 작성해 놓고 평정자가 피평정자를 평정요소별로 관찰하여 되는 등급에 표시하도록 하는 방법
	현황	우리나라 5급 이하 공무원 근무성적평정에 기본형으로 채택
	장점	① 일시에 다수인을 신속하게 평정, ② 평정표 작성이 단순하고 간편, ③ 평정결과의 계량화 및 통계 작성 용이
	단점	① 평정요소 선정의 주관성, 평정요소 간 가중치 부여의 주관성과 등급 간 비교기준의 모호성으로 임의적·주관적 평정 야기, ② 연쇄효과 발생 우려
강제 배분법	의의	근무성적평정결과의 성적 분포 비율을 미리 정해 놓는 평정 방법
	장점	관대화·엄격화·집중화 경향에 따른 평정오차 방지
	단점	역산식 평정으로 인한 평정결과 왜곡
행태기준 평정 척도법	의의	각 과업분야별로 가장 이상적인 과업 행태에서부터 가장 바람직하지 못한 행태까지를 몇 개의 등급으로 구분한 후, 각 등급마다 중요 행태를 기술하고 점수를 할당하는 방법(도표식평정척도법과 중요사건기록법의 결합)
	장점	도표식평정법의 한계(평정요소 해석의 주관성과 등급부여의 임의성)와 중요사건기록법의 한계(행태 간 상호비교 곤란성) 극복
	단점	각 등급별 상호배타적인 행태 중에서 하나만을 선택하므로 평정 오류 발생
행태관찰 척도법	의의	한편에는 행태에 관한 구체적인 사건을 제시하고(평정항목) 다른 한편에는 사건의 빈도수를 표시하는 척도를 구성하여 평정하는 방식(행태기준평정척도법과 도표식 평정척도법의 결합)
	장점	각 등급별 중요행태의 상호배타성 극복
	단점	① 등급과 등급 간의 구분 모호, ② 연쇄효과 발생 우려

19 정답 ③

정답해설 ③ 국가가 보증채무를 부담하고자 하는 때에는 미리 국회의 동의를 얻어야 하며, 기획재정부장관은 매년 국가보증채무의 부담 및 관리에 관한 국가보증채무관리계획을 작성해야 한다.

핵심체크 국가채무

국가채무 (「국가재정법」 제91조)	• 국가채무에 포함되는 채무 : ① 국가의 회계 또는 기금이 발행한 채권, ② 국가의 회계 또는 기금의 차입금, ③ 국가의 회계 또는 기금의 국고채무부담행위, ④ 그 밖에 대통령령으로 정하는 채무(국가보증채무 중 정부의 대지급 이행이 확정된 채무) • 국가채무에 포함되지 않는 것 : ① 「국고금관리법」에 따른 재정증권 또는 한국은행으로부터의 일시차입금, ② 채권 중 국가의 회계 또는 기금이 인수 또는 매입하여 보유하고 있는 채권, ③ 차입금 중 국가의 다른 회계 또는 기금으로부터의 차입금
국가채무관리	기재부장관은 국가의 회계 또는 기금이 부담하는 금전채무에 대해 매년 국가채무관리계획을 수립해야 하며, 국가재정운용계획에 첨부하여 국회에 제출해야 함.
국가보증채무 관리	국가가 보증채무를 부담하고자 하는 때에는 미리 국회의 동의를 얻어야 하며, 기재부장관은 매년 국가보증채무의 부담 및 관리에 관한 국가보증채무관리계획을 작성해야 함.

20

정답 ②

정답해설 ② 단체위임사무는 전국적 이해와 지방적 이해를 동시에 가지는 사무로 지방의회가 결정하고 단체장이 집행한다. 반면, 기관위임사무는 지방적 이해관계가 없는 국가사무로 중앙정부가 결정을 담당하고 지방정부가 집행을 담당한다.

핵심체크 지방자치단체의 사무

구분	고유사무	단체위임사무	기관위임사무
개념	자치단체가 자치권에 근거하여 자기의 의사와 책임 하에 자주적으로 처리하는 자치단체의 존립 목적에 속하는 본래적 사무	전국적 이해와 지방적 이해를 동시에 가지는 사무로서 개개의 법령에 의하여 자치단체에 위임된 사무(결정은 의회, 집행은 단체장)	직접적으로 지방적 이해관계가 없는 국가사무를 법령에 의해 단체장에게 위임한 사무(결정은 중앙정부, 집행은 지방정부)
특징	자주성이 강함.	중앙의 통제 약함.	중앙의 통제 강함.
재정	• 자주재원과 지방교부세 • 국고보조금은 장려적 보조금	• 국가가 사업비 일부 보조 • 국고보조금은 부담금	• 국가가 전액 부담 • 국고보조금은 「지방재정법」상 교부금 또는 강학상 위탁금
의회관여	지방의회의 통제대상		원칙적 배제
국가관여	합법적·사후적 감독 - 사전적, 합목적적 통제 불가	사후적·합법적·합목적적 감독 - 사전적 통제 불가	사전적·사후적 통제, 합법적·합목적적 통제 가능
배상책임	자치단체책임	국가·자치단체 공동책임	국가책임
위임근거	자치단체의 고유사무 (포괄적 예시주의)	개별적인 법적 근거 필요	지방자치법에 포괄적 위임규정을 두고 있음.
구체적인 예	• 자치단체의 존립·유지에 관한 사무(주민등록 사무 등) • 지방의 공동복리에 관한 사무(학교, 병원 및 도서관의 설치·관리, 도로의 건설 및 관리, 상·하수도 사업, 주택사업, 오물처리, 교통, 도시계획, 소방, 지역 민방위 등)	• 생활보호 사무, 의료보호(보건소 설치 및 운영, 예방접종 사무) • 시·도의 재해 구호 • 하천 및 국도의 유지 및 수선 사무 • 시·군의 국세 징수 및 수수료 징수, 점용료 징수, 공과금 징수	• 대통령·국회의원 선거사무 • 인구조사, 국세조사, 산업통계 등 전국적 통계사무 • 지적, 공유수면매립 • 경찰사무 • 병사사무 • 도량형 • 가족관계등록사무

제08회 파이널 모의고사

01
정답 ④

정답해설 ④ 법령에서 조례로 정하도록 위임한 사항은 그 법령의 하위 법령에서 그 위임의 내용과 범위를 제한하거나 직접 규정할 수 없다. 이 규정은 최근 「지방자치법」 개정으로 새롭게 신설된 조항이다.

핵심체크 조례

개념	지방의회가 헌법과 법령의 범위 내에서 제정하는 자치법규
성질	대외적 구속력을 갖는 법규로서의 성질(행정규칙의 성질을 갖는 조례도 있음)
제정 범위	• 자치단체는 법령의 범위에서 그 사무(자치사무·단체위임사무)에 관하여 조례를 제정할 수 있음(기관위임사무는 제외). • 주민의 권리 제한 또는 의무 부과에 관한 사항이나 벌칙을 정할 때에는 법률의 위임이 있어야 함. • 법령에서 조례로 정하도록 위임한 사항은 그 법령의 하위 법령에서 그 위임의 내용과 범위를 제한하거나 직접 규정할 수 없음.
통제	조례를 위반한 행위에 대하여 조례로써 1천만 원 이하의 과태료를 정할 수 있음.

핵심체크 조례와 규칙

구분	조례	규칙
재정	지방의회	지방자치단체장
사무	자치사무＋단체위임사무	자치사무＋단체위임사무＋기관위임사무
성격	법규의 성질(대외적 구속력 있음)	행정규칙의 성질(대외적 구속력 없음)
범위	법령의 범위 안에서 제정	법령 또는 조례의 범위에서 그 권한에 속하는 사무에 관하여 제정
벌칙	규정 가능	규정 못함.

02
정답 ④

정답해설 ④ 관료제에서 관료는 증오·열정·감정의 관계를 떠나서 법규에 의한 비개인성(몰인간성, 비정의성, 비사인성)을 유지하도록 요구된다.

오답해설 ① 관료제는 합법적 권위에 입각한 집권화된 조직구조이다.
② 관료제는 국가주의적 전통이 강한 유럽국가에서 발달하였으며, 동양에서는 발달하지 못하였다.
③ 관료제에서 관료는 겸직이 허용되지 않으며(전임직), 고정된 보수와 연금을 받는다.

핵심체크 관료제

의의	• 구조적 개념(Weber) : 관료로 구성된 대규모 조직으로 계층제적 구조를 지니고 대량의 업무를 법령에 따라 처리하는 분업화된 조직구조 • 기능적 개념(Laski) : 관료집단이 정치권력의 장악자로서의 지위를 차지하고 있는 정치구조(현대의 거대 정부를 지적하는 개념)	
성격	이념형	고도의 사유 과정을 통해 이상적인 조직의 조건으로 제시된 모형
	보편성	공·사행정을 막론하고 대부분의 조직에서 나타나는 조직의 형태
	합리성	인간본질의 합리적 측면에 착안한 합리적·공식적 모형
특징	• 계서제적 구조 : 상하 간 피라미드식 계층을 이루며, 명령·복종관계가 확립된 구조 • 업무영역의 전문성 : 각 직무는 다른 직무와 명백히 구별되는 직무영역을 형성 • 법규에 의한 지배 : 관료는 법규가 부여한 권한을 행사하며, 관료의 권한은 사람이 아닌 직위에 부여된 것으로 담당자가 교체되어도 일관성이 유지됨. • 문서주의 : 조직목표 달성에 필요한 절차와 방법이 문서화된 규정으로 존재 • 비정의성(몰주관성, 비개인성, 비사인성) : 관료는 증오·감정·열정의 관계를 떠나 상대방의 지위와 상황 등에 구애받지 않고 법규에 의해 행정 수행 • 공사 구분 : 공적 활동에 사적 감정을 연결시키지 않음. • 의사결정 권한의 집중 : 단일의 권력중추에 의한 지배(권력관계의 사회화를 통한 권력의 망 형성) • 관료제에서 관료 : 고용관계의 자유계약성, 전문지식과 기술에 의한 충원과 승진, 전임직(전 노동력 요구), 신분보장 및 고정된 보수와 연금 수령 등	
효용	• 법규에 의한 지배로 공평성, 합리성·객관성·예측가능성·일관성, 지속성·안정성 확보 • 일사분란한 명령체계로 효율성·신속성·정확성 확보 • 공직에의 기회균등 및 고용 안정(신분보장) • 계층제의 의한 갈등 조정 등	

03
정답 ③

정답해설 ③ 영국의 대의민주주의와 독일의 관료제로부터 영향을 받은 것은 애플비(Appleby)가 주도한 정치행정일원론이 아니라 윌슨(Wilson)이 주도한 정치행정이원론이다.

핵심체크 정치행정이원론

의의	행정의 정치적 기능(정책형성기능)을 부인하고, '행정을 결정된 정책(법률)을 능률적으로 집행하기 위한 순수한 관리·기술적 현상'으로 인식하는 입장
성립 배경	• 엽관주의 폐해 극복 및 실적주의의 확립 : 공무원제도 개혁(Pendleton법) • 행정국가화 현상 : 행정의 전문화·복잡화로 전문행정가에 의한 행정 필요성 대두 • 유럽 학문의 영향 : 영국의 대의제와 독일의 관료제의 영향 • 과학적 관리론의 영향 : 능률적 집행을 위한 사기업체의 관리기법 도입 • 진보주의 개혁운동의 영향 : 윌슨 등이 주도한 사회개혁운동의 일환 • 뉴욕시정조사연구소와 절약과 능률을 위한 위원회(Taft위원회)의 활동
관련 이론	행정관리설[① 과학적 관리론, ② 관료제론, ③ 행정관리론(원리주의)]
대표 학자	윌슨(Wilson), 굿노우(Goodnow), 귤릭과 어윅(Gulick & Urwick) 등

핵심체크 정치행정일원론

의의	정치와 행정의 불가분성을 강조하면서 행정의 정치적 기능을 인정하고, '행정을 사회문제 해결을 위해 정책을 형성하는 활동'으로 인식하는 입장
성립 배경	• 시장실패 극복 : 대공황, 빈부격차 심화 등의 시장실패 극복(뉴딜정책, 위대한 사회건설 정책 등) • 행정국가화 현상과 위임입법 증가 : 행정의 전문화·복잡화(행정국가화 현상)로 위임입법 증가
관련 이론	통치기능설
주요 학자	애플비(Appleby), 디목(Dimock)

04

정답 ①

정답해설 ① ㉠은 배분정책, ㉡은 구성정책, ㉢은 규제정책, ㉣은 재분배정책이다. 배분정책(㉠)은 하나의 정책이 여러 하위 단위로 세분되고 각각의 하위단위는 다른 단위와 독립적으로 집행이 가능하다. 반면, 재분배정책은 세부사업들 간에 강한 결속력으로 인해 세부사업 단위로 독립적인 집행이 불가능하다.

핵심체크 로위(Lowi)의 정책유형

강제력 행사방법 \ 강제력 적용영역	개별적 행위 (개인의 행위)	행위의 환경
직접적(근접)	규제정책	재분배정책
간접적(원격)	배분정책	구성정책

특징	• 강제력의 행사방법과 강제력의 적용영역에 따라 정책을 구분 • 정책유형에 따라 정책과정 및 정책환경에서 이해관계자들의 정치적 관계가 달라짐. • 규제정책은 다원주의 정치의 모습이, 재분배정책은 엘리트주의 정치의 모습이, 분배정책은 상황에 따라 다를 수 있으나 일반적으로는 은밀한 결탁(로그롤링)이 이루어짐. • 민주주의 국가에서 다원주의(규제정책)와 엘리트주의(재분배정책)가 모두 발견된다는 점을 강조함으로써 다원주의와 엘리트주의의 통합
평가	• 상호배타성 조건 불충족: 분배정책과 규제정책은 정부활동을, 재분배정책은 정부활동에 따른 분배의 결과를 기준으로 하고 있어 현실의 특정 정책이 중복분류 됨. • 기준의 포괄성 미흡: 로위의 분류에 포함할 수 없는 정책도 존재함. • 정책의 조작적 정의 곤란: 연역적 추론에 의한 분류라는 점, 정책분류에서 사용한 기본개념이 모호하다는 점에서 정책의 조작적 정의(객관적·경험적 기술) 곤란

05

정답 ②

정답해설 ② ㉠, ㉣은 옳고, ㉡, ㉢은 옳지 않다. 일반직 공무원은 기술·연구 또는 행정 일반에 대한 업무를 담당하는 공무원을 말한다. 일반직 공무원은 행정·기술직, 우정직, 연구·지도직, 전문경력관으로 구성된다(㉠). 별정직 공무원은 비서관·비서 등 보좌업무 등을 수행하거나 특정한 업무 수행을 위하여 법령이나 조례에서 별정직으로 지정하는 공무원으로 비서관·비서, 장관정책보좌관·차관보, 국회 수석전문위원, 국가정보원 기획조정실장, 지방의회 전문위원 등이 이에 속한다(㉣).

오답해설 ㉡ 법관·검사, 국정원 직원, 헌법재판소 연구관은 특정직 공무원이나, 헌법재판소 재판관은 정무직 공무원이다.
㉢ 국무조정실장, 국무총리 비서실장은 정무직 공무원이나, 국회수석전문위원은 별정직 공무원이다.

06

정답 ①

정답해설 ① 리그스(F. Riggs)는 후진국 행정체제에 대한 '프리즘적 사랑방모형'을 설정하여 후진국의 행정행태를 사회문화적 맥락에서 파악함으로써 행정의 독자성을 부인하고 종속변수로 취급하였다.

핵심체크 생태론적 접근

개념	• 각국 행정의 특수성을 형성시키는 역사적·정치적·사회적 조건을 비교하여, 각국에 공통적으로 적용되는 일반법칙적인 행정이론을 정립하고자 하는 과학적 접근방법 • 각국의 행정현상을 비교하여 연구하는 문화횡단적 연구
대표 학자	가우스(Gaus), 리그스(Riggs), 헤디(Heady) 등
특징	① 개방체제적 관점, ② 종속변수로서 행정, ③ 거시적 분석, ④ 구조기능주의 관점, ⑤ 신생국 행정연구
주요 이론	리그스(Riggs)의 사회삼원론[사랑방(살라)모형]: 프리즘적 사회의 특징(개도국의 역사적·정치적·사회적 조건) 제시

07

정답 ④

정답해설 ④ 샤인(Schein)의 복잡인관은 상황적응적 관리 및 관리자의 진단자 또는 상담가로서의 역할을 강조한다. 개인목표와 조직목표의 통합 및 관리자의 촉매적 역할이 강조되는 인간관은 자아실현인관이다.

핵심체크 샤인(Schein)의 인간관

구분		합리적 경제인	사회인	자아실현인	복잡인
가정	개인 욕구	합리적·경제적 욕구	정서적·사회적 욕구	자기실현 욕구	욕구체계의 다양성·변이성
	조직과 관계	• 피동적 존재 • 동기 유발의 외재화 • 개인목표와 조직목표 상충	• 피동적 존재 • 동기유발의 외재화 • 개인목표와 조직목표 상충	• 능동적 존재 • 동기유발의 내재화 • 개인목표와 조직목표의 통합	• 경험에 따라 새로운 욕구 학습 • 조직의 역할에 따른 욕구 변화
관리전략		• 원자적 개인 • 교환적 관리 • 통제체제의 확립 • 조직구조 중시	• 집단내의 개인 • 교환적 관리 • 부드러운 관리 • 일선 리더십 강조	• 통합적 관리 • 직무 확충·분권화·참여 관리 • 관리자의 촉매적 역할	• 개인차의 존중 • 상황적응적 관리 • 관리자의 진단가(상담가)로서 역할
조직형태		• 계서제 • 합리적·기계적 생산체제 확립	• 계서제 • 비공식집단의 인정과 수용	• 고도의 유기적 구조 • 저층구조화	
관련이론		• 과학적 관리론, 관료제론 등 • 매슬로우의 생리적 욕구·안전 욕구 • 맥그리거의 X이론 • 엘더퍼의 생존욕구 • 아지리스의 미성숙인	• 인간관계론 (호손 실험) • 매슬로우의 사회적 욕구 • 엘더퍼의 관계 욕구	• 후기인간관계론 • 매슬로우의 자아실현인 • 맥그리거의 Y이론 • 아지리스의 성숙인 • 엘더퍼의 성장욕구	• 룬드스테트의 방임형 관리 • 롤리스의 상황적응적 관리 • 라모스의 괄호인 • 베니스의 탐구인 • 샤인의 복잡인

08
정답 ③

정답해설 ③ ㉡, ㉢은 하향적 집행연구와 관련되며, ㉠, ㉣은 상향적 집행연구와 관련된다. 하향적 집행연구는 상위조직에서 형성된 정책이 하위조직에서 기계적으로 실현되는 과정을 정책집행으로 이해하고, 결정자의 관점에서 집행현상을 설명하는 정책 중심적 접근이다. 따라서 하향적 집행연구는 명확한 정책방향, 행정책임의 언명 또는 잘 규정된 결과가 정책이 성공적으로 집행될 가능성을 높여줄 것이라는 가정에 입각해 있다(㉢). 또한 하향적 집행연구는 구체적인 법령과 계획, 정책과 집행의 이원화, 단일과정적 집행과정, 정책집행의 비정치적이고 기술적 성격 등을 강조한다(㉡).

오답해설 ㉠ 상향적 집행연구는 정책집행에 참여하는 행위자들 사이의 상호작용 또는 협상을 중시하는 입장이다.
㉣ 상향적 집행연구는 정책의 집행과정에서 집행담당자의 광범위한 재량권이 필요하며, 또한 불가피하다고 주장하여 정책집행자의 정책결정 기능의 중요성을 강조한다.

핵심체크 하향적 집행연구

의의	• 상위조직에서 형성된 정책이 하위조직에서 기계적으로 실현되는 과정을 정책집행으로 이해하고, 결정자의 관점에서 집행현상을 설명하는 정책 중심적 접근 • 정책이 최초 결정되는 시점부터 정책결과가 산출되는 과정까지를 시계열적으로 기술	
특징	연구대상	상위조직에서 결정된 정책이 하위조직에 의해 실현되는 과정
	집행과정에 대한 시각	• 정행이론의 관점 : 정책과 집행을 구분하고, 집행을 결정된 대로 수행되는 비정치적 · 기계적 과정으로 이해(정책과 집행의 완전한 인과관계) • 단계모형 : 결정과 집행의 단일방향적 과정 중시
	집행성공기준	결정자의 정책의도 실현, 공식적인 목표 달성도, 집행의 충실성 등
	집행성공 요소	통제모형 : 결정자의 강력한 리더십을 통한 집행자의 행동 통제
	연구방법	거시적 · 연역적 접근 : 모든 정책에 적용가능한 성공적 집행의 조건 규명
	주요학자	사바티어와 마즈매니언(Sabatier & Mazmanian) 등
장점	• 집행과정의 법적 구조화 및 성공적 집행을 위한 체크리스트(규범적 처방) 제공 • 집행 영향변수에 대한 확인과 정책지향적 학습과정 제공 • 결정자의 입장을 강조하므로 대의민주주의에 충실 • 공식적인 목표달성도를 중시하므로 정책평가 기준 명확 • 목표와 수단의 연계를 강조함으로써 정책과정의 합리성에 기여 • 상향적 접근방법보다 일관된 분석틀 제공	
단점	• 결정자의 완벽성을 전제로 하므로 비현실적 • 결정자의 입장만을 중시하고, 집행자와 정책대상집단을 방해물로 간주 • 하나의 정책에만 초점을 두며, 실제 집행현장에서의 여러 정책 간 경쟁에 대한 인식 부족	

09
정답 ①

정답해설 ① 이월은 해당 회계연도 예산의 일정액을 다음 연도로 넘겨서 사용하는 것으로 명시이월과 사고이월이 있다. 명시이월은 재이월이 가능하지만, 사고이월은 재이월이 불가능하다.

오답해설 ② 「국가재정법」에 의하면 공무원의 보수 인상을 위한 인건비 충당을 위하여는 예비비의 사용목적을 지정할 수 없다.
③ 계속비의 연한은 원칙적으로 그 회계연도부터 5년 이내로 하지만 기획재정부장관이 필요하다고 인정하는 때에는 국회의 의결을 얻어 지출연한을 연장할 수 있다.
④ 국고채무부담행위에 대한 국회의 의결은 채무를 부담할 권한만 부여한 것이며, 지출권한까지 부여한 것이 아니므로 지출을 하려면 다시 예산으로서 국회의 의결을 얻어야 한다.

핵심체크 예산의 이월

의의	해당 회계연도 예산의 일정액을 다음 연도에 넘겨서 사용하는 것	
종류	명시 이월	세출예산 중 경비의 성질상 연도 내에 지출을 끝내지 못할 것이 예측될 때에는 그 취지를 세입세출예산에 명시하여 미리 국회의 승인을 얻어 다음 연도로 넘겨 사용하는 것
	사고 이월	연도 내에 지출원인행위를 하고 불가피한 사유로 인하여 연도 내에 지출하지 못한 경비와 지출원인행위를 하지 아니한 그 부대경비를 다음연도로 이월하여 사용할 수 있게 하는 것
재이월	명시이월은 1차에 한하여 사고이월이 가능하지만, 사고이월의 재이월은 허용되지 않음.	
특징	추가경정예산·계속비·예비비도 이월가능하나, 이월된 금액은 다른 용도로 사용할 수 없음.	
원칙	명시이월은 한정성의 원칙의 예외, 사고이월은 한정성의 원칙과 사전의결의 원칙의 예외	

10
정답 ②

정답해설 ② 평가등급의 수는 3개 이상으로 하되, 최상위등급은 평가단위별 인원수의 상위 20%, 최하위등급의 인원은 하위 10%로 한다.

오답해설 ① 4급 이상은 성과계약 등에 의한 평가를 연 1회, 5급 이하는 실적과 능력에 대한 근무성적평정에 의한 평가를 연 2회 실시한다.
③ 고위공무원단 소속 공무원은 5등급으로 평가하되, 최상위 등급은 상위 20%이하로, 하위 2개 등급은 하위 10%이상으로 하여야 한다.
④ 우리나라는 현재 직급별로 차별적인 평가체제를 적용하고 있으나, 평정결과는 소청심사위원회의 소청대상이 되지 아니한다.

핵심체크 우리나라의 근무성적평정제도

방식	직무성과계약제 (성과계약 등 평가)	근무성적평가
대상	일반직 4급 이상 공무원, 연구관·지도관 및 전문직 공무원	일반직 5급 이하 공무원, 우정직, 연구직·지도직 공무원
평정주체	• 복수(이중)평정 ① 평가자 : 평가 대상 공무원의 상급 또는 상위감독자 ② 확인자 : 평가자의 상급 또는 상위감독자	
평가시기	12월 31일 기준(연 1회)	6월 30일, 12월 31일 기준 (연 2회, 다만, 6월 말 평가는 생략 가능)
평가항목	성과계약의 성과 목표달성도, 부서 단위의 운영 평가 결과, 그 밖의 직무수행과 관련된 자질이나 능력 등에 대한 평가 결과 중에서 하나 또는 그 이상	근무실적과 직무수행능력을 기본으로 하되, 소속장관은 직무수행태도 또는 부서 단위 평가 결과를 추가할 수 있음.
평가등급	• 평가등급의 수는 3개 이상으로 하며, 인원비율은 부처에서 자율 결정 • 고위공무원단은 5개 등급으로 하되, 최상위 등급은 20% 이하의 비율로, 하위 2개 등급의 인원은 10% 이상의 비율로 분포하도록 함.	• 평가등급의 수는 3개 이상으로 하며, 최상위 등급의 인원은 평가단위별 인원수의 상위 20%의 비율로, 최하위 등급의 인원은 하위 10%의 비율로 평가 • 소속장관은 이외에 따로 정할 필요가 있는 근무성적평가제도의 설계·운영 등에 대해서는 기관의 직무특성 등을 고려하여 따로 정할 수 있음.

절차 등	• 성과면담: 평가자는 평정의 공정하고 타당성 있는 실시를 위해 평정 대상 공무원과 성과면담을 실시해야 함. • 평정결과의 공개: 평가자, 확인자 및 평가단위 확인자는 평정이 완료되면 평정 대상 공무원에게 평정결과를 알려 주어야 함. • 평정결과에 대한 이의신청: 평가자의 평정결과에 이의가 있는 경우에는 확인자에게, 평가단위에서의 평가 결과에 이의가 있는 경우에는 평정단위 확인자에게 이의신청 • 소청심사: 근무성적평정결과에 대해서는 소청심사 불가능
평정결과의 활용	소속장관은 평가결과를 평가대상 공무원에 대한 승진임용·교육훈련·보직관리·특별승급 및 성과상여금 지급 등 각종 인사관리에 반영해야 함.

11 정답 ④

정답해설 ④ 주인 – 대리인이론에 의하면 대리손실을 최소화하기 위해서는 정보공개의 활성화, 유인설계장치 마련, 효과적인 통제장치의 마련 등이 필요하다. 관료들의 권한강화 및 분권화는 대리인인 관료의 재량권 확대로 인해 오히려 대리손실이 더 확장될 위험성이 있다.

핵심체크 주인 – 대리인이론

의의	한 사람(주인)이 다른 사람(대리인)으로 하여금 자신의 이익과 관련된 행위를 그의 재량으로 해 줄 것을 내용으로 하는 계약이 있을 때 이들 간의 관계를 분석하는 이론
가정	• 인간: 자기이익을 추구하는 합리적 경제인 • 정보: 비대칭적 정보(불완전한 정보, 정보의 편재) • 관계: 대리인의 기회주의적 행태로 주인과 대리인 간의 이해 상충
대리손실	• 역선택: 대리인의 감추어진 특성으로 인해 주인의 잘못된 선택이 발생하는 상황 • 도덕적 해이: 대리인의 감추어진 행동으로 주인의 손실이 발생하는 상황
대리손실 해소방안	**정보 불균형 해소**: 「정보공개법」 및 「행정절차법」의 내실화, 내부고발자 보호제도, 행정 및 재정정보공표제도, 정책실명제, 전자정부의 구현, 공청회·청문회 등
	유인설계장치의 마련: 성과급제, 신성과주의 예산, 직무성과계약제 등을 통한 성과관리
	효과적인 외부 통제장치 마련: 주민소환제, 주민소송제, 국민(주민)감사청구제, 불법 재정지출에 대한 국민(주민)감시제 등 외부통제장치 마련
한계	• 비경제적 요인에 대한 불고려 • 청지기 이론에 의한 비판: 이기적 인간모형에 대한 비판

12 정답 ③

정답해설 ③ 보통교부세와 부동산교부세는 일반재원이지만, 특별교부세와 소방안전교부세는 특정재원의 성격을 지닌다.

오답해설 ① 지방교부세의 재원은 내국세 총액의 19.24%와 종합부동산세 전액 및 담배에 부과되는 개별소비세 총액의 45%로 구성된다.
② 재정력지수가 1 이상인 지방자치단체는 보통교부세를 교부받지 못하며, 보통교부세를 교부받지 못한 지방자치단체라도 특별교부세를 교부받을 수 있다.
④ 소방안전교부세는 행정안전부장관이 자치단체의 소방 및 안전시설 현황, 소방 및 안전시설 투자 소요, 재난예방 및 안전강화 노력, 재정여건 등을 고려하여 광역자치단체에 교부한다.

핵심체크 지방교부세

보통 교부세	의의	• 자치단체가 자주적으로 사용할 수 있는 재원이 되는 교부세 • 용도의 제한이 없는 일반재원이며, 조건의 제한이 없는 무대응 지원금
	재원	내국세 총액의 19.24% 중 97/100
	교부 기준	해마다 기준재정수입액이 기준재정수요액에 못 미치는 자치단체에 그 미달액(재정부족액)을 기초로 법률로 정해진 보통교부세 총액의 범위 내에서 조정하여 교부
특별 교부세	의의	특별한 지역적 현안이나 재정수요 또는 재정수입의 감소가 있는 경우 등에 있어서 이를 보충해 주기 위해 교부되는 특정재원
	재원	내국세 총액이 19.24% 중 3/100
	교부 기준	• 기준재정수요액의 산정방법으로는 파악할 수 없는 지역 현안에 대한 특별한 재정수요가 있는 경우(40%) • 보통교부세의 산정기일 후에 발생한 재난을 복구하거나 재난 및 안전관리를 위한 특별한 재정수요가 생기거나 재정수입이 감소한 경우(50%) • 국가적 장려사업, 국가와 자치단체 간에 시급한 협력이 필요한 사업, 지역 역점시책 또는 지방행정 및 재정운용 실적이 우수한 자치단체에 재정 지원 등 특별한 재정수요가 있을 경우(10%)
	특징	• 조건을 붙이거나 용도를 제한하여 교부할 수 있음(특정재원) • 보통교부세를 받지 못한 자치단체도 사유발생 시 교부받을 수 있음.
부동산 교부세	의의	지방세인 종합토지세의 폐지로 인한 자치단체의 세수감소분을 보전하고 지방재정을 확충하기 위해 교부하는 일반재원
	재원	종합부동산세 총액
	교부 기준	• 행정안전부장관이 분기별로 교부 • 자치단체의 재정여건이나 지방세 운영상황 등을 고려하여 지급
	특징	보통교부세를 교부받지 못한 지방정부도 교부받을 수 있음.
소방안전 교부세	의의	자치단체의 소방 및 안전시설 확충, 안전관리 강화 등을 위해 교부하는 특정재원
	재원	담배에 부과하는 개별소비세 총액의 45%에 해당하는 금액
	교부 기준	• 행정안전부장관이 분기별로 교부 • 자치단체의 소방 인력, 소방 및 안전시설 현황, 소방 및 안전시설 투자 소요, 재난예방 및 안전강화 노력, 재정여건 등을 고려하여 지급 • 담배에 부과하는 개별소비세 총액의 20%를 초과하는 부분은 소방 인력의 인건비로 우선 충당해야 함.
	특징	특별시·광역시·특별자치시·도 및 특별자치도에 교부

13 정답 ④

정답해설 ④ 「부패방지 및 국민권익위원회 설치와 운영에 관한 법률」에 의하면 부패혐의에 대하여 국민권익위원회가 검찰에 고발한 경우 위원회가 검사로부터 불기소처분을 통보받았을 경우 위원회는 고등법원에 재정신청할 수 있다.

오답해설 ① 「부패방지 및 국민권익위원회 설치와 운영에 관한 법률」에 의하면 공공기관의 사무처리가 법령위반 또는 부패행위로 인해 공익을 해하는 경우 일정 수 이상의 국민의 연서로 감사원에 감사를 청구할 수 있다.
② 「부정청탁 및 금품등 수수의 금지에 관한 법률」에 의하면 공직자 등은 직무와 관련하여 대가성 여부를 불문하고 제1항에서 정한 금액 이하의 금품 등(동일인으로부터 1회에 100만원 또는 매 회계연도에 300만원을 초과하는 금품 등)을 받거나 요구 또는 약속해서는 아니 된다.
③ 「공직자윤리법」에 의하면 재산등록의무자인 공직자는 퇴직일부터 3년간 취업심사대상기관에 취업할 수 없다. 다만, 관할 공직자윤리위원회로부터 취업심사대상자가 퇴직 전 5년 동안 소속하였던 부서 또는 기관의 업무와 취업심사대상기관 간에 밀접한 관련성이 없다는 확인을 받거나 취업승인을 받은 때에는 취업할 수 있다.

14 정답 ②

정답해설 ② 성과주의예산(PBS)은 이해하기 쉽다는 점에서 입법부의 예산심의가 용이하나, 지출품목을 알 수 없다는 점에서 회계책임 확보가 곤란하다.

핵심체크) 성과주의예산(PBS)

개념	예산을 정부의 활동·사업을 중심으로 분류하여 편성하는 제도(관리지향적 예산)
발달	제1차 후버위원회의 권고로 트루만 대통령이 도입(1950년)
편성	① 업무단위의 개발(활동 또는 산출) ⇨ ② 예산액의 산정[단위원가(업무단위당 소요되는 비용)×업무량(전년도 실적×변동률)=예산액]
특징	① 능률지향적 예산, ② 관리지향적 예산, ③ 상향적·미시적 예산결정, ④ 점증주의적 성격, ⑤ 단위사업 중심(실·국 단위의 세부사업 중심), ⑥ 예산의 추가투입액 파악 용이, ⑦ 입법통제 약화·내부통제 강화, ⑧ 관리책임의 집중화, ⑨ '어떻게 할 것인지(how to do)'에 관심
장점	① 국민의 이해 용이 및 예산심의 용이, ② 재정사업의 투명성 제고, ③ 자원배분의 합리화를 통한 능률적 행정관리, ④ 예산집행의 신축성 확보, ⑤ 예산환류의 강화(예산집행의 실적을 차기 회계연도 예산에 반영), ⑥ 성과중심의 예산(산출중심의 예산), ⑦ 사업과 예산의 연계 강화, ⑧ 관리층에게 효과적인 관리수단 제공
단점	① 총괄계정에 부적합(실·국 단위의 세부사업 중심), ② 점증주의적 성격, ③ 전략적 목표의식의 결여, ④ 회계책임 확보 곤란(재정사용 파악 곤란), ⑤ 성과의 질적 측면 파악 곤란(산출 측면 강조), ⑥ 사업의 우선순위 파악 곤란, ⑦ 현금주의와 부조화(단위원가 계산시 발생주의 회계가 요구됨), ⑧ 업무측정단위의 선정과 단위원가 계산 곤란, ⑨ 적용영역의 제한성(성과를 명확하게 명시할 수 있는 영역에만 한정적으로 적용)

15 정답 ②

정답해설 ② 정책문제의 정의 시 관련 행위자들의 가치파악, 인과관계 파악, 관련 요소의 파악, 역사적 맥락 등을 고려해야 한다.

핵심체크) 정책문제의 정의

개념	정책문제의 구성요소·원인·결과 등의 내용을 규정하여 무엇이 문제인지를 밝히는 과정
중요성	• 정책목표의 설정 및 정책내용의 형성과 직결되는 활동 • 제3종 오류의 방지를 위한 활동
특성	① 주관성·인공성·차별적 이해성, ② 정치성, ③ 상호의존성, ④ 역사성·동태성 등
고려사항	① 관련 요소의 파악, ② 가치파악, ③ 인과관계 파악, ④ 역사적 맥락 파악 등

16 정답 ③

정답해설 ③ 소속책임운영기관의 장에게 행·재정상의 자율성이 부여되어야 하나 현재 우리나라는 중앙행정기관의 장이 소속책임운영기관 공무원에 대한 일체의 임용권을 가지며, 소속 공무원의 임용시험은 책임운영기관의 장이 실시한다.

핵심체크) 우리나라의 책임운영기관

유형	중앙책임운영기관	소속책임운영기관
기관장의 신분	• 「정부조직법」에서 정하는 신분(현재 특허청장은 정무직 공무원) • 임기 2년, 1차에 한하여 연임 가능	• 공개모집절차에 따라 기관장을 선발하여 임기제 공무원으로 임용(경력직 공무원 응모 불가) • 근무기간은 5년의 범위에서 소속 중앙행정기관의 장이 정하되, 최소한 2년 이상으로 함.
정원관리	• 총 정원의 한도는 대통령령으로 정하고, 종류별·계급별 정원 및 고위공무원단에 속하는 공무원의 정원은 총리령 또는 부령으로 정함. • 직급별 정원은 기관장이 제정하는 기본운영규정으로 정함.	
소속 공무원 임용권	• 기관장은 고위공무원단에 속하는 공무원을 제외한 소속 공무원에 대한 일체의 임용권을 가짐. • 중앙책임운영기관 소속 공무원의 임용시험은 기관장이 실시함.	• 중앙행정기관의 장은 책임운영기관 소속 고위공무원에 대한 일체의 임용권을 가짐(임용권의 일부를 대통령령에 따라 기관장에게 위임할 수 있음). • 소속책임운영기관 소속 공무원의 임용시험은 기관장이 실시함.
예산 및 회계	• 자체수입확보가 용이한 기관(책임운영기관특별회계기관)은 특별회계로, 그 외의 기관은 일반회계로 운영 • 특별회계는 계정별로 중앙행정기관의 장이 운용하고 기재부장관이 통합관리함. • 책임운영기관특별회계기관의 사업은 정부기업으로 보고, 「정부기업예산법」을 적용함. • 기관장은 특별회계 또는 일반회계의 초과수입금을 직·간접비로 사용할 수 있음.	
성과관리	중앙책임운영기관장은 국무총리와 성과계약을 체결함.	소속책임운영기관장은 소속중앙행정기관의 장과 성과계약을 체결함.
평가	기관장 소속으로 중앙책임운영기관운영심의회를, 행정안전부장관 소속으로 책임운영기관운영위원회를 둠(운영위원회의 평가를 우선함).	중앙행정기관의 장의 소속으로 소속책임운영기관운영심의회를, 행정안전부장관 소속으로 책임운영기관운영위원회를 둠(운영위원회의 평가를 우선함).

17 정답 ①

정답해설 ㉠, ㉡은 옳고 ㉢, ㉣은 옳지 않다. 실적주의는 공무원의 정치적 중립을 확립하고 공직의 상품화를 방지하여 행정의 공정성을 확립할 수 있다(㉠). 엽관주의는 주기적인 선거과정을 통해 대량적인 공직경질을 가져오기 때문에 관료특권화를 방지할 수 있다(㉡).

오답해설 ㉢ 직업공무원제는 행정의 계속성과 안정성을 확보할 수 있도록 충원의 폐쇄성을 전제로 한다.
㉣ 대표관료제는 민중통제를 관료제에 내재화하여 행정통제를 강화함으로써 행정의 책임성을 제고하지만, 공직취임에서 개인의 능력과 자질을 부차적인 기준으로 삼기 때문에 행정의 전문성과 생산성을 저해할 수 있다.

18 정답 ①

정답해설 ① ㉠, ㉡은 옳고, ㉢, ㉣은 옳지 않다. 국무총리는 정부업무평가기본계획을 수립하고 최소한 3년마다 타당성을 검토하여 수정·보완하여야 한다(㉠). 특정평가란 국정통합관리를 위하여 2이상의 중앙행정기관 관련 시책, 주요 현안 시책, 혁신관리 및 대통령령이 정하는 대상부문에 대하여 국무총리가 실시하는 평가를 말한다(㉡).

오답해설 ㉢ 행정안전부장관은 지방자치단체에 대한 합동평가를 효율적으로 추진하기 위하여 행정안전부장관 소속하에 지방자치단체합동평가위원회를 설치·운영할 수 있다.
㉣ 중앙행정기관의 장은 자체평가위원회를 구성·운영하여야 하며 이 경우 평가의 공정성과 객관성을 확보하기 위하여 자체평가위원의 2/3 이상을 민간위원으로 하여야 한다.

핵심체크 「정부업무평가기본법」

목적	중앙행정기관, 지방자치단체, 공공기관 등의 통합적인 성과관리체제의 구축과 자율적인 평가역량의 강화를 통해 국정운영의 능률성·효과성·책임성 향상
기본방향	• 개별평가에서 통합평가로: 통합적인 정부업무평가제도의 구축 • 직접평가에서 자체평가로: 자율적인 정책개선 도모
평가대상기관	① 중앙행정기관(대통령 소속기관 및 국무총리 소속기관·보좌기관 포함), ② 지방자치단체, ③ 중앙행정기관 또는 지방자치단체의 소속기관, ④ 공공기관

정부업무평가 위원회	소속	국무총리 소속하에 정부업무평가위원회를 둠.
	구성	위원장 2인(국무총리와 대통령이 지명한 민간위원)을 포함한 15인 이내의 위원(당연직: 행안부장관, 기재부장관, 국무조정실장)으로 구성
	기능	평가와 관련된 기본계획을 수립하고 평가를 총괄

성과관리	• 성과관리전략계획: 중앙행정기관의 장이 수립해야 하며, 3년마다 타당성 검토 • 성과관리시행계획: 중앙행정기관의 장이 매년 수립·시행해야 함.
정부업무평가	정부업무평가기본계획: 국무총리가 수립해야 하며, 3년마다 타당성 검토

정부업무 평가의 종류	중앙 행정 기관	자체 평가	• 중앙행정기관이 소관 정책 등을 스스로 평가하는 것 • 중앙행정기관의 장이 자체평가위원회를 구성하여 평가 • 위원회는 민간위원이 2/3 이상이어야 하며, 위원장은 민간위원 중에서 중앙행정기관의 장이 지명
		재평가	• 이미 실시된 평가의 결과·방법 및 절차에 관하여 그 평가를 실시한 기관 외의 기관이 다시 평가하는 것 • 자체평가 결과의 객관성과 신뢰성에 문제가 있는 경우 국무총리가 정부평가위원회의 심의·의결을 거쳐 재평가를 실시할 수 있음.
		특정 평가	• 국무총리가 중앙행정기관을 대상으로 국정을 통합적으로 관리하기 위하여 필요한 정책 등을 평가하는 것 • 국무총리는 2 이상의 중앙행정기관 관련 시책, 주요 현안시책, 혁신관리 및 대통령령이 정하는 대상부문에 대하여 특정평가를 실시하고, 그 결과를 공개해야 함(하향식 평가).
	지방 자치 단체	자체 평가	• 지방자치단체가 소관 정책 등을 스스로 평가하는 것 • 단체장이 자체평가위원회를 구성하여 평가 • 위원회는 민간위원이 2/3 이상이어야 함.
		합동 평가	• 자치단체 또는 그 장이 위임받아 처리하는 국가사무, 국고보조사업 등에 대해 행안부장관이 관계 중앙행정기관의 장과 합동으로 평가하는 것 • 행안부장관 소속하에 합동평가위원회를 설치·운영할 수 있음. • 위원회는 민간위원이 2/3이어야 하며, 위원장은 민간위원 중에서 행안부장관이 지명
	공공기관		공공기관의 특수성·전문성을 고려하고 평가의 객관성 및 공정성을 확보하기 위해 공공기관 외부의 기관이 평가를 실시

평가결과의 활용	① 평가결과의 공개 및 보고, ② 평가결과의 예산 및 인사에 반영, ③ 평가결과에 따른 시정조치 및 감사, ④ 평가결과에 따른 보상 등

19

정답 ③

정답해설 ③ 기획재정부장관은 회계연도마다 전체 기금 중 3분의 1 이상의 기금에 대하여 그 운용실태를 조사·평가하여야 하며 3년마다 전체 재정체계를 고려하여 기금의 존치여부를 평가하여야 한다.

핵심체크 기금

의의	국가가 특정 목적을 위해 특정 자금을 신축적으로 운용할 필요가 있을 때에 한정하여 법률로 설치하되, 세입세출예산 외(off budget)로 운영되는 자금
필요성	① 특정 사업에 대한 재정의 안정적·탄력적 운용, ② 특정 부문·특정 사업의 전략적 육성
현황	2021년 현재 67개의 기금 존재

우리나라의 기금제도	근거	「국가재정법」(회계 및 기금의 통합법)
	설치	• 기금설치법정주의: 정부의 출연금 또는 법률에 따른 민간부담금을 재원으로 하는 기금은 「국가재정법」 별표2에 규정된 법률에 의해서만 설치(「공무원연금법」, 「국민연금법」, 「군인연금법」, 「신용보증기금법」, 「외국환거래법」 등) • 설치 시 기획재정부장관의 신설 타당성 심사
	기금운용 계획변경	주요항목 지출금액의 변경범위가 금융성 기금 외의 기금은 10분의 2 이하, 금융성 기금은 10분의 3 이하의 범위에서는 기금운용계획변경안을 국회에 제출하지 아니하고 대통령령으로 정하는 바에 따라 변경할 수 있다.
	기금운용 평가	기재부장관은 기금운용평가단을 운영할 수 있고, 회계연도마다 전체 기금 중 1/3 이상의 기금에 대하여 대통령령으로 정하는 바에 따라 그 운용실태를 조사·평가해야 하며, 3년마다 전체 재정체계를 고려하여 기금의 존치여부를 평가해야 함.
	기금에 대한 통제	• 국회의 기금심의 및 결산의 대상, 국정감사의 대상 • 감사원의 회계검사의 대상

20

정답 ②

정답해설 ② BTL(임대형 민자유치)은 BTO(수익형 민자유치)와 달리 최종 수요자에게 사용료 부과가 불가능한 시설에도 활용될 수 있다.

핵심체크 BTO(수익형 민자유치)와 BTL(임대형 민자유치)의 비교

구분	BTO(수익형 민자유치)	BTL(임대형 민자유치)
대상시설 성격	최종 수요자에게 사용료 부과로 투자비 회수가 가능한 시설	최종 수요자에게 사용료 부과로 투자비 회수가 어려운 시설도 가능
사용수익권 및 서비스 제공	• 민간사업자에게 사용수익권 부여 • 민간사업자가 서비스를 제공하고, 이용자는 민간 사업자에게 이용요금을 납부	• 정부에게 사용수익권 부여 • 정부가 서비스를 제공하고, 이용자는 정부에게 이용요금을 납부
투자비 회수	최종 사용자의 사용료	정부의 시설 임대료
사업 리스크	민간사업자가 수요 부족 위험 부담을 짐.	민간사업자가 수요 부족 위험 부담을 지지 않음.
목표 수익률 실현 방법	사후적으로 적정 수익률 보장 − 최소운영수입보장제도나 적자보전협약에 의하여 수익률 보장	사전적으로 목표수익률 실현 보장 − 정부가 적정 수익률을 반영하여 임대료를 산정·지급
우리나라	우리나라의 경우 BTO 방식의 최소운영수입보장제도는 2009년에 폐지되었으며, 최근에는 적자보전협약에 의한 최소비용지원방식이 활용되고 있음.	

파이널 모의고사

01
정답 ②

정답해설 ② ㉡, ㉢은 옳고 ㉠, ㉣은 옳지 않다. 예산불성립 시 예산제도로는 가예산, 준예산, 잠정예산이 있다(㉡). 추가경정예산은 (규모)한정성의 원칙과 예산단일성의 원칙의 예외이다(㉢).

오답해설 ㉠ 예산은 세입·세출의 성질에 따라 일반회계와 특별회계로 구분된다. 본예산, 수정예산, 추가경정예산의 구분은 예산의 성립시기에 따른 구분이다.
㉣ 우리나라는 회계연도 개시일까지 예산이 의결되지 못했을 때 준예산을 사용한다.

핵심체크 성립시기에 따른 예산분류

구분	특징
본예산 (당초예산)	정부가 매년 다음 연도의 예산을 편성하여 회계연도 개시일 전에 정기국회의 심의를 거쳐 확정된 최초의 예산(입법부에 의해 의결된 시점에 성립)
수정예산	예산안이 편성되어 국회에 제출된 후 심의를 거쳐 의결되기 이전에 부득이한 사유로 인하여 그 내용의 일부를 수정하고자 하는 경우 작성되는 예산(기존 예산안이 의결로 확정되기 이전 시점에 성립)
추가경정 예산	예산이 국회를 통과하여 성립된 후에 생긴 사유로 인하여 이미 확정된 예산에 변경을 가할 필요가 있을 때 편성되는 예산(확정된 예산을 변경하는 시점에 성립)
쟁점사항	수정예산이나 추가경정예산의 경우에도 본예산과 동일하게 예산편성과정에서 국무회의의 심의와 대통령의 승인을 얻어 국회에 제출되며, 예산심의과정에서 상임위의 예비심사와 예결위의 종합심사 및 본회의의 의결을 거쳐 확정됨

핵심체크 예산불성립 시 예산분류

종류	의의	기간	국회의결	지출항목	채택국가
준예산	새로운 회계연도가 개시될 때까지 예산이 국회에서 의결되지 못한 때에 의회의 승인 없이 전년도 예산에 준하여 경비를 지출할 수 있는 예산	제한 없음.	불필요	한정적	• 한국 • 독일
잠정 예산	새로운 회계연도가 개시될 때까지 예산이 국회에서 의결되지 못한 때에 국회의 의결로 일정기간 동안 예산의 국고지출을 잠정적으로 허용하는 예산	제한 없음.	필요	전반적	• 영국 • 미국 • 일본 • 캐나다
가예산	새로운 회계연도가 개시될 때까지 예산이 국회에서 의결되지 못한 때에 최초 1개월분을 국회에서 심의·의결하여 집행하는 예산	최초 1개월	필요	전반적	• 프랑스 • 한국의 제공화국

02
정답 ④

정답해설 ④ 직위분류제는 경직적인 공직분류제도로 잠정적·비정형적 업무로 구성된 역동적인 상황에 적용하기 곤란하다.

03
정답 ③

정답해설 ③ 정책공동체에서는 의도한 대로 정책산출이 이루어지지만, 이슈네트워크는 정책산출에 대한 예측이 곤란하다.

핵심체크 정책공동체와 이슈네트워크의 비교

구분	정책공동체	이슈네트워크
참여자의 범위	폐쇄적이고 제한적 참여 : 단순한 이해관계자 참여 배제	광범위하고 개방적인 참여 : 단순한 이해관계자 참여 인정
주요 참여자	정부관료, 학자, 국회의원 보좌관, 신문기자, 연구원 등 전문가	관련된 모든 이익집단, 전문가, 개인, 언론 등
참여자 간의 권한과 자원배분	모든 참여자가 상호교환할 수 있는 권한 및 자원 보유	참여자의 일부만 자원 및 권한을 보유하며, 상황에 따라 중요한 자원이 달라지고 주도적 행위자도 변함.
참여자 간 권력	균등함.	불균등함.
기본가치/목표	공유감 강함.	공유감 약함.
참여자 간의 관계	비교적 지속적이고 안정적인 관계이며, 상호협력적·의존적 관계 형성	유동적이고 불안정한 관계이며, 상호 경쟁적·갈등적 관계 형성
게임의 유형	포지티브 섬 게임(positive sum game ; non zero-sum game)	네거티브 섬 게임(negative sum game ; zero-sum game)
상호작용	안정적이고 질서적이며, 상호작용이 빈번함.	불안정적이고 무질서하며, 접촉의 빈도가 가변적임.
이익의 유형	경제적·전문적 이익	모든 이익이 망라됨.
정책산출	의도한 대로 정책산출이 가능하므로 예측이 용이하며, 정책산출과 집행의 결과가 유사함.	결정과정에서 정책내용이 변동하므로 정책산출의 예측이 곤란하며, 정책산출과 집행의 결과가 상이함.

04
정답 ④

정답해설 ④ 역사가 오래된 조직일수록 상관의 직접적인 지시보다는 규칙과 선례에 대한 의존도가 높아 공식화되고 분권화된다.

핵심체크 조직상황 요인과 조직구조

	복잡성	한 조직을 구성하는 기구의 분화의 정도(수직적·수평적·장소적 복잡성)
기본변수	공식성	지위·역할·권한이 성문화되고 업무수행에 관한 규칙과 절차가 표준화된 정도
	집권성	의사결정권한이 상위계층에 집중되어 있는 정도
	규모	조직구성원의 수, 투입자원 또는 산출자원의 크기 등
상황변수	기술	투입물을 산출물로 변환시키는 지식 및 기술
	환경	조직의 경계 밖에 있으면서 조직의 목표달성에 영향을 미치는 모든 요소

구분		복잡성	공식화	집권화
기본변수와 상황변수의 관계	규모가 클 때	+	+	−
	비일상적 기술일 때	+	−	−
	불확실한 환경일 때	−	−	−

05
정답 ②

정답해설 ② ㉠, ㉢은 옳고 ㉡, ㉣은 옳지 않다. 공유지는 경합성을 지녀 특정인의 사용량이 증가할 경우 그 양이 줄어들기 때문에 합리적 개인들 간의 사용을 위한 경쟁으로 혼잡의 문제가 발생하는 자원이다(㉠). '공유지의 비극'은 특정인의 합리적 선택행위로 인한 비용회피와 과잉소비가 다른 구성원에게 부정적 외부효과를 초래함을 설명한다(㉢).

오답해설 ㉡ '공유지의 비극'은 편익은 집중시키고 비용을 분산하려는 개인의 합리적 선택으로 발생한다.
㉣ '공유지의 비극'은 개인의 합리성과 집단의 합리성이 충돌하는 딜레마 현상을 설명한다.

핵심체크 하딘(Hardin)의 공유지의 비극

의의	개인의 합리적 선택(사익 극대화)으로 인한 공유지의 과잉소비가 공유지를 황폐하여 공동체 구성원 모두가 공멸하는 현상
원인	• 공유재의 성격: 공유재는 비배제성과 경합성을 지녀 과잉소비를 야기 • 합리적 선택: 개인적 비용보다 편익을 크게 하려는 구성원들의 합리적 선택 • 부정적 외부효과: 개인의 합리적 선택이 타 구성원들에게 부정적 외부효과 야기 • 집단행동의 딜레마(무임승차): 편익은 자신에게 집중시키고 비용은 타 구성원들에게 분산시키고자 하는 무임승차 현상
결론	개인의 합리적 선택(사익극대화)이 사회의 합리적 선택(공익극대화)을 보장하지 못하고 오히려 사회적 비효율성을 초래(시장실패 및 정부개입의 이론적 근거)
유사 이론	① 죄수의 딜레마(Rappaport), ② 구명보트의 윤리배반모형(Hardin)

06
정답 ②

정답해설 ② 사회적 규제는 전산업체를 대상으로 하므로 경제적 규제보다 경제적 파급효과가 크다. 경제적 규제는 특정 기업군을 대상으로 하므로 사회적 규제보다 경제적 파급효과가 작다.

핵심체크 경제적 규제와 사회적 규제

구분	경제적 규제	사회적 규제
의의	기업의 본원적 활동에 대한 제한 및 개입 조치	사회적으로 바람직하지 않은 결과를 초래하는 기업 활동에 대한 제한 및 개입 조치
목적	시장의 불완전성으로 인한 경제적 비효율성 치유	기업 활동의 해로운 부산물로부터 시민 보호 및 삶의 질 제고
대상	생산자 보호(예외적으로 소비자 보호)	생산자에 대한 규제(예외적으로 소비자에 대한 규제)
형성시기	1930년대 이후	1960년대 이후
규제범위	좁음(특정 기업군 대상)	넓음(전 산업 대상)
파급효과	경제적 파급효과 적음.	경제적 파급효과 큼.
포획 가능성	지대추구 및 포획현상 발생	지대추구 및 포획현상과 대립
규제효과	대상기업이 적고 목적이 일원론적이므로 비교적 효과 높음.	대상이 비교적 넓고 여러 가치 간 충돌이 많아 비교적 효과 낮음.
예	가격규제(최저·최고 가격제), 진입규제(특허, 인가, 면허, 신고, 등록 등), 생산량 규제(물량규제), 퇴거규제, 품질규제, 독과점 규제(담합규제), 수출입 규제 등	환경규제, 산업재해규제, 작업안전규제, 식품규제, 소비자보호규제, 허위과장광고 규제, 사회적 차별에 대한 규제 등
규제의 합리화	경제적 규제는 완화하고 사회적 규제는 강화하는 것이 바람직함(다만, 경제적 규제 중 독과점 규제는 시장실패에 근거한 규제이므로 강화하는 것이 바람직).	

07
정답 ①

정답해설 ① 타협은 갈등 당사자들이 서로 양보하여 갈등을 해결하는 것으로 분명한 승자나 패자가 없다. 반면 협동은 양 당사자 모두 자신들의 목표 전부를 만족시키려는 단정적이고 협력적인 방법이다.

핵심체크 토마스(Thomas)의 이차원적 갈등관리모형

회피	양 당사자들이 갈등문제를 무시·회피·연기하는 비단정적·비협력적 방식
경쟁	• 양 당사자 모두 논쟁·권위·위협·물리력 등을 통해 다른 당사자를 희생시키고 자신의 목표만을 달성하려는 단정적·비협력적 방식 • 신속하고 결단성 있는 행동이 요구되거나 구성원들에게 인기 없는 조치를 할 때 활용
순응	한 당사자가 자신의 목표를 포기하고 다른 당사자의 관심사를 만족시키는 비단정적·협력적 방식
타협	• 양 당사자 모두 어느 정도 양보하고, 어느 정도 양보를 얻는 단정적·협력적 방식 • 분명한 승자나 패자가 없는 방식
협동	양 당사자 모두 자신들의 목표 전부를 만족시키려는 단정적·협력적 방식

08
정답 ④

정답해설 ④ 비독립단독형은 분권성을 특징으로 하고 있어 인사행정의 신축성을 확보하기 용이하고 적극적 인사행정을 추구하기 유리하다.

핵심체크 중앙인사기관의 조직형태

유형	특징	장점	단점
독립 합의형	독립성	• 엽관주의 및 행정부패와 무질서 방지 • 정치적 중립성 확보 • 인사권자의 전횡 방지	• 인사행정의 막료기능적 성격과 충돌 • 책임한계 불분명 및 인사통제 곤란 • 행정수반의 강력한 정책추진 곤란
	집권성	• 실적주의 확립에 기여 • 인사행정의 통일성 확보 • 통합적인 조정 및 인사통제	• 각 부처 기관장의 사기 저하 • 적극적 인사행정 곤란 • 인사행정의 경직화
	합의성	• 인사행정의 신중성·공정성·중립성·계속성 확보 • 다양한 요구를 균형있게 수용	• 책임소재 불명확 • 신속한 결정 곤란 • 타협적 의사결정
비독립 단독형	비독립	• 행정수반의 강력한 정책추진 • 책임한계 명확 • 인사통제 용이	• 인사행정의 정실화 우려 • 인사권자의 독선적·자의적 결정 • 정치적 중립성 확보 곤란
	분권성	• 적극적 인사행정 • 인사행정의 융통성	• 인사행정의 통일성 확보 곤란 • 통합적인 조정 곤란
	단독성	• 책임소재 명확 • 신속한 의사결정	• 인사행정의 신중성·중립성 저해 • 인사행정의 계속성·연속성 저해
각국의 제도	• 독립합의형: 실적주의 확립 당시 미국의 연방인사위원회(1883 ~ 1978) • 비독립단독형: 한국의 인사혁신처, 미국의 인사관리처, 영국의 내각사무처 소속의 공무원장관실, 일본의 총무성 인사·은급국 등		

09 정답 ②

정답해설 ② 품목별 예산(LIBS)은 회계학적 지식이, 성과주의예산(PBS)은 행정학과 경영학적 지식이, 계획예산(PPBS)은 경제학적 지식이, 목표관리예산(MBO)은 관리상의 기술이, 영기준예산(ZBB)은 행정학적 지식이 필요하다.

핵심체크 예산제도의 정향 비교

구분	통제지향	관리지향	계획지향	감축지향
예산제도	품목별 예산	성과주의예산	계획예산	영기준예산
주된 관심	무엇을 구입할 것인가?	어떻게 할 것인가?	무엇을 할 것인가?	어떤 수준으로 할 것인가?
정보의 초점	품목	활동	목표	평가
주요 관심	지출의 합법성	능률성	효과성	경제적 합리성
결정이론	점증주의	점증주의	합리주의	합리주의
의사결정	상향적	상향적	하향적	상향적
책임	통제책임의 집중	관리책임의 집중	계획책임의 집중	관리책임의 집중
예산편성 단위	품목	업무측정단위	프로그램 요소	의사결정단위
필요지식	회계학	행정학·경영학	경제학	행정학, 기획론
예산과 조직	직접적 연결	직접적 연결	간접적 연결	간접적 연결

10 정답 ③

정답해설 ③ 사회학적 제도주의는 사회적 정당성의 논리에 의해 조직에서 사용되는 제도는 경쟁의 결과물이 아닌 인지된 문화적 관행으로 인식하였다.

11 정답 ③

정답해설 ③ 「지방자치법」상 주민이란 해당 지방자치단체의 관할구역에 주민등록이 되어 있는 자로 일정한 요건에 해당하는 재외국민과 외국인을 포함한다.

핵심체크 아른슈타인(Arnstein)의 주민참여의 단계

참여형태	참여단계	참여 내용
실질적 참여 (주민권력)	주민통제	주민들이 스스로 입안(결정)하고 집행 및 평가 단계까지 완전히 통제하는 완전한 자치가 이루어지는 단계
	권한위임	주민이 정책과정에 우월한 권력을 가지고 참여하며, 행정기관은 문제해결을 위해 주민을 협상의 장으로 유도하는 수준에 그치는 단계
	공동협력	행정기관이 최종적인 결정권을 지니지만 주민이 행정기관에 맞서서 자신들의 주장을 내세울 만큼의 영향력을 갖고 있는 단계
형식적 참여 (명목적 참여)	회유(설득)	주민이 정보를 제공받고 각종 위원회 등에서 의견을 제시하나 실질적으로는 의사결정에 영향을 미치지 못하는 단계
	자문(상담)	행정기관이 주민의 의견을 청취하나 결정권은 여전히 행정기관이 소유하는 단계
	정보제공	행정기관이 일방적으로 정보를 제공하는 단계(양방향적 의사소통이나 협상 불허)
비참여	치료(교정)	행정기관이 주민의 욕구불만을 분출시켜 일방적인 지도를 통해 주민들의 태도나 행태를 교정하는 단계
	조작(제도)	주민들이 행정기관의 활동에 관심을 두지 않은 상태에서 행정기관이 일방적으로 주민에게 접촉하여 설득·계도·지시하는 단계

핵심체크 「지방자치법」상 주민

개념	· 자치단체의 구역 안에 주소를 가진 자 · 일정한 요건에 해당하는 재외국민과 외국인
주민의 권리	· 자치단체의 정책의 결정 및 집행 과정에 참여할 권리 · 소속 자치단체의 재산과 공공시설을 이용할 권리 · 자치단체로부터 균등하게 행정의 혜택을 받을 권리 · 지방의회의원과 지방자치단체의 장의 선거에 참여할 권리
주민의 의무	소속 자치단체의 비용을 분담해야 하는 의무

12 정답 ①

정답해설 ① ㉠, ㉡은 옳고, ㉢, ㉣은 옳지 않다. 델파이기법은 전문가들이 각각 독자적으로 형성한 의견을 종합하여 정책대안을 개발하거나 미래를 예측하는 분석기법으로 랜드(LAND) 연구소에서 개발되었다(㉠). 델파이기법은 구조화된 설문지를 통하여 전문가들의 주관적 의견을 통계처리하는 주관적 미래예측기법이다(㉡).

오답해설 ㉢ 단기적 예측일수록 계량적 예측기법이, 장기적 예측일수록 주관적 예측기법이 활용된다. 델파이기법은 가까운 미래보다는 불확실한 먼 미래를 예측하기 위해 전문가들의 직관적 판단을 활용하는 주관적 예측방법이다.
㉣ 델파이기법은 구성원들의 솔직한 답변을 가져올 수 있고 구성원 간의 성격마찰, 감정대립, 지배적 성향을 가진 사람의 독주, 다수 의견의 횡포 등 집단회의 기법의 한계를 극복하는 장점이 있다.

핵심체크 델파이기법

의의	익명성이 유지되는 전문가들이 각각 독자적으로 형성·판단한 의견을 종합하여 정책의 미래를 예측하거나 합리적인 아이디어를 도출하려는 방법
개발	랜드(RAND) 연구소에서 집단토의 등 회의방식의 한계를 극복하기 위해 개발
절차	① 문제의 명확화 ➡ ② 참여자 선정 ➡ ③ 질문지(구조화된 설문지) 작성 ➡ ④ 1차 응답결과 분석(통계처리) ➡ ⑤ 후속 질문지 개발(1차 응답결과를 통계처리한 요약된 정보 제공) ➡ ⑥ 응답 및 질문의 3~4회 반복 ➡ ⑦ 통계처리 및 보고서 작성
특징	· 익명성(처음부터 끝까지 익명성 유지) · 통계처리(구조화된 설문지에 의한 응답을 통계처리해 중앙경향과 분산도 등과 같은 요약된 정보로 산출) · 통제된 환류(요약된 정보를 후속 설문지에 반영) · 반복(환류과정의 반복) · 유도된 합의 등
장점	· 익명성이 유지되어 외부적 영향력으로 인한 결론의 왜곡을 방지하고 솔직한 답변 도출 · 구성원 간의 마찰·감정대립·다수의견의 횡포 등 집단토론의 한계 극복 · 집단적 상호작용을 통한 다양한 변수 고려와 지식교환으로 창의적인 아이디어 도출 · 통제된 환류과정의 반복으로 의견 수정 기회를 제공하여 미래예측에 대한 위험 경감
단점	· 익명성으로 인하여 응답자의 불성실한 답변 야기 · 설문지의 질문구성에 의한 응답자 답변의 조작가능성 · 응답자들의 주관적 판단에 의존하므로 과학성 결여 · 응답자들의 개인적인 이해관계의 개입으로 객관성 결여 · 합의 유도로 인한 소수의견 묵살 가능성 · 동원된 전문가들의 역량 및 대표성의 문제 · 비판기회의 결여로 아이디어 창출 곤란

13
정답 ④

정답해설 ④ 아담스(Adams)의 공정성이론에 따르면 인간은 불공정성을 지각하게 되면 이를 해소하는 과정에서 동기가 유발된다.

핵심체크 아담스(Adams)의 공정성이론

의의	사람들은 자신의 산출/투입과 준거인물의 산출/투입을 비교하고 자신에 대한 처우가 불공정하다고 지각하게 되면 공정성을 얻기 위해 동기가 유발된다고 보는 이론
공정성에 대한 반응	• 준거인물과 자신의 산출/투입이 일치한다고 지각: 동기유발 없음. • 자신의 산출/투입이 작다고 지각(과소보상): 편익 증대 요구, 투입 감소, 산출의 왜곡, 준거인물 변경, 본인의 지각 변경, 조직에서의 이탈 등 • 자신의 산출/투입이 크다고 지각(과다보상): 편익 감소 요청, 투입 증대, 준거인물 변경, 본인의 지각 변경 등

14
정답 ③

정답해설 ③ ㉡, ㉢은 옳고, ㉠, ㉣은 옳지 않다. 전자정부의 발전은 정보의 자유로운 유통을 통한 이음매 없는 행정을 구현하여 직무 간 경계와 부서 간 경계를 없애고 통합적 행정을 강화해 나간다(㉡). 민주적 전자정부와 관련하여 UN은 전자적 참여가 전자정보화 ⇨ 전자자문 ⇨ 전자결정으로 진화되고 있다고 보았다(㉢).

오답해설 ㉠ 전자정부 서비스는 일방향 서비스에서 쌍방향 서비스로, 쌍방향 서비스에서 맞춤형 서비스로 진화되고 있다.
㉣ 전자정부의 발전을 위하여 우리나라는 행정안전부장관이 5년마다 전자정부기본계획을 수립하도록 하고 있다.

15
정답 ①

정답해설 ① 총액배분자율편성제도는 재정운용의 분권성을 강조하지만 하향적 의사결정구조를 지닌 제도이다.

핵심체크 총액배분자율편성제도

의의	기획재정부가 국가재정운용계획에 근거해 연도별 재정규모, 분야별·부문별·중앙관서별 지출한도를 제시하고 각 중앙관서가 이 지출상한선 안에서 정책의 우선순위에 입각해 자율적으로 재원을 배분하도록 하는 제도
배경	미시적·상향식 예산제도 방식의 한계를 극복하기 위한 거시적·하향식 예산제도
특징	• 총량에 대한 재정 규율 강화: 지출한도의 설정으로 예산총량에 대한 재정규율 강화 • 유사소유권 부여: 자율편성권 보장을 통하여 유사소유권 부여 • 비교우위에 부합하는 역할 분담: 중앙예산기관은 국가 전체의 재원배분 전략을 수립하고, 각 중앙관서는 업무의 전문성에 근거하여 자율적으로 예산편성 • 예산의 주된 관심을 정책으로 전환: 지출한도의 설정으로 중앙관서 내부에서 증원보다는 정책에 대한 타당성 검증 • 집행에 대한 통제 강화: 예산편성상의 자율성이 도덕적 해이를 야기하지 않도록 성과평가를 통해 집행상의 통제와 감시 강화 • 재정투명성 제고: 전체 재정규모와 분야별·중앙관서별 예산 규모 등 중요 정보를 각 중앙관서와 기획재정부가 공유하고 국무회의에서 함께 결정

16
정답 ①

정답해설 ① 기관분리형은 단일 지도자에 의한 행정부서 간 분파주의 배제에 유리하다.

핵심체크 지방자치단체의 기관구성 - 기관통합형과 기관대립형

비교	기관통합형(의원내각제형)	기관대립형(대통령중심제형)
장점	• 지방행정의 권한이 모두 지방의회에 집중되어 책임행정 구현 용이 • 의결기관과 집행기관 간 갈등과 대립이 적어 지방행정의 안정성 확보 • 의결기관과 집행기관의 단일화로 결정과 집행의 유기성 확보 및 지방행정의 신속성·능률성 제고 • 의회의 신중한 심의에 의한 정책결정으로 공정한 자치행정 가능 • 예산절감 및 탄력적인 행정집행 가능 • 소규모 기초자치단체에 적합	• 견제와 균형의 원리 실현을 통한 민주정치 • 전문적인 행정기구를 통한 행정의 전문성 향상 • 단일 지도자가 존재하여 행정책임 소재 분명 • 행정부서 간 분파주의 배제 극복을 통한 행정의 종합성 제고 • 집행기관 직선형의 경우 주민통제가 용이하고, 강력한 정책추진이 가능하며, 국민의 대응성 증진
단점	• 견제와 균형이 곤란하므로 민주정치 훼손 가능성 • 전문성이 약한 지방의회에 행정이 종속되어 행정의 전문성 저해 • 단일의 지도자가 없어 책임소재 불분명 • 행정부서 간 분파주의로 인한 행정의 종합성·통일성 약화 • 지방행정에 정치적 요인 개입 • 공무원의 재량범위 협소 • 위원회형의 경우 대도시의 다양한 이익집단과 계층의 대표성 확보 곤란	• 집행기관과 의결기관의 갈등과 대립으로 지방행정의 안정성과 능률성 저해 • 민주적 정당성의 이원화로 책임행정 저해 • 단일의 지도자에게 의사결정권이 집중되어 신중한 의사결정 저해 • 집행기관 직선형의 경우 표를 의식한 인기영합적 정책 양산

17
정답 ②

정답해설 ② ㉠, ㉢은 옳고, ㉡, ㉣은 옳지 않다. 프레스만(Pressman)과 윌다브스키(Wildavsky)는 정책은 집행동안에도 끊임없이 재설계된다고 보고 집행과정에 참여자가 너무 많아서 오클랜드 사업이 실패하였다고 주장하였다(㉠). 립스키(Lipsky)의 '일선관료제'에 따르면 일선관료는 복잡하고 불확실한 상황을 단순화·정형화하여 문제를 해결한다(㉢).

오답해설 ㉡ 나카무라(Nakamura)와 스몰우드(Smallwood)는 집행자가 결정자의 목표를 지지하면서 집행자들 상호 간에 행정적 수단에 관하여 협상을 벌이는 유형을 지시적 위임가형이라 하였다.
㉣ 사바티에(Sabatier)의 정책지지 연합모형은 상향적 접근방법의 분석단위를 채택하고, 여기에 영향을 미치는 요인으로 하향적 접근방법의 여러 가지 변수를 결합하였다.

핵심체크 프레스만(Pressman)과 윌다브스키(Wildavsky)의 공동행위의 복잡성이론

의의	• 오클랜드 사업(소수민족취업정책)의 집행 실패 연구 • '정책집행은 집행기간 동안 끊임없이 재설계되는 지속적인 결정과정'이라고 보고 정책실패요인을 제시
실패 요인	• 집행과정에서 다수의 참여자: 집행과정에서 참여자 수가 너무 많아 이들이 의사결정점(거부점)으로 행동 • 집행관료의 빈번한 교체: 정책집행의 일관성 결여 • 타당한 인과모형 결여: 적절하지 못한 집행수단 선택(수단과 목표 간 인과관계 결여, 집행수단이 간접적) • 부적절한 집행기관: 집행기관이 정책의도 왜곡

핵심체크) 사바띠에(Sabatier)의 정책지지 연합모형

의의	다양한 집행 관련자들의 연합을 분석단위로 한 상향적 접근을 기본으로 하고, 사회경제적 조건과 법적 수단이 어떻게 참여자들의 행태를 제한하는지를 살피는 하향적 접근을 결합한 통합모형
내용	• 정책하위체제에 영향을 미치는 조건 : 문제의 속성, 법적 구조 등의 안정적 변수와 사회경제적 조건의 변화, 여론의 변화, 정치체제의 지배적 연합의 변화 등 외부적 사건 • 정책하위체제 : 정책행위자들은 유사한 신념체제를 지닌 동맹을 찾아 지지연합을 형성하고 다른 신념 체계를 가진 지지연합과 갈등·경쟁하며, 이를 정책중재자가 조정하는 과정에서 정책변동 발생 • 정책학습 : 지지연합들은 정책지향적 학습을 통해 자신의 정책방향이나 전략을 수정·강화
함의	• 정책집행은 연속적이고 지속적인 정책변동의 과정(점진적 정책변동) • 정책변동을 이해하기 위한 가장 유효한 분석단위는 정책하위시스템 • 정책변동을 야기하는 요인 : 지지연합 간의 상호작용, 정책하위체제에 영향을 미치는 조건의 변화(정치체제의 변화와 사회경제적 환경 변화), 정책지향적 학습(중시) • 정책중재자의 역할을 중시하며, 정책변동을 이해하기 위해서는 장기간이 필요
평가	정행이원론에 입각한 단계모형(결정과 집행의 단일방향적 인식)의 한계 극복

18

정답 ④

정답해설 ④ ㉠, ㉣은 옳고, ㉡, ㉢은 옳지 않다. 수평구조는 상호 보완적인 기능을 가진 사람들이 공동의 목표를 달성하기 위해 책임을 공유하고 공동의 접근방법을 사용하는 조직단위이다. 수평구조는 수직적·수평적인 경계를 제거한 조직구조로 불명확한 업무분장이 이루어지며, 이로 인해 조직원의 불안과 갈등을 조성할 위험성이 있다(㉠). 애드호크라시는 탈관료제로 수직적으로는 통합되어 있지만 수평적으로는 일의 흐름에 따라 분화된 조직구조이다(㉣).

오답해설 ㉡ 유기적 구조는 유동적인 환경으로 인한 불명확한 조직목표와 과제를 지녀 성과평가가 곤란할 때 적합한 조직구조이다.
㉢ 매트릭스구조는 혼합적·이원적 구조의 상설조직으로 명령통일의 원리에 반한다.

19

정답 ③

정답해설 ③ ㉡, ㉢은 옳고 ㉠, ㉣은 옳지 않다. 우리나라와 미국은 연금재원을 조달하기 위한 기금제와 연금비용을 국가와 공무원이 공동부담하는 기여제가 활용되고 있다. 반면, 영국과 독일은 비기금제와 비기여제가 활용되고 있다(㉡). 우리나라는 현직공무원의 기여금을 바로 퇴직 연금대상자에게 지급하는 부과방식으로 운영되며, 연금재정수지부족액은 국가재정으로 보전하는 부양원리에 입각해 있다(㉢).

오답해설 ㉠ 우리나라의 경우 공무원연금의 운영에 관한 사항은 인사혁신처장이 주관하며, 공무원연금공단은 공무원연금기금을 관리·운용한다.
㉣ 우리나라는 유보된 보수를 나중에 지급한다는 입장인 거치보수설의 입장에서 퇴직연금을 공무원의 당연한 권리로 인식한다.

핵심체크) 공무원연금제도

의의		공무원의 후생복지를 위한 사회보장의 일환으로 공무원이 노령·질병·장애 등으로 퇴직하거나 사망한 경우에 본인 또는 유족에게 지급하는 금전적 급부
본질	공로 보상설	• 재임 중의 공로를 국가가 보상한다는 입장(은혜설 - 비기여제와 연계) • 공무원이 기여금을 납부하지 않고 전액 정부가 부담(영국, 독일)
	거치 보수설	• 유보된 보수를 나중에 지급한다는 입장(보수유보설 - 기여제와 연계) • 정부(정부부담금)과 공무원(공무원 기여금)이 공동으로 기금을 조성하며, 공무원의 당연한 권리로 광의의 보수에 포함됨(우리나라, 미국)
운영 방식	기금제	• 연금재원을 조달하기 위해 기금을 조성·운용하는 방식(우리나라, 미국) • 출발(개시)비용 및 운용·관리비용이 많이 발생하나 기금운용 수익이 있음
	비 기금제	• 연금재원을 국가의 예산으로 확보하여 충당하는 방식(영국, 독일) • 출발(개시)비용 및 운용·관리비용이 적게 발생하나 기금운용 수익이 없음
	우리나라	기금제에 입각해서 공무원연금기금을 설치·운용
비용 부담 방식	기여제	연금비용을 국가(자치단체)와 공무원이 공동으로 부담하는 방식(미국, 한국)
	비기여제	연금비용을 국가(자치단체)가 전액 부담하는 방식(영국)
	우리나라	공무원은 기여금(기준소득월액의 9%)을, 국가나 자치단체는 연금부담금(보수예산의 9%)을 균등 부담
재정 방식	적립방식	• 공무원이 재직 중 기여금을 납부·적립하고, 정부가 적립자금을 투자·운용하여 수익을 확보한 다음, 퇴직했을 때 원금과 수익금을 지급하는 방식 • 인구구조의 변화나 경기변동의 영향을 적게 받아 연금재정 및 급여의 안정성을 확보할 수 있으며, 기여금의 운용수익을 얻을 수 있음
	부과방식	• 현직 공무원이 납부한 기여금을 적립하지 않고 바로 퇴직한 연금대상자에게 지급하는 방식(우리나라) • 인플레이션이 심한 경우라도 연금급여의 실질적 가치 확보 용이

20

정답 ①

정답해설 ① 신공공관리론은 고객지향적 행정을 추구함으로써 시민을 생산자에 대한 선택권만을 지닌 수동적 존재로 인식하였다.

핵심체크) 신공공관리론의 한계

이념 측면	• 공익과 충돌 : 사익(경영)관리기법의 무분별한 도입 • 사회적 형평성과 충돌 : 민영화, 민간위탁으로 인한 수익자민주주의 • 민주성·합법성과 충돌 : 정당한 절차 및 법치주의 불고려
작은 정부 구축 측면	• 결정과 집행의 구분이 어려워 기능분담의 적정성 확보 곤란 • 분절화 현상으로 거래비용(감시·통제비용) 증가 및 책임성 저하 • 기타 : 역대리인의 문제(역선택과 도덕적 해이), 공동화 국가 초래
성과체제 구축 측면	• 규칙과 법규의 철폐로 인한 관료의 공공책임성 저하 및 부패 조장 • 성과지표 개발 곤란으로 질적·무형적 요소 불고려 • 관료의 성과지표에 대한 집착으로 창의성 저해 및 목표의 전환 야기 • 고객지향적 행정으로 시민의 수동적 존재화 • 기타 : X이론적 관리(제재와 보상), 잘못 정의된 문제의 문제(제3종 오류)

제 10 회 파이널 모의고사

01
정답 ④

정답해설 ④ 불법재정지출에 대한 국민감시제(④)는 재정투명성을 위한 제도적 장치이다.

핵심체크 건전재정을 위한 제도적 장치

- 재정부담을 수반하는 법령의 제·개정(법률안 재정 소요 추계제도): 재정지출 또는 조세감면을 수반하는 법률안을 제출하고자 하는 때에는 법률이 시행되는 연도부터 5회계연도의 재정수입·지출의 증감액에 관한 추계자료와 이에 상응하는 재원조달방안을 그 법률안에 첨부
- 국세감면률 제한: 기재부장관은 국세수입 총액과 국세감면액 총액을 합한 금액에서 국세감면액 총액이 차지하는 비율(국세감면율)이 대통령령으로 정하는 비율 이하가 되도록 노력해야 함.
- 추가경정예산 편성사유 제한
- 세계잉여금 처리용도 제한
- 금전채무에 대한 국가채무관리계획 수립 및 국회제출
- 국고채무부담행위나 보증채무부담행위시 국회의 사전 동의
- 총사업비관리제도와 예비타당성조사
- 국가재정운용계획의 국회 제출

02
정답 ③

정답해설 ③ ㉠은 옳고 ㉡, ㉢은 옳지 않다. 크렌슨(Crenson)의 '대기오염의 비정치화이론'은 이익은 분산되고 비용은 집중되는 전체적인 문제의 경우 비용부담자들의 강력한 저항으로 정부의제화가 곤란하다고 보았다(㉡). 문제 자체가 매우 복잡하여 해결책을 선택하기 곤란한 사회문제는 정부의제화가 곤란하다(㉢).

핵심체크 정책의제설정에 영향을 미치는 요인

주도집단의 특성	주도집단의 유형	• 외부주도형보다 내부주도형이나 동원형이 정부의제화 용이 • 외부주도형이라도 공식적 참여자들이 큰 영향력 행사
	주도집단의 속성	• 요구집단의 규모와 영향력이 클수록 정부의제화 용이 • 정책이해관계자가 넓게 분포되든 좁게 분포되든 조직화의 정도가 높은 경우(조직비용이 낮은 경우) 정부의제화 용이
정책문제의 특성	문제의 중요성과 해결책	사회적 유의성(중대하고 심각한 문제)이 클수록 정부의제화 용이
		문제의 해결책이 없으면 정부의제화 곤란(가장 중요한 영향요소)
	문제의 외형상 특성	문제가 단순하여 쉽게 이해될수록 정부의제화 용이
		문제가 추상적일수록 저항이 적어 정부의제화 용이(견해 대립 있음)
	문제의 내용상 특성	배분정책: 편익집단의 집단행동으로 정부의제화 용이
		규제정책 - 크렌슨의 대기오염의 비정치화: 이익은 분산되고 비용은 일부집단에 집중되는 전체적인 문제는 정부의제화 곤란
		재분배정책: 공중의 지지, 대통령의 신념이 있어야만 정부의제화
	선례와 유행성	선례나 유행성이 있는 문제는 정부의제화 용이
	극적 사건과 위기	극적 사건이 있는 경우 정부의제화 용이
환경적 요인	정치적 요인	• 민주적 사회는 외부주도형, 권위적 사회는 내부주도형이나 동원형 • 정치적 사건이 발생한 경우 정부의제화 용이
	기타 환경적 요인	• 국민의 관심 집중도가 높을수록 정부의제화 용이 • 정책담당자가 적극적 태도를 보일 경우 정부의제화 용이

03
정답 ①

정답해설 ① 블레이크와 머튼(Blake & Mouton)의 관리망이론은 어떤 사람이든 리더가 될 수 있으며, 리더의 행동특성을 훈련시켜 성공적인 리더를 만들어 갈 수 있다고 보고 조직발전(OD)의 기법으로 활용되었다.

오답해설 ② 피들러(Fiedler)는 상황변수로 리더와 부하와의 관계, 직위권력, 과업구조를 제시하고, 상황이 유리하거나 불리할 때는 과업형 리더십이 효율적임을 주장하였다.
③ 책임을 포기하고 의사결정을 회피하는 자유방임(free-rein)은 비거래적 리더십의 특징이며, 거래적(transactional) 리더십은 노력이나 성과에 대한 보상, 예외에 의한 관리를 구성요소로 한다.
④ 행동지침의 명확한 제시 및 부하들에 대한 적극적 지원을 제공하고 이를 통해 부하들의 노력을 촉진해 나가는 리더십은 거래적 리더십이다.

04
정답 ①

정답해설 ① 분류법은 등급별로 책임도, 곤란성, 필요한 지식과 기술 등에 관한 기준을 고려하여 직위의 등급 수와 분류 기준을 작성한 등급기준표에 따라 직무의 책임도와 곤란도를 평가하는 절대평가방법이다.

오답해설 ② 점수법은 직무요소를 평가대상으로 하며, 체계적이고 과학적인 방법에 의해 작성된 직무평가기준표를 사용하는 절대평가방법이다.
③ 서열법은 직무와 직무를 직접 비교하는 비계량적인 방법으로 직무와 직무를 직접 비교하기 때문에 간편하고 시간과 비용이 절감되나, 자의적이고 주관적인 평가가 야기된다.
④ 요소비교법은 기준직위와 평가할 직위를 비교해 가면서 점수를 부여하여 보수액을 산정하는 양적 평가방법이다. 다만, 정부기관에서는 분류법이, 기업체에서는 점수법이 가장 많이 사용된다.

핵심체크 직무평가방법

구분		특징	비고	평가
비계량적방법	서열법	• 직무를 전체적·종합적으로 평가하여 상대적 중요도에 의해 서열을 부여하는 자의적 평가방법(단순서열법, 쌍쌍비교법) • 소규모 조직을 제외하고 거의 사용되지 않음. • 간편하고 시간과 비용이 절감되나 분류가 자의적임.	직무와 직무의 비교 (상대평가)	직무전체를 포괄적으로 평가
	분류법 (등급법)	• 직위의 등급수와 분류 기준을 작성한 등급기준표에 따라 직무의 책임도와 곤란도를 평가하는 방법 • 정부기관에서 가장 많이 사용되는 방법 • 보편적인 직무 특성을 명시할 뿐 요소별 구체적인 평가방법을 제시하지 못함.	직무와 등급기준표의 비교 (절대평가)	

계량적 방법	점수법	• 평가요소별 점수를 부여한 직무평가기준표에 근거하여 직위를 평가요소별로 평가하여 각 직위의 등급을 결정하는 방법 • 기업체에서 가장 많이 사용되는 방법 • 평가결과의 타당성과 신뢰성이 확보되나, 평가절차가 복잡하여 시간과 비용의 과다소모 야기	직무와 직무평가 기준표의 비교 (절대평가)	직무의 구성요소를 선정하여 평가
	요소비교법	• 기준(대표)직위를 먼저 선정한 다음 직무요소별로 기준직위와 평가할 직위를 비교해 가면서 점수를 부여하여 보수액을 산정하고 제시하는 방법 • 가장 늦게 개발된 객관적이고 정확한 방법이나 평가절차가 복잡하고 평가요소 및 대표직위의 선정 시 주관이 개입될 여지 있음.	직무와 직무의 비교 (상대평가)	

05 정답 ④

정답해설 ④ 사회적 자본은 대외적인 폐쇄성을 지녀 사회적 균열을 초래하고 다양성을 저해할 위험성이 있다.

핵심체크 사회적 자본

개념	사회적 효율성을 높일 수 있는 상호신뢰(믿음), 호혜성의 규범(친사회적 규범), 시민들 간의 수평적 네트워크 등과 같은 사회조직의 속성(Putnam)
이론적 기초	공동체주의와 뉴거버넌스론
성질	• 사회적 관계: 인적·물적 자본과 대비되며, 사회적 관계 속에서 형성되는 자본 • 경제적 가치: 국가경쟁력의 원천이 되는 자본 • 공공재적 성격: 한 개인이 배타적으로 소유할 수 없는 자본 • 자기강화적 성격: 사용할수록 증가하는 자본 • 비(非)등가적·비(非)동시적 교환관계: 지속적인 교환과정을 통해 유지·재생산되나 등가적 교환이나 동시적 교환이 이루어지지 않은 자본 • 상향적 형성: 시민사회에 의해 자발적·상향적으로 형성되는 자본
순기능	• 진정한 자치 및 담론적 민주주의 실현 • 사회적 제재력을 통한 상호 소망스러운 행위 유도 • 거래비용 감소를 통한 경제발전 • 정책순응도 향상 및 협력을 통한 효율성 제고 • 가외적 장치의 필요성 감소 및 지식 공유와 학습 촉진
역기능	• 타집단에 대한 대외적 폐쇄성과 배타성으로 집단 간 갈등이나 균열 야기 • 집단규범 강요수단으로 동조성을 요구하여 개인의 사적 선택 제한 • 정부정책의 비판 결여 • 형성과정의 불투명성 및 측정의 곤란성

06 정답 ②

정답해설 ② 감사원이나 국민권익위원회 등의 독립통제기관에 의한 통제(㉠), 근무성적평정제도에 의한 통제(㉣), 계층제에 의한 통제(㉤), 교차기능조직에 의한 통제(㉦)는 내부적 – 공식적 통제이다. 공무원의 직업윤리(㉡), 대표관료제에 의한 통제(㉧)는 내부적 – 비공식적 통제장치이며, 옴부즈만에 의한 통제(㉢)는 외부적 – 공식적 통제이고, 정당에 의한 통제(㉥)는 외부적 – 비공식적 통제이다.

핵심체크 행정통제의 유형

구분	공식통제	비공식통제
내부통제	• 행정수반 및 국무총리에 의한 통제 • 계층제(상관)에 의한 통제 • 독립통제기관(감사원, 국민권익위)에 의한 통제 • 교차기능조직에 의한 통제 • 정부업무평가에 의한 통제 • 행정심판에 의한 통제 • 근무제도에 의한 통제 • 감찰제도, 예산제도, 정원통제 등	• 행정윤리에 의한 통제 • 기능적 책임에 의한 통제 • 대표관료제에 의한 통제 • 공무원노조에 의한 통제 • 행정문화에 의한 통제 • 비공식집단에 의한 통제 • 공익에 의한 통제
외부통제	• 입법부에 의한 통제 • 사법부에 의한 통제 • 옴부즈맨에 의한 통제	• 민중통제 및 NGO에 의한 통제·언론통제 • 정당에 의한 통제 • 이익집단 및 고객에 의한 통제

07 정답 ③

정답해설 ③ 직접수단과 간접수단은 행정활동을 정부가 직접 하는지 아니면 제3자 또는 민관이 공동으로 하는지에 따른 구분이다. 경제적 규제(㉡), 정부소비(㉣), 공기업(㉥)은 직접수단에 해당하며, 사회적 규제(㉠), 조세지출(㉢), 보험(㉤)은 간접수단에 해당한다.

핵심체크 직접수단과 간접수단

직접수단	경제적 규제, 직접대출, 공기업, 정부소비
간접수단	사회적 규제, 대출보증, 보험, 계약, 보조금, 조세지출, 바우처, 손해책임법, 사용료·과징금
쟁점	형평성에 대한 고려가 중요한 경우에는 직접수단이 간접수단보다 적절함.

08 정답 ①

정답해설 ① 에드호크라시는 탈관료제로 다양하고 이질적인 전문가로 구성된다.

핵심체크 애드호크라시(Adhocracy)

의의	• 다양한 전문기술을 가진 비교적 이질적인 전문가들이 프로젝트를 중심으로 집단을 구성하여 문제를 해결하는 변화가 빠르며 적응적이고 일시적인 체제 • 현실에서 애드호크라시는 관료제를 대체하기 보다는 관료제와 공존을 전제로 구성됨.
특성	① 낮은 수준의 복잡성(낮은 수준의 수직적 분화와 높은 수준의 수평적 분화), ② 낮은 수준의 공식성, ③ 낮은 수준의 집권성
형태	매트릭스조직, 태스크포스, 팀제, 위원회조직, 동료형(칼리지아) 조직 등
장점	① 조직의 적응력과 창의성 증진, ② 다양한 전문 요원들의 협동적 노력이 요구될 때 유용, ③ 변화에 대한 신속한 대응 능력 증진 등
단점	① 집단적 문제해결을 지향하므로 권한과 한계 불분명, ② 업무처리과정에서 갈등과 비협조 상존 등

09 정답 ②

정답해설 ② 예산결산위원회가 소관 상임위원회에서 삭감한 세출예산 각항의 금액을 증가하게 하거나 새 비목을 설치할 경우에는 소관 상임위원회의 동의를 얻어야 한다.

10   정답 ④

정답해설 ④ 지방자치단체의 장은 재의요구 및 제소권, 선결처분권, 임시회소집요구권 등을 통하여, 지방의회는 조례제정권, 행정사무감사 및 조사권 등을 통하여 서로 견제한다.

오답해설 ① 직무이행명령은 중앙통제의 수단으로 중앙정부가 지방자치단체장을 통제하기 위한 제도이며, 지방의회의 권한이 아니다.
② 우리나라는 지방자치단체의 장에 대한 지방의회의 불신임의결권과 지방자치단체의 장의 지방의회 해산권은 인정되지 않고 있다.
③ 과거에는 「지방자치법」에 지방의회 의장은 지방의회 사무직원 추천권을, 지방자치단체의 장은 지방의회 사무직원 임명권을 갖도록 규정하였으나, 최근 「지방자치법」 개정을 통해 지방의회 사무직원의 임면권은 지방의회 의장이 갖도록 규정하였다.

핵심체크 지방의회의 지방자치단체장 상호 간의 권한

의회의 권한	지방자치단체장의 권한
조례 제정권	조례 공포권
예산의 심의·확정 및 결산의 승인권	예산안 및 결산안 편성·제출권
의결권, 재의결권, 선결처분승인권	재의요구권 및 제소권, 선결처분권
단체장의 출석답변 요구권	단체장 및 공무원의 출석 답변권
행정사무 감사 및 조사권	임시회 소집 요구권, 위원회 개최 요구권
단체장에 대한 불신임의결권 없음.	단체장의 의회해산권 없음.

11   정답 ②

정답해설 ② 정책수단과 정책목표 간의 인과관계를 검증하기 위해서는 시간적 선행의 조건, 공동변화의 조건, 경쟁적 가설 배제의 조건이 충족되어야 한다.

오답해설 ① 정책평가에서는 정책을 환경에 대한 독립변수로 놓고 그 효과를 측정하여 정책의 타당성을 검증한다.
③ 특정 정책이 집행되고 난 이후에 정책목표가 달성되었다 하더라도 허위변수나 혼란변수 등의 경쟁적 가설들에 의한 것일 수 있으므로 정책과 그 목표 사이에는 인과관계가 있다고 결론 내릴 수 없다.
④ 두 변수 간에 일부 상관관계가 있는 상태에서 두 변수 모두에 영향을 미쳐 그 효과를 크게 보이도록 하는 변수를 혼란변수라 한다.

12   정답 ③

정답해설 ③ ㉠, ㉡, ㉣은 옳지 않고 ㉢은 옳다. 파킨슨의 법칙은 브레낸과 뷰캐넌의 리바이던 가설과 마찬가지로 정부는 지속적으로 팽창한다는 법칙이다(㉠). 파킨슨의 법칙에 의하면 정부는 본질적 업무의 증가와 상관없이 공무원 수가 일정한 비율로 증가한다. 이는 부하배증에 따른 (파생적) 업무의 배증에 기인한 것이다(㉡). 파킨슨의 법칙은 정부실패의 유형 중 내부성(공무원이 개인적 이익이나 소속기관의 이익을 우선 고려함으로써 사회전체의 목표와 관료의 목표가 괴리를 빚는 현상)과 관련된다(㉣).

핵심체크 파킨슨의 법칙(Parkinson's Law)

의의	• 공무원의 수는 본질적인 업무량 증가와 관계없이 증가한다는 법칙 • 파킨슨은 사회심리학적 측면에서 공무원 수의 증가현상을 실증적으로 분석(매년 평균 5.75%의 비율로 증가)
내용	제1공리(부하배증의 법칙)와 제2공리(업무배증의 법칙)의 상호작용
한계	• 위기상황 시 공무원 수 증가 현상 설명 곤란 • 감축관리로 인한 공무원 수 축소 현상 설명 곤란

13   정답 ①

정답해설 ① 조정에 관한 원리는 수직적 분화와 관련되며, 분업에 관한 원리는 수평적 분화와 관련된다. 조직원은 누구나 한 사람의 상관으로부터만 명령을 받고 보고를 해야 한다는 명령통일의 원리는 수직적 분화와 관련되므로 조정에 관한 원리에 해당하지만, 계선과 참모를 분리해야 한다는 참모조직의 원리는 수평적 분화와 관련되므로 분업에 관한 원리에 해당한다.

핵심체크 분업에 관한 원리와 조정에 관한 원리

분업에 관한 원리	조정에 관한 원리
• 분업의 원리 • 부처편성(부성화)의 원리 • 동질성의 원리: 각 조직단위가 같은 조직의 활동으로만 구성되어야 한다는 원리 • 참모조직의 원리: 계층제의 명령계통으로부터 참모를 분리해야 한다는 원리 • 기능명시의 원리: 분화된 모든 기능은 명문으로 규정되어야 한다는 원리	• 조정의 원리 • 계층제(계서제)의 원리 • 통솔범위의 원리 • 명령통일의 원리 • 집권화의 원리 • 명령계통의 원리 • 목표의 원리 • 권한과 책임 일치의 원리

핵심체크 수평적 조정기제와 수직적 조정기제

수평적 기제	동일한 계층의 부서 간 조정과 의사소통 방법: 정보시스템, 직접접촉(연락담당자 지정), 임시사업단(TF), 프로젝트매니저(통합관리자), 프로젝트팀, 위원회나 회의, 상위통합기구의 활용 등
수직적 기제	상위계층이 하위계층을 통제·조정하는 방법: 계층제의 활용 또는 계층직위의 추가, 규칙과 상위계획의 마련, 수직정보시스템(정기보고, 문서화된 정보, 정보통신시스템)의 활용 등

14   정답 ④

정답해설 ④ 합리선택적 신제도주의는 인간의 선호를 선험적으로 외부에서 주어진 외생적 선호를 가정한다.

15   정답 ①

정답해설 ① 공무원노조를 설립하고자 하는 경우에는 고용노동부장관에게 노조설립신고서를 제출하여야 한다.

핵심체크 「공무원의 노동조합 설립 및 운영 등에 관한 법률」

적용대상	「국가공무원법」상 공무원과 「지방공무원법」상 공무원은 이 법의 적용을 받으며, 사실상 노무에 종사하는 공무원과 교원은 이 법의 적용을 받지 않음.
설립단위	국회·법원·헌법재판소·선거관리위원회·행정부·특별시·광역시·특별자치시·도·특별자치도·시·군·구 및 특별시·광역시·도의 교육청을 최소단위로 함(헌법상 독립기관과 자치단체별로 독립된 노조 결성).
설립신고	고용노동부장관에게 노조설립신고서를 제출해야 함.
노조 전임자	• 공무원은 임용권자의 동의를 얻어 노동조합의 업무에만 종사할 수 있음. • 노동조합의 업무에만 종사하는 자(전임자)에 대해서는 그 기간 중 휴직명령을 해야 하며, 국가 및 자치단체는 전임자에 대해 그 전임기간 중 보수를 지급해서는 아니 됨.
단체교섭	• 교섭대상 및 주체: 대표자는 그 노동조합에 관한 사항 또는 조합원의 보수·복지, 그 밖의 근무조건에 관하여 인사혁신처장 등과 단체협약을 체결할 권한을 가짐. • 교섭 제외대상: 법령 등에 따라 국가나 자치단체가 그 권한으로 행하는 정책결정에 관한 사항, 임용권의 행사 등 그 기관의 관리·운영에 관한 사항으로서 근무조건과 직접 관련되지 아니하는 사항은 교섭의 대상이 될 수 없음.

단체협약의 효력	• 체결된 단체협약의 내용 중 법령·조례 또는 예산에 의해 규정되는 내용과 법령 또는 조례에 의한 위임을 받아 규정되는 내용은 단체협약으로서의 효력을 가지지 아니함. • 정부교섭대표(인사혁신처장)는 단체협약으로서의 효력을 가지지 아니하는 내용에 대해서는 그 내용이 이행될 수 있도록 성실히 노력해야 함.
조정신청	단체교섭이 결렬된 때에는 당사자 일방 또는 쌍방은 중앙노동위원회에 조정을 신청할 수 있으며, 중앙노동위원회는 조정신청이 있는 날로부터 30일 이내에 종료해야 함(지방공무원노조도 중앙노동위원회에 조정신청).
단체행동 금지	• 정치활동 금지: 노동조합과 그 조합원은 정치활동을 해서는 아니 됨 • 쟁의행위 금지: 노동조합과 그 조합원은 파업·태업 그 밖에 업무의 정상적인 운영을 저해하는 일체의 행위를 해서는 아니 됨.
기타	• 복수노조 인정 여부: 명문규정은 없으나 판례상 인정 • 공무원직장협의회와 관계: 공무원은 공무원노조 가입도 가능하고 공무원직장협의회 가입도 가능

16   정답 ④

정답해설 ④ 예산의결주의는 예산을 법률보다 하위의 예산서의 형태로 국회의 의결을 얻는 것으로 공포를 효력요건으로 하지 않으며, 국회의 의결로 확정된다.

핵심체크 예산법률주의와 예산의결주의

구분	예산법률주의	예산의결주의
의의	예산을 법률의 형식으로 국회의 의결을 얻는 것	예산을 법률보다 하위의 예산서의 형태로 국회의 의결을 얻는 것
채택국가	영국, 미국	한국, 일본, 대륙법계 국가
특징	세입과 세출예산 모두 매년 국회가 법률로 확정(세입과 세출이 모두 법적 구속력 지님)	행정부가 편성한 예산을 매년 국회가 의결(세출은 대정부 구속력, 세입은 참고자료)
대통령의 거부권	원칙적으로 거부권 행사 가능	거부권 행사 불가능
조세에 대한 시각	1년세주의(세입·세출예산을 매년 의회가 법률로 확정하고 법적 구속력을 부여하기 때문에 세입도 1년간의 효력만을 가짐)	영구세주의(세입예산은 구속력이 없기 때문에 따로 법률로 규정하며, 법률은 제·개정이 되기 전까지 효력을 가짐)

17   정답 ③

정답해설 ③ 합리모형은 예측가능성이 큰 확실한 상황에 적용이 용이하지만, 점증모형은 예측가능성이 낮은 불확실한 상황에 적용이 용이하다.

핵심체크 합리모형과 점증모형의 비교

합리모형	점증모형
목표달성도에 초점	바람직하지 않은 상황의 제거에 초점
• 전체적 최적화 추구 • 포괄적·근본적 결정(비가분적·비분할적 결정)	• 부분적 최적화 추구 • 지엽적·세부적 결정(가분적·분할적 결정)
• 목표수단분석 가능 • 목표·수단의 연쇄 관계 불인정	• 목표수단분석 불가능 • 목표·수단의 연쇄 관계 인정
쇄신적·근본적 변화 (기득권·매몰비용 불고려)	점진적·한계적 변화 (매몰비용·기득권 인정)
하향적 결정(소수에 의한 폐쇄적 결정)	상향적 결정(다양한 이해관계자의 참여)
연역적 접근(이론적 근거 있음)	귀납적 접근(이론적 근거 결여)
경제적 합리성 추구	정치적 합리성 추구
단발적 결정: 문제의 재정의 없음.	연속적 결정: 문제의 재정의 빈번
모든 관련 요소에 대한 포괄적 분석	제한된 비교 분석
목표달성을 위한 최적 수단선택에 초점	이해당사자간의 대화·토론에 초점
권위주의 체제, 개발도상국 적용 용이	민주주의 체제, 선진국에 적용 용이
폐쇄체제에 입각	개방체제에 입각
• 환경변화에 대응 용이: 급격한 변화가 나타나는 불안정적인 사회에 적용 • 불확실성에 대응 곤란: 예측가능성이 큰 확실한 상황에 적용	• 환경변화에 대응 곤란: 점진적 변화를 추구하는 안정적 사회에 적용 • 불확실성에 대응 용이: 예측가능성이 낮은 불확실한 상황에 적용
정책문제의 상호연관성이 낮을 때 최적화 추구에 유리	정책문제의 상호연관성이 높을 때 만족화 추구에 유리

18   정답 ②

정답해설 ② BSC의 구성요소 중 고객 관점은 외부시각으로 고객만족도, 정책순응도, 민원인의 불만율, 신규고객 증감 등을 지표로 한다. 의사결정에서의 시민참여는 내부 프로세스 관점의 지표이다.

핵심체크 균형성과표(BSC)의 성과지표

재무 관점 (과거시각, 후행지표)	재정운영의 효율성 제고를 목적으로 하며 매출, 자본수익률, 예산 대비 차이, 시장점유율, 원가절감율 등(상부구조 – 가치지향적 관점)
고객 관점 (외부시각)	서비스의 만족도 증진을 목적으로 하며 고객만족도, 정책순응도, 민원인의 불만율, 신규고객 증감 등(상부구조 – 가치지향적 관점)
내부 프로세스 관점 (내부시각)	프로세스 개선을 목적으로 하며 의사결정과정에 시민참여, 적법절차, 조직 내 커뮤니케이션 구조, 공개 등(하부구조 – 행동지향적 관점)
학습과 성장 관점 (미래시각, 선행지표)	구성원의 능력개발을 목적으로 하며 학습 동아리 수, 내부 제안 건수, 직무만족도 등(하부구조 – 행동지향적 관점)

19   정답 ②

정답해설 ② 시뮬레이션은 업무수행 중 직면할 수 있는 어떤 상황을 가상적으로 만들어놓고 피교육자가 역할 실습 등을 통해 상황에 대처해보도록 하는 방법이다. 반면 액션러닝(Action Learning)은 미국 GE사의 전략적 인적자원 개발프로그램으로 활용된 것으로 실패의 위험을 지닌 실제 현안문제를 중심으로 성찰을 통해 학습하는 행동학습이다.

20　　　　　　　　　　　　　　　　　정답 ③

정답해설 ③ ㄴ, ㄹ은 옳고 ㄱ, ㄷ은 옳지 않다. 딜런(Dillon)의 법칙은 지방정부는 주정부의 창조물로서 주정부의 자유재량에 따라 창조되고 폐지될 수 있다고 보고 법칙으로 중앙집권을 대변한다(ㄴ). 홈룰(Home rule)운동은 주정부의 헌장에서 벗어나 지방정부가 자치헌장을 스스로 제정하고자 하는 신지방분권 현상 중 하나이다(ㄹ).

오답해설 ㄱ 라이트(Wright)는 정부 간 관계모형을 포괄권위형, 분리권위형, 중첩권위형으로 구분하고 중첩권위형을 가장 이상적인 모형으로 보았다.

ㄷ 로즈(Rhodes)는 중앙정부는 법적 자원과 재정적 자원에서, 지방정부는 정보자원과 조직자원에서 우위를 점하며, 상호자원의 교환과정으로 인해 상호의존성을 지니고 있다고 보았다.

핵심체크 정부 간 관계이론

개념		• 한 국가 내의 모든 계층의 정부단위 간에 일어나는 활동 또는 상호작용의 총체 • 중앙정부와 지방정부 간 관계, 광역과 기초 간의 관계를 모두 포함하는 개념
특징		규범적 이론 : 정부 간에 적정한 권한배분 및 통제관계에 대한 규범적 이론
라이트(Wright)의 모형	포괄 권위형 (내포형)	• 포괄·종속적 관계(계층제적 통제) • 계층제적 권위 • 기관위임사무 중심 • 완전 종속적 재정·인사
	분리 권위형 (대등형)	• 분리·독립적 관계(자율과 정부 간 경쟁) • 독립적 권위 • 고유사무 중심 • 완전 분리된 재정·인사
	중첩 권위형 (중복형)	• 상호의존적 관계(타협과 협상) • 협상적 권위 • 고유사무와 위임사무의 혼합 • 상호의존적 재정·인사 • 가장 이상적·규범적 관계
	평가	규범적인 정부 간 관계를 제시하지만 정부 간 역동적인 관계 포착 곤란
로즈(Rhodes)의 모형	대리자모형	지방정부가 중앙정부에 종속된 관계 - 포괄권위형과 유사
	동반자모형	지방정부가 중앙정부와 분리·독립된 관계 - 분리권위형과 유사
	상호의존 모형	중앙정부는 법적 자원과 재정적 자원에서, 지방정부는 정보자원과 조직 자원에서 우위를 점하고 있기 때문에 상호 자원의 교환과정으로 인해 상호의존성을 지니고 있다고 보는 모형(전략적 협상관계, 이상적·규범적 관계) - 중첩권위형과 유사

제 11 회 파이널 모의고사

01
정답 ④

정답해설 ④ 전문경력관과 임기제 공무원은 신분이 보장되는 경력직 공무원에 해당하며, 그 특수성으로 인하여 징계의 종류로서 강등이 적용되지 않는다.

02
정답 ①

정답해설 ① ㉠, ㉡은 옳고, ㉢, ㉣은 옳지 않다. 정부업무평가의 실시와 평가기반의 구축을 체계적·효율적으로 추진하기 위하여 국무총리 소속하에 정부업무평가위원회를 둔다(㉠). 정부업무평가위원회는 위원장 2인을 포함한 15인 이내의 위원으로 구성하며, 기획재정부장관, 행정안전부장관, 국무조정실장은 당연직 위원이 된다(㉡).

오답해설 ㉢ 행정안전부장관은 지방자치단체합동평가위원회를 설치·운영할 수 있으며, 위원의 3분의 2 이상은 민간전문가로 구성하고, 위원장은 민간위원 중에서 행정안전부장관이 지명한다.
㉣ 공공기관에 대한 평가는 공공기관의 특수성·전문성을 고려하고 평가의 객관성 및 공정성을 확보하기 위하여 공공기관 외부의 기관에서 실시하여야 한다.

03
정답 ②

정답해설 ② 관료제는 상사의 계서제적 권한과 부하의 전문적 권력이 충돌하는 권력구조의 이원화가 발생한다.

핵심체크 관료제의 병리

훈련된(전문화된) 무능	관료들이 한 가지 기술에 대해서만 훈련받고 기존 규칙을 준수하도록 길들여져 타 분야에 대한 이해가 부족하고 새로운 조건에 적응하지 못하는 현상
할거주의(국지주의, 분파주의)	전문성으로 인한 분업구조로 인해 관료가 자신이 소속된 부서의 이익만 고려하고 타부서에 대해 배려하지 않는 편협한 태도를 취하는 경향
피터(Peter)의 원리	계층제로 인하여 관료들이 무능력의 수준까지 승진하는 현상(관료를 무능화시키는 승진제도)
권력구조의 이원화	상사의 직위에 근거한 권한과 부하의 전문성에 근거한 권한의 충돌 현상
인간적 발전의 저해	집권적·권위적 통제, 법규우선주의, 비사인적 역할관계 등으로 조직원의 사회적 욕구 충족 및 성장이 저해되고 피동적 존재로 전락되는 현상
과잉동조(목표대치)	조직원들이 조직의 실질적인 목표보다 목표달성 수단으로 제정된 규칙과 법규에 집착하는 행태(Merton)
번문욕례(red tape)와 형식주의	불필요하거나 번거로운 문서처리(red tape)로 인해 번거롭고 까다로운 규칙이나 절차를 지나치게 강조(형식주의)하여 국민의 불편 가중
변동에의 저항	관료들이 규칙과 선례에 집착하는 등 보수적·현상유지적 성향을 지녀 변화에 둔감하고 변동과 쇄신에 대하여 저항하는 행태
무사안일주의	관료들이 적극성이나 창의성을 발휘하지 못하고 선례만을 따르거나 상관의 지시에 무조건 영합하여 자리만 보존하려는 소극적인 행태
권위주의	권한과 능력의 괴리, 상위직으로 갈수록 모호해지는 업적평가기준, 법규우선주의로 인해 위계질서와 지배·복종의 관계를 중시하는 현상
관료제국주의(제국건설)	스스로를 항구화하려는 자기보존 및 권한행사의 영역을 계속 확장하려는 현상
마일(Mile)의 법칙	관료들이 편협한 안목으로 직접적인 고객의 특수이익에 묶여 전체이익을 망각하는 현상(관료가 자신이 속한 조직, 지위, 신분을 대변하는 현상)

04
정답 ③

정답해설 ③ ㉡, ㉢은 옳고, ㉠, ㉣은 옳지 않다. 역사적 제도주의에 의하면 사회에서 형성된 권력관계에 따라 형성되는 제도가 달라지는 한편, 특정 제도의 형성에 따라 집단 간의 권력관계가 변화된다. 즉, 제도는 권력의 불균형이 반영되어 형성되며, 권력의 불균형을 초래하기도 한다(㉡). 사회학적 제도주의에 의하면 제도의 선택과 지속성은 결과성(효율성, 합리성)의 논리가 아닌 적절성(배태성, 정당성)의 논리에 입각해 있다(㉢).

오답해설 ㉠ 합리선택적 제도주의는 역사적 제도주의나 사회학적 제도주의와 달리 개인의 선호가 외생적으로 주어져 있다고 본다.
㉣ 역사적 제도주의에 의하면 제도의 변화는 개인의 전략적 선택이 아니라 외부적인 강력한 충격이 발생하는 중요한 분기점에서 급격하고 간헐적으로 발생한다.

핵심체크 신제도주의의 비교

구분	역사적 제도주의	사회학적 제도주의	합리선택적 제도주의
제도	공식적 제도에 초점	비공식적 제도에 초점	공식적 제도에 초점
선호형성	내생적	내생적	외생적
학문적 기초	정치학	사회학(조직학)	경제학
초점	국가중심	사회(조직)중심	개인중심
강조점	권력불균형, 역사적 과정	인지적 측면	전략적 행위, 균형
제도변화	• 결절된 균형 • 외부적 충격	• 유질동형화 • 적절성의 논리	• 비용편익 비교 • 전략적 선택
방법론	귀납적 연구 (사례연구, 비교연구)	귀납적 연구 (경험적 연구, 해석학)	연역적 연구 (일반화된 이론)
시각	총체주의	총체주의	개체주의
공통점	• 제도는 개인행위를 제약하며, 제도적 맥락하에서 개인의 행위는 규칙성을 띰. • 제도는 공식적인 규범뿐만 아니라 비공식적인 문화, 규범, 관습도 포함됨 • 제도는 독립변수이자 종속변수 • 제도는 형성되면 지속성과 안정성을 지님.		

05
정답 ④

정답해설 ④ 개혁의 점진적 추진, 개혁방법의 융통성 있는 수정, 개혁안의 명확성과 공공성의 강조 등은 모두 공리적·기술적 전략이다. 반면, 개혁지도자의 카리스마의 활용, 개혁대상자에게 시간적 여유 제공 등은 규범적·사회적 전략이며, 물리적 힘의 동원은 강제적·억압적 전략이다.

핵심체크 행정개혁의 저항 극복방안

규범적·사회적 전략	① 개혁지도자의 신망(카리스마) 제고와 솔선수범, ② 의사소통의 개선 및 참여의 확대, ③ 사명감의 고취 및 역할인식 강화, ④ 시간적 여유 제공 등 적응 지원, ⑤ 가치갈등 해소, ⑥ 개혁의 당위성과 성과에 대한 정보제공 및 설득, ⑦ 교육훈련을 통한 자기계발 촉진, ⑧ 개혁안에 대한 집단토론 및 태도·가치관 변화를 위한 훈련 실시, ⑨ 자존적 욕구의 충족 및 불만해소 기회의 제공 등
기술적·공리적 전략	① 개인적으로 입게 되는 손해에 대한 적절한 보상, ② 신분이나 보수의 유지, 임용상 불이익 방지, 일자리 알선 등을 약속하거나 지원하는 호혜적 방법, ③ 개혁에 유리한 시기 선택, ④ 개혁의 방법 및 기술의 융통성 있는 수정, ⑤ 신축성 있는 인사배치를 통한 불만 해소, ⑥ 개혁안의 명확화와 공공성 강조, ⑦ 개혁의 편익에 대한 홍보, ⑧ 개혁의 점진적 추진을 통한 적응성 제고 등
강제적·물리적 전략	① 계층제(상·하 서열관계)상의 권한 사용, ② 의식적인 긴장 조성, ③ 제재나 불이익의 위협 등 압력의 행사, ④ 권력구조의 개편 등

06
정답 ③

정답해설 ③ 정책커뮤니티는 특정분야 전문가들의 공식적·비공식적 접촉으로 형성된 공동체로 비교적 안정적이고 지속적인 형태의 네트워크이다.

핵심체크 정책커뮤니티

의의	• 특정분야의 전문가들이 공식적·비공식적으로 접촉하면서 형성된 공동체 • 로즈(Rhodes)를 중심으로 한 영국의 학자들에 의해 발전된 개념
특징	• 형성: 정책문제별로 형성되며, 전문지식은 전문가들의 공식적·비공식적 상호접촉과 의견교환으로 획득됨. • 경계 및 관계: 폐쇄적 경계를 지니며, 일시적이고 느슨한 집합체가 아니라 비교적 안정적이고 계속적인 활동을 하는 호혜적 협력관계를 지닌 공동체
기능	• 전문지식의 활용을 통한 정책내용의 합리성 제고 • 정책에 다양한 요구의 반영으로 정책과정의 민주성 제고 • 담당자의 교체에 따른 정책의 혼란 및 정책이 표류하는 현상의 극소화 • 해당 정책 분야에 필요한 검증된 인재의 발탁용이 • 정책의 신뢰성 제고로 반대집단의 저항 및 불복종 최소화(집행의 순응 확보)
한계	• 정책공동체 형성에 장기간 소요 및 끊임없는 논쟁으로 심각한 갈등 야기

07
정답 ①

정답해설 ① 브룸(Vroom)의 기대이론에서 기대감이란 일정한 노력을 기울이면 근무성과를 가져올 것이라는 주관적 믿음을 말한다. 반면, 수단성이란 근무성과가 특정 보상을 가져다 줄 것이라는 믿음을 말한다.

핵심체크 브룸(Vroom)의 기대이론

의의		동기부여는 유인가, 수단성, 기대감에 의해 결정된다고 보는 이론
구성 요소	기대감	일정한 노력을 기울이면 근무성과(1차 수준의 결과)를 가져올 수 있을 것이라는 주관적 믿음
	수단성	근무성과(1차 수준의 결과)가 특정 보상(2차 수준의 결과)을 가져올 수 있을 것이라는 주관적 믿음(성과와 보상 간의 관계에 대한 믿음)
	유의성	보상에 대한 주관적인 선호의 강도(보상에 대한 주관적 매력도)
평가		동기부여의 과정을 설명하고 있으나, 동기부여의 방안을 구체적으로 제시 못함.

08
정답 ①

정답해설 ① 전략은 환경분석과 역량분석에 입각한 장기적 계획을 의미하며, 전략적 인적자원관리는 장기적 관점에서 현재 및 미래의 환경변화와 이를 기반으로 하는 역량분석에 집중한다.

오답해설 ② 과거의 인사관리는 직무만족 및 조직시민행동에 중점을 두고 개인의 심리적 측면에 분석의 초점을 두었다면, 전략적 인적자원관리는 조직의 전략 및 성과와 인적자원관리활동과의 연계에 초점을 두고 있다.
③ 과거의 인사관리는 조직의 목표달성을 보조하기 위한 통제 메커니즘 구축에 초점을 두었다면, 전략적 인적자원관리는 조직원에게 권한과 자율성을 부여하여 조직원들에게 주체적 역할을 담당하도록 한다.
④ 과거의 인사관리는 개별 인적자원관리 기능의 부분 최적화를 추구한다면, 전략적 인적자원관리는 인적자원관리 기능 간의 연계 및 수직적·수평적 통합을 통한 전체 최적화를 추구한다.

핵심체크 전통적 인사행정과 인적자원관리

구분	전통적 인사행정	전략적 인적자원관리
분석초점	개인의 심리적 측면(직무만족, 동기부여, 조직시민행동 등에 초점)	조직의 전략 및 성과와 인적자원관리활동과의 연계에 초점
관점	미시적 관점: 인적자원관리의 개별 기능별로 부분 최적화 추구	거시적 관점: 인적자원관리 기능 간의 연계를 통한 전체 최적화 추구
범위	단기적 계획수립 및 단기적 문제해결	장기적 계획수립 및 인적자본 육성
기능	조직의 목표달성과 무관 또는 조직의 목표달성을 보조하는 부수적 역할	조직의 전략수립과 실행 및 목표달성에 있어 적극적 역할
역할	통제 메커니즘 마련	인적자본의 체계적 육성과 개발
인사관리	집권화(중앙인사기관)	분권화(각 부처에 위임)
인사기능	분절된 행정적 기능	상호연계적·전략적 기능
관리방식	규격화·경직화된 형식요건 중시	실적과 성과중심의 유연한 관리
조직구조	기능별 조직(개인별 문제해결)	과업형 조직(집단적 문제해결)

09
정답 ③

정답해설 ③ 사이먼(Simon)은 정치행정이원론적 관점에서 가치중립적 연구를 지향하였으나, 행정을 사실중심의 집단적 의사결정과정으로 인식하면서 행정의 정책형성기능을 강조하였다.

10
정답 ④

정답해설 ④ 각 중앙관서의 장은 당초 예산에 계상되지 아니한 사업을 추진하는 경우, 국회가 의결한 취지와 다르게 사업 예산을 집행하는 경우에는 전용할 수 없다.

핵심체크 예산의 이용과 전용

이용	의의	입법과목(장·관·항) 간의 상호융통
	절차	각 중앙관서의 장은 원칙적으로 예산이 정한 각 기관 간 또는 각 장·관·항 간에 상호 이용할 수 없지만, 미리 예산으로써 국회의 의결을 얻은 때에는 기재부장관의 승인을 얻어 이용하거나 기재부장관이 위임하는 범위 안에서 자체적으로 이용할 수 있음.
	원칙	목적(질적) 한정성의 원칙의 예외
전용	의의	행정과목(세항·목) 간의 상호융통
	절차	• 각 중앙관서의 장은 예산의 목적범위 안에서 대통령령으로 정하는 바에 따라 기재부장관의 승인을 얻어 또는 기재부장관이 위임하는 범위 안에서 각 세항 또는 목의 금액을 자체적으로 전용할 수 있음. • 당초 예산에 계상되지 아니한 사업을 추진하는 경우, 국회가 의결한 취지와 다르게 사업 예산을 집행하는 경우에는 전용할 수 없음.
	원칙	사전의결의 원칙 및 목적(질적) 한정성의 원칙의 예외

11
정답 ②

정답해설 ② 자치구의 자치권의 범위는 법령으로 정하는 바에 따라 시·군과 다르게 할 수 있다. 현재 자치구는 시·군에 비하여 자치권의 범위가 좁고 지방세목의 수도 적다.

핵심체크 기초자치단체(시·군·구)

의의	주민과 직접 접촉하는 본래적 자치계층
특징	• 시는 도의 관할구역 안에, 군은 광역시·도의 관할구역 안에, 자치구는 특별시·광역시의 관할구역 안에 둠. • 시는 그 대부분이 도시의 형태를 갖추고 인구 5만 이상이 되어야 하며, 시와 군을 통합한 지역이나 인구 5만 이상의 도시의 형태를 갖춘 지역이 있는 군 등은 도농복합형태의 시로 할 수 있음. • 인구 50만 이상의 시에는 자치구가 아닌 구(행정구)를 둘 수 있으며, 행·재정 운영 및 국가의 지도·감독에 대해서는 관계 법률로 정하는 바에 따라 특례를 둘 수 있고, 도가 처리하는 사무의 일부를 직접 처리하게 할 수 있음. • 인구 100만 이상 대도시(특례시)와 실질적인 행정수요, 국가균형발전 및 지방소멸위기 등을 고려하여 대통령령으로 정하는 기준과 절차에 따라 행안부장관이 지정하는 시·군·구의 행·재정 운영 및 국가의 지도·감독에 대해서는 그 특성을 고려하여 관계 법률로 정하는 바에 따라 추가로 특례를 둘 수 있음. • 자치구의 자치권의 범위는 법령으로 정하는 바에 따라 시·군과 다르게 할 수 있음.

12   정답 ③

정답해설 ③ 상향적 접근은 집행을 주도하는 집단이 없거나, 집행이 다양한 기관에 의해 수행되는 경우를 설명하는 데 유용하다.

핵심체크 상향적 집행연구

의의		• 일선현장의 집행자를 집행에 가장 큰 영향력을 행사하는 행위자로 보고, 집행자의 관점에서 집행현상을 설명하는 행위 중심적 접근 • 집행현장의 일선관료로부터 출발하여 이들과 직접 접촉하는 정책대상집단·관련 이익집단·지방정부기관 등을 파악하고 나아가 상부집행조직·정책의 내용 등을 연구
특징	연구대상	집행현장에서 집행자와 정책대상자들의 모든 행위와 행위에 대한 반응
	집행과정에 대한 시각	• 정행일원론의 관점: 집행과정에서도 끊임없는 결정이 이루어진다고 보고 정책변동(집행의 정치성) 강조(집행과정의 인과관계) • 단일시점모형: 결정과 집행의 상호방향적 과정 중시
	집행성공기준	집행자의 바람직한 행동을 통한 집행 문제의 해결
	집행성공 요소	재량모형: 집행자의 재량을 전제로 한 전문지식과 문제해결 능력
	연구방법	미시적·귀납적 접근: 집행현장에서의 참여자들 간의 상호작용 서술
	주요학자	엘모어(후방향적 접근), 버만(적응적 집행), 립스키(일선관료제) 등
장점		• 집행현장에 대한 정밀한 진술을 통해 집행현장에서 행위자들 간 전략적 상호작용, 다양한 정책들 간 상호작용, 지역 간 집행상 차이, 정책의 의도하지 않는 결과 파악 용이 • 집행을 주도하는 집단이 없거나, 다양한 기관에 의해 주도되는 경우 설명 용이
단점		• 일선관료들의 재량과 영향력을 강조하므로 결정자의 공식적 권한 무시(의회민주주의에 대한 도전), 집행자의 도덕적 해이(집행지상주의), 객관적인 평가 곤란 등의 문제 야기 • 집행현장 중심의 귀납적 연구로 일반화된 연역적 분석틀 형성 곤란

13   정답 ①

정답해설 ① 퇴직공무원의 취업제한은 공무원의 행위에 대한 사후적인 적발과 처벌을 강조하는 결과주의 윤리관에 입각한 제도가 아니라 공무원의 부도덕한 동기실현의 사전제어에 초점이 있는 의무론적 윤리관에 입각한 제도이다.

14   정답 ②

정답해설 ② 역량평가는 일종의 사전적 검증장치로 단순한 근무실적 수준을 넘어 평가대상자가 자신이 담당해야 할 업무수행과 관련된 역량을 보유하고 있는지에 대해 평가하는 제도이다.

핵심체크 역량평가

의의		일종의 사전적 검증장치로 단순한 근무실적 수준을 넘어 평가대상자가 자신이 담당해야 할 업무수행과 관련된 역량을 보유하고 있는지에 대해 평가하는 제도	
평가 기법		평가센터(Assessment Center)기법의 활용	
특징		• 미래의 잠재력 평가: 대상자의 과거 성과가 아닌 미래의 잠재력 측정(성과에 대한 외부 변수를 통제하여 개인의 역량에 대한 객관적인 평가 수행) • 관찰에 의한 평가: 구조화된 모의 상황을 설정해 현실적 직무 상황에 근거한 행동을 관찰하여 평가(추측이나 유추가 아닌 직접적 관찰을 통해 평가자의 주관성 배제) • 다양한 역량 측정: 다양한(복합적) 실행과제를 종합적으로 활용하여 다양한 역량 측정 • 다수 평가자의 합의에 의한 평가: 다수의 평가자가 참여해 합의를 통해 평가 결과를 도출함으로써 개별 평가자의 오류를 방지하고 평가의 공정성 확보	
	구분	고위공무원 후보자	과장급 후보자
역량 평가 체제	평가 대상자	고위공무원으로 신규 채용되려는 자, 4급 이상 공무원이 고위공무원단 직위로 전보 또는 승진임용되려는 자	과장급 직위로 신규 채용되려는 자, 과장급 직위로 전보 또는 승진임용되려는 자
	교육 과정	고위공무원단 직위로 승진임용되고자 하는 경우 '고위공무원단 후보자과정'을 의무적으로 이수한 후 역량평가를 받음.	과장급 직위에 승진임용되고자 하는 경우 '과장후보자과정'의 이수 여부는 본인이 선택 후 역량평가를 받음.

15   정답 ④

정답해설 ④ 특별회계와 기금은 일반회계보다 자율성과 탄력성이 강하다. 다만, 특별회계는 정부예산의 일부로 세입과 세출이라는 운영 체계를 지니나, 기금은 조성과 운용이라는 운영체계를 지닌다.

핵심체크 일반회계, 특별회계, 기금

구분	예산		기금
	일반회계	특별회계	
의의	일반적인 국가활동에 관한 총 세입·총 세출을 망라한 예산	특정한 세입에 의해 특정한 세출을 충당하도록 하는 예산(법률로 설치)	국가가 특정 목적을 위해 특정 자금을 신축적으로 운용할 필요가 있을 때에 한정하여 법률로 설치하되, 세입세출예산 외로 운영되는 자금(법률로 설치)
설치	행정부 외에 헌법상 독립기관(입법부, 사법부, 헌재, 선관위 등)도 일반회계로 편성	• 특정 사업 운영 • 특정 자금의 보유·운용 • 특정 세입으로 특정 세출에 충당할 필요가 있을 때	

운용	공권력에 의한 조세수입으로 무상급부 수행(소비성)	일반회계와 기금의 운용형태 혼재(주로 소비성)	다양한 재원으로 융자사업 등 유상급부 수행(적립성 또는 회전성)
운영방식	회계연도 내의 모든 세입이 해당 연도 세출로 연결됨(회계연도 독립의 원칙)		조성된 자금을 회계연도 내에 운용해 남은 자금을 적립
세입	조세수입	사업소득, 부담금, 수수료, 전입금 등	• 조성: 전입금·출연금·외부차입금·운용 수입 등 다양한 수입원 • 운용: 기금운용계획에 따른 신축적 운용
세출	국가사업에 대한 기본적인 경비지출	특정세출에 충당	
집행절차	합법성에 입각한 엄격한 통제	일반회계에 비해 자율성과 탄력성 높음.	합목적성 차원에서 일반회계와 특별회계보다 자율성과 탄력성 높음
계획변경	추가경정예산의 편성		지출금액 변경범위가 비금융성의 기금은 20%, 금융성 기금은 30% 초과시에만 국회의 심의·의결 필요
예산원칙	고전적 예산원칙 적용	통일성·단일성의 원칙 예외	완전성·통일성·단일성의 원칙 예외
결산	감사원의 결산심사, 국회의 결산심의와 승인		
관계	회계 및 기금 간 여유재원의 자유로운 전·출입 및 통합관리		
지출규모	일반회계(314.8조) > 기금(182.9조) > 특별회계(60.2조)순		

16   정답 ②

정답해설 ② 체제론적 접근은 분석수준으로 조직(체제)에 초점을 맞추며, 거시적 차원에서 행정현상을 분석하였다.

핵심체크 체제론적 접근

개념	행정(조직)을 하나의 살아있는 유기체로 보아 행정을 둘러싸고 있는 다른 환경적 제 요소와의 상호작용 속에서 행정현상을 연구하는 접근방법
배경	구조기능주의
관점	① 추상적·관념적 관점, ② 총체적·거시적 관점, ③ 계서적 관점, ④ 목적론적 관점, ⑤ 시간적 관점, ⑥ 연합학문적 관점

17   정답 ④

정답해설 ④ 유추분석은 과거에 다루어 본 적이 있는 문제와의 관계 분석을 통해 문제를 정의하는 과정이다. 반면 가정분석은 상충적인 전제들의 창조적 통합을 추구하는 분석기법이다.

핵심체크 정책문제의 구조화 기법

경계분석	개념	문제의 위치와 범위 파악: 온전한 문제를 형성하기 위해 메타문제가 완전한 것인가를 추정하는 방법
	과정	① 포화표본추출 ⇨ ② 문제표현의 도출 ⇨ ③ 경계추정(도수분포도 작성)
계층분석	개념	인과관계 파악: 문제상황의 발생에 영향을 줄 수 있는 가깝고 먼 다양한 원인을 파악하는 방법
	과정	① 가능성 있는 원인 ⇨ ② 개연성 있는 원인 ⇨ ③ 행동가능한 원인
유추분석	개념	현재의 새로운 문제상황과 유사한 과거의 문제 상황을 파악하여 현재의 문제 상황을 정의하는 방법
	유형	① 개인적 유추, ② 직접적 유추, ③ 상징적 유추, ④ 환상적 유추
가정분석	개념	상충적인 전제들의 창조적 통합: 문제상황의 인식을 둘러싼 여러 대립적인 가정들을 창조적으로 통합하기 위한 방법(가장 포괄적인 방법)
	과정	① 정책이해 관련 집단의 확인 ⇨ ② 가정의 노출 ⇨ ③ 가정들의 비교·평가 ⇨ ④ 가정들의 타협과 종합 ⇨ ⑤ 가정의 통합
분류분석	개념	문제의 구성요소 식별: 귀납적 추론과정을 통해 추상적인 개념들을 구성요소별로 나누어 개념을 명확히 하는 방법
	규칙	① 실체적 적실성, ② 포괄성, ③ 상호배타성, ④ 일관성, ⑤ 계층적 독특성

18   정답 ③

정답해설 ③ 영기준예산에서 의사결정단위는 사업대안과 금액대안을 작성해야 하며, 우선순위의 결정은 금액대안에 대하여 주관적으로 이루어진다.

핵심체크 영기준예산(ZBB)

개념	행정기관의 모든 사업과 활동을 전년도 예산을 고려하지 않고 영기준에서 축소·계속·확대 여부를 평가하고, 우선순위가 높은 사업과 활동을 선택하여 예산을 편성하는 제도(감축지향적 예산)
발달	정부실패로 인한 자원난 시대의 도래로 카터 대통령이 도입(1970년대)
주요 편성 절차	**의사결정 단위의 설정** • 의사결정단위: 조직의 활동을 상호비교하고 평가할 수 있도록 나눈 개개의 활동단위(예산단위) • 의사결정단위는 실·국이나 과(조직단위)가 될 수도 있고, 팀(사업단위)이 될 수도 있음(계층상 융통성, 조직의 상황변화에 대처 용이). **의사결정 패키지의 작성** • 의사결정패키지: 사업과 활동에 대한 분석 및 평가결과를 명시해 놓은 표 • 사업대안패키지: 의사결정단위의 목표를 달성하기 위한 여러 사업대안들을 탐색하고, 최선의 사업대안을 선택한 결과를 담는 정보(비용편익분석의 활용) • 증액(금액)대안패키지: 선정된 사업대안에 대한 예산투입의 수준별 대안을 검토한 정보(기본수준, 현재수준, 개선수준으로 구성) **우선순위의 설정** • 금액대안패키지를 대상으로 각 사업대안의 점증적 수준 간에 우선순위를 정하는 과정 • 우선순위결정은 아래에서 최고결정자에 이르기까지 상향적·단계적으로 올라가며, 의사결정자의 주관적 판단에 의함
장점	① 예산팽창 억제(감축관리를 통한 자원난 극복), ② 재정운영의 효율성 제고(합리적 예산결정), ③ 분권적 예산결정(계층 간의 단절 방지), ④ 계층상의 융통성 부여(의사결정단위가 실·국이 될 수도 있고, 과가 될 수도 있음), ⑤ 과학적 분석기법의 활용(비용편익분석 활용), ⑥ 의사결정지향성(합리적·체계적 의사결정), ⑦ 적절한 정보의 제시(사업대안과 금액대안 정보 제시), ⑧ 조직내부 구성원들의 참여 중시
단점	① 사업폐지 또는 감축시 기득권자의 저항 발생, ② 시간·노력의 과다 요구(과도한 문서자료의 요구), ③ 미시적 예산결정으로 인한 전체적·장기적 시야 결여, ④ 예산의 정치적 성격 불고려, ⑤ 주관적 판단에 기초한 우선순위 결정, ⑥ 외부의 영향 불고려, ⑦ 소규모 조직의 의사결정단위 배제 가능성, ⑧ 신규사업보다는 계속사업의 분석에 초점, ⑨ 실제적 효과에 의문(점증주의 극복에 대한 의문)

19

정답 ①

[정답해설] ① 지방교부세는 수직적·수평적 재정불균형을 시정하며, 국고보조금은 수직적 재정불균형만을 시정한다.

[핵심체크] 지방교부세와 국고보조금의 비교

구분	지방교부세	국고보조금
근거	「지방교부세법」	「보조금 관리에 관한 법률」
목적	재정의 형평화	자원배분의 효율화
배정 기준	재정부족액	국가시책 및 정책적 고려
재원	내국세 총액의 19.24% + 종합부동산세 전액 + 담배개별소비세의 45% (법정지원)	중앙정부의 일반회계와 특별회계에서 지원(재량지원)
성격	일반재원, 비조건부 교부금, 정액보조	특정재원, 조건부 보조금, 정률보조
지방비 부담	무대응지원금(지방비 부담 없음)	대응지원금(지방비 부담 있음)
정부통제	약함.	강함.
지방정부 재량	많음.	적음.
조정의 성격	수직적·수평적 조정재원	수직적 조정재원

20

정답 ②

[정답해설] ② 정보제공형은 전자적 정보공개 단계이며, 「정보공개법」이 이에 해당한다. 협의형은 가상공간에서 공무원과 시민 간의 소통과 청원 및 정책토론과 환류가 이루어지는 단계로 「행정절차법」, 옴부즈만제도, 민원 관련 법 등이 이에 해당한다. 정책결정형은 시민의 의견이 정책과정에 반영되는 단계로 「전자국민투표법」, 국민의 입법 제안 등이 이에 해당한다.

[핵심체크] 온라인 시민참여

구분	전자정보화(정보제공)	전자자문(협의)	전자결정(정책결정)
의의	정부가 생산한 정보를 전자적 채널을 통해 일방적으로 제공하는 단계	가상공간에서 공무원과 시민 간에 소통과 청원 및 정책토론과 토론에 대한 환류가 일어나는 단계	정부가 중요쟁점을 공론화하고 시민들이 정책과정에 참여하여 토론을 거쳐 합의를 도출하는 단계
특징	관심이 없거나 수동적인 시민은 혜택을 보지 못함.	쌍방향적 의사소통이나 정부주도로 시민의 정책순응을 확보하기 위해 활용	특정 정책에 대한 시민 토론 및 평가
관련 제도	「정보공개법」 등	「행정절차법」, 옴부즈만제도, 민원 관련 법 등	「전자국민투표법」, 국민의 입법제안 등

제 12 회 파이널 모의고사

01
정답 ③

정답해설 ③ 파생적 외부효과에 대해서는 규제완화나 보조금 삭감으로 해결하는 것이 바람직하나, 권력의 편재로 인한 자원배분의 왜곡은 보조금 삭감이 해결방안이 될 수 없으며 규제완화나 민영화를 통해 해결하는 것이 바람직하다.

핵심체크 정부실패의 유형과 대응방안

유형	내용	대응방안
사적목표의 설정 (내부성)	관료들이 공식적 목표인 공익보다는 비공식적 목표인 개인적 이익이나 소속기관의 이익을 우선함으로써 비공식적 목표가 공식적 목표를 대체하는 현상	민영화
파생적 외부효과	정부개입이 초래하는 의도하지 않은 부작용(예: 주택가격안정화를 위한 정부개입이 오히려 주택가격상승을 가져온 경우)	• 정부보조 삭감 • 규제완화
권력의 편재	정부가 규제권한 등을 통해 특정집단에게 특혜를 남용함으로써 발생하는 분배의 불형평	• 민영화 • 규제완화
X-비효율성 (공급비용 체증)	독점으로 인해 경쟁메커니즘이 존재하지 않아 관료들의 잘못된 의식구조나 행태가 야기됨으로써 발생하는 관리적·기술적·행태적 비효율성	• 민영화 • 정부보조 삭감 • 규제완화
비용과 수익의 절연	정부서비스는 시장의 '수익자부담주의'와 달리 편익 집단과 비용 집단이 서로 단절되어 있기 때문에 공급자인 정부는 원가개념 없이 과잉생산하고, 소비자인 국민은 비용에 대한 인식 없이 과잉소비함으로써 정부실패 야기	

02
정답 ④

정답해설 ④ 주민감사청구는 사무처리가 있었던 날이나 끝난 날부터 3년이 지나면 제기할 수 없다.

핵심체크 주민감사청구

의의	주민이 단체장 또는 자치단체의 권한에 속하는 사무의 처리에 대하여 상급자치단체장이나 주무부장관에게 감사를 청구할 수 있도록 하는 제도
청구 주체	자치단체의 18세 이상의 주민으로서 시·도는 300명, 인구 50만 이상 대도시는 200명, 그 밖의 시·군·자치구는 150명 이내에서 그 자치단체의 조례로 정하는 수 이상의 주민이 연대 서명하여 감사를 청구할 수 있음(해당 자치단체의 관할 구역에 주민등록이 되어 있는 사람뿐만 아니라 일정한 요건에 해당하는 외국인도 포함).
청구 객체	• 시·군·자치구는 시·도지사에게, 시·도에서는 주무부장관에게 청구 • 시·도의 경우 그 청구 내용이 둘 이상의 부처와 관련되거나 주무부장관이 불분명한 경우에는 행안부장관에게 청구
청구 사안	해당 자치단체와 그 장의 권한에 속하는 사무의 처리가 법령에 위반되거나 공익을 현저히 해한다고 인정될 때 청구
청구 제외 사항	• 수사나 재판에 관여하게 되는 사항 • 개인의 사생활 침해의 우려가 있는 사항 • 다른 기관에서 감사하였거나 감사 중인 사항(다른 기관에서 감사한 사항이라도 새로운 사항이 발견되거나 중요 사항이 감사에서 누락된 경우와 주민소송의 대상이 되는 경우에는 감사청구할 수 있음) • 동일한 사항에 대해 주민소송이 진행 중이거나 그 판결이 확정된 사항 • 주민감사청구는 사무처리가 있었던 날이나 끝난 날부터 3년이 지나면 제기할 수 없음.
처리	주무부장관 또는 시·도지사는 청구 수리일로부터 60일 이내에 감사청구된 사항의 감사를 끝내야 하며, 감사결과를 청구인의 대표자와 해당 단체장에게 서면으로 알리고 공표해야 함.

03
정답 ①

정답해설 ① 정책집행이 완료된 후에 정책수단과 정책의 효과 간에 인과관계를 추정하는 평가를 총괄평가라 한다(정책수단과 효과 간의 인과관계 추정). 과정평가는 정책의 효과가 발생한 경우 어떠한 경로를 통해서 발생했는지 정책 효과발생의 인과관계를 밝히거나 정책효과가 발생하지 않는 경우 어떤 경로에 문제가 있었는지를 밝히는 평가(인과관계의 경로평가)를 말한다.

핵심체크 정책평가의 유형

총괄평가	개념	정책집행이 완료된 후에 정책이 원래 의도한 목적을 충분하고 적절하게 달성했는지를 평가하는 것(정책수단과 효과 간의 인과관계 추정)
	특징	정책의 최종적인 성과를 확인하기 위해 주로 외부평가자에 의해 수행되며, 평가결과는 정책의 지속·중단·확대 등에 대한 정책적 판단에 활용됨.
협의의 과정 평가	개념	정책의 효과가 발생한 경우 어떠한 경로를 통해서 발생했는지 정책 효과발생의 인과관계를 밝히거나, 정책효과가 발생하지 않는 경우 어떤 경로에 문제가 있었는지를 밝히는 평가(인과관계의 경로평가)
	특징	정책집행이 완료된 후 정책효과 발생의 인과관계를 밝힘으로써 총괄평가(효과성 평가)를 보완하는 평가
형성 평가	개념	정책이 집행되는 도중에 정책이 의도한대로 집행되고 있는지를 평가하여 집행상의 문제점을 파악하고 이를 극복할 수 있는 성공적인 집행전략을 수립하고자 하는 평가(도중평가, 진행평가, 집행분석)
	특징	정책에 대한 피드백을 위해 주로 내부평가자와 외부평가자의 자문에 의해 수행되며, 그 결과는 정책집행에 환류됨
평가성사정		특정 정책을 본격적으로 평가하기에 앞서 평가의 소망성(평가의 목적)과 가능성(평가의 비용, 기술적 실현가능성, 평가의 장애요인 등)을 검토하여 평가의 수요와 공급을 합치시켜주는 활동
메타평가		평가주체가 실시한 1차 평가의 강점과 약점, 전반적인 유용성, 정확성 및 타당성, 실현가능성 등에 대한 비평적인 2차 평가

04
정답 ④

정답해설 ④ 과제의 다양성은 높고 문제의 분석가능성이 낮은 비일상적 기술은 유기적 구조와 부합하지만, 직무수행이 복잡하여 수평적 분화(복잡성)의 정도가 높기 때문에 통솔범위가 좁아진다.

핵심체크 페로우(Perrow)의 기술유형론

구분		과제 다양성	
		낮음(소수의 예외)	높음(다수의 예외)
분석가능성	낮음	장인기술(기예적 기술) • 대체로 유기적 • 중간의 공식화 • 중간의 집권화 • 중간의 통솔범위	비일상적 기술 • 유기적 구조 • 낮은 공식화 • 낮은 집권화 • 적은 통솔범위
	높음	일상적 기술 • 기계적 구조 • 높은 공식화 • 높은 집권화 • 넓은 통솔 범위	공학기술 • 대체로 기계적 • 중간의 공식화 • 중간의 집권화 • 중간의 통솔범위

05

정답 ③

정답해설 ③ 탈규제모형은 내부규제를 철폐하고 기업가적 정부를 구축하여 행정의 창의성과 능동성을 증진하고자 한다. 다만, 탈규제모형은 조직구조에 대한 대안을 제시하지 못한다. 준자치적 조직을 선호하는 모형은 시장모형이다.

핵심체크 피터스(G. Peters)의 정부모형

구분		전통적 정부모형	시장모형	신축 (유연조직) 모형	참여모형	탈규제 (저통제)모형
문제의 진단수준		전근대적 권위	독점	영속성	계층제	내부규제
조직	구조	계층제	분권화된 조직	가상조직	평면조직	없음.
	관리	• 직업 공무원제 • 절차적 통제	• 성과급, 인센티브 • 민간의 기법	일시적 인사 관리(임시직 공무원 활용)	• TQM, MBO • 팀제	자율적관리 (관리재량권 확대)
	정책 결정	정치 · 행정 의 구분	• 내부시장 • 시장적 유인	실험	협의, 협상	기업가적 정부
공익의 기준		안정성, 평등	저비용	조정과 저비용	참여, 협의	창의성, 능동성
조정		상의하달	보이지않는손	조직개편	하의상달	관리자의 자기 이익
오류발견/ 수정		절차적 통제	시장적 선호	오류의 제도화 방지	정치적 선호	더 많은 오류의 수용
공무원제도		실적주의와 직업공무원제	시장기제로 대체	임시고용제 활용	계층제 축소	내부규제 철폐
책임성 확보		대의정치에 의존	시장에 의존	없음.	소비자 불만에 의존	사후통제에 의존

06

정답 ④

정답해설 ④ 고위공무원단에 속하는 일반직 공무원으로 적격심사를 요구받으면 직위해제되며, 적격심사결과 부적격 결정을 받은 때 임용권자는 직권면직할 수 있다.

오답해설 ① 공무원은 형의 선고, 징계처분 또는 「국가공무원법」에서 정하는 사유에 따르지 아니하고는 본인의 의사에 반하여 휴직 · 강임 또는 면직을 당하지 아니한다. 다만, 1급 공무원과 배정된 직무등급이 가장 높은 등급의 직위에 임용된 고위공무원단에 속하는 공무원은 그러하지 아니하다.
② 형사사건으로 기소된 자나 파면 · 해임 · 강등 · 정직에 해당하는 징계의결이 요구 중인 자에 대하여 임용권자는 직위해제할 수 있다.
③ 직제와 정원의 개폐 또는 예산의 감소 등에 따라 폐직 또는 과원이 되었을 때 임용권자는 직권면직할 수 있다.

핵심체크 직권면직과 직위해제

직위 해제	의의	공무원에 대하여 직위를 계속 유지시킬 수 없다고 인정되는 특정한 사유가 있는 경우 임용권자가 공무원으로서의 신분은 보존시키되 직위를 부여하지 않는 임용 행위
	사유	• 직무수행능력이 부족하거나 근무성적이 극히 나쁜 자(대기명령과 연계) • 파면 · 해임 · 강등 · 정직(중징계)에 해당하는 징계의결이 요구 중인 자 • 형사사건으로 기소된 자(약식명령이 청구된 자는 제외) • 고위공무원단에 속하는 일반직 공무원으로 적격심사를 요구받은 자 • 금품비위, 성범죄 등 대통령령으로 정하는 비위행위로 인하여 감사원 및 검찰 · 경찰 등 수사기관에서 조사나 수사 중인 자로서 비위의 정도가 중대하고 이로 인하여 정상적인 업무수행을 기대하기 현저히 어려운 자
직권 면직	의의	일정한 사유가 발생했을 때 임용권자가 본인의 의사와 무관하게 처분에 의해 직권으로 공무원의 신분을 박탈하는 임용행위(징계에 해당하지 않음)
	사유	• 직제와 정원의 개폐 또는 예산의 감소 등에 따라 폐직 또는 과원이 되었을 때(정부의 사정에 의한 일방적 퇴직으로 우선 복직제도가 인정됨) • 휴직 기간이 끝나거나 휴직 사유가 소멸된 후에도 직무에 복귀하지 아니하거나 직무를 감당할 수 없을 때 • 대기 명령을 받은 자가 그 기간에 능력 또는 근무성적의 향상을 기대하기 어렵다고 인정된 때(징계위원회의 동의 필요) • 전직시험에서 세 번 이상 불합격한 자로서 직무수행 능력이 부족하다고 인정된 때 • 병역판정검사 · 입영 또는 소집의 명령을 받고 정당한 사유 없이 이를 기피하거나 군복무를 위하여 휴직 중에 있는 자가 군복무 중 군무를 이탈하였을 때 • 해당 직급 · 직위에서 직무를 수행하는데 필요한 자격증의 효력이 없어지거나 면허가 취소되어 담당 직무를 수행할 수 없게 된 때 • 고위공무원단에 속하는 공무원이 적격심사 결과 부적격 결정을 받은 때

07

정답 ③

정답해설 ③ 조세지출의 주된 분류방법은 기능별 · 세목별 분류로 의회의 예산심의를 강화하기 위한 제도이다.

핵심체크 조세지출예산

조세 지출	개념	정부가 민간부문의 특정목적을 달성하기 위하여 조세상의 특혜를 부여하는 데서 생겨나는 조세수입의 상실분(조세우대 조치)
	특징	• 숨겨진 보조금: 형식은 조세이지만 실질은 지출(간접지출) • 합법적인 세수손실: 불법적인 탈세는 포함되지 않음(합법적 탈세). • 높은 경직성: 법률에 따라 집행되고 눈에 잘 띄지 않아 예산지출에 비해 지속성과 경직성이 높음. • 정치적 상호작용: 일종의 특혜로 집단 간 이해관계에 따른 정치적 관심대상 • 자의성: 소세감면의 근거법에 집행사항을 행정부에 위임할 경우 관료들의 자의적인 판단이 개입될 수 있음.
조세 지출 예산	개념	조세지출이 세출예산상의 보조금과 같은 경제적 효과를 가져오기 때문에 이를 지출예산의 형태로 편성하여 매년 국회의 심의를 받도록 하는 제도
	연원	서독에서 최초로 도입(1959), 우리나라는 중앙정부(2011)와 지방정부(2010)에 모두 도입
	법적 근거	「조세특례제한법」 제142조의2: 기재부장관은 조세감면 · 비과세 · 소득공제 · 세액공제 · 우대세율적용 또는 과세이연 등 조세특례에 따른 재정지원의 직전 회계연도 실적과 해당 회계연도 및 다음 연도의 추정금액을 기능별 · 세목별로 분석한 보고서를 작성해야 함.
	필요 성	① 재정민주주의의 실현, ② 과세의 수평적 · 수직적 형평 확보, ③ 자원배분결정의 효율성 제고, ④ 국민에게 조세부담에 대한 정보제공, ⑤ 조세감면의 정책효과 파악 등
	한계	① 국제 무역마찰 우려(불공정무역거래의 기초자료), ② 조세지출의 경직성, ③ 조세감면의 범위 설정 곤란 및 조세감면의 경제적 효과 분석 곤란

08 정답 ③

정답해설 ③ 전문적 관료제는 수평적·수직적으로 분권화된 조직으로 핵심운영계층이 중시되며, 복잡하고 안정적인 환경에 적합하다.

핵심체크 민츠버그(Mintzberg)의 조직유형론

분류		단순구조	기계적 관료제	전문적 관료제	사업부제	애드호크라시
조정수단		직접감독	작업표준화	기술표준화	산출물표준화	상호조정
핵심부문		전략부문	기술구조부문	핵심운영부문	중간라인부문	지원막료부문
상황요인	역사	신생조직	오래된 조직	다양함.	오래된 조직	신생조직
	규모	소규모	대규모	다양함.	대규모	다양함.
	기술	단순	비교적 단순	복잡	다양함.	매우 복잡
	환경	단순하고 동태적	단순하고 안정적	복잡하고 안정적	단순하고 안정적	복잡하고 동태적
	권력	최고관리자	기술관료	전문가	중간관리층	전문가
구조요인	전문화	낮음.	높음.	높음.(수평적)	중간	높음.(수평적)
	공식화	낮음.	높음.	낮음.	높음.	낮음.
	집권/분권	집권화	제한된 수평적 분권화	수평·수직적 분권화	제한된 수직적 분권화	선택적(선별적) 분권화
	예	신생조직	행정부	대학, 종합병원	대기업	연구소

09 정답 ③

정답해설 ③ 롤스(J. Rawls)의 정의론은 형평성을 추구하기 위해서 원초적 상태에서 합리적 인간은 최대최소원칙(maximin)의 원리에 입각하여 합리적 규칙을 선택할 것으로 가정한다.

핵심체크 롤스(J. Rawls)의 정의론

의의	• 사회의 모든 가치는 평등하게 배분되어야 하며, 불평등한 배분은 사회의 최소약자에게 유리한 경우에만 정의롭다고 보는 원칙[공정성(fairness)로서의 정의] • 결과보다는 과정의 옳음에 기초를 두고 있는 의무론적 시각	
가정	계약당사자들의 자격 요건(사회계약론의 관점) - 원초적 상태	
	• 인지상의 조건: 무지(無知)의 베일 • 동기상의 조건: 상호무관심적 합리성 • 불확실성하에서의 의사결정원칙: 최소극대화 원리[최대최소(maximin) 원리]	
정의의 원리	제1원리	기본적 자유의 평등원리(자유의 정의): 각 개인은 다른 사람의 유사한 자유와 상충되지 않는 한도 내에서 최대한 자유를 누릴 수 있다는 원리
	제2원리	차등조정의 원리(분배의 정의) • 기회균등의 원리: 사회·경제적 불평등은 그 모체가 되는 모든 직무와 지위에 대한 기회균등이 공정하게 이루어진 조건에서 직무나 지위에 부수하여 존재해야 한다는 원리 • 차등의 원리: 차등조정은 '저축의 원리'와 양립하는 범위 내에서 최소약자에게 최대이익이 되도록 조정되는 경우에만 정당화된다는 원리
	우선순위	두 원리가 충돌할 때 제1원리가 제2원리에 우선하며, 제2원리 내에서 충돌이 생길 때 기회균등의 원리가 차등원리에 우선함.
평가	• 최소극대화(maximin)원리에 입각한 의사결정(가정)에 대한 비판 • 자유주의와 사회주의의 절충적 시각이나 양쪽 모두의 비판 • 총효용극대화를 추구하는 공리주의자들로부터의 비판	

10 정답 ②

정답해설 ② 동원형은 정부가 사회문제를 정부의제화한 후 행정PR을 통해 환경으로 확산시키는 모형으로 논쟁의 주도자는 정부이며, 올림픽이나 월드컵 유치 등이 그 예이다.

오답해설 ① 외부주도형은 공식적인 의제설정자가 아닌 환경으로부터 이슈가 제기되기 때문에 공식적인 의제설정자인 정부가 주도하는 동원형보다 정책의제설정이 곤란하다.
③ 내부접근형은 사회문제가 정책환경 속으로 확산되는 과정을 거치지 않고 정책의제로 성립된다.
④ 외부주도형은 정책형성과정에서 환경으로부터 집단 간의 진흙탕싸움이 발생하나, 정책집행과정에서의 순응확보비용은 적게 든다.

핵심체크 콥과 로스(Cobb & Ross)의 정책의제설정모형

구분	외부주도형	동원형	내부접근형 (음모형, 내부주도형)
과정	사회문제⇒사회적 이슈⇒공중의제⇒정부의제	사회문제⇒정부의제⇒공중의제	사회문제⇒정부의제
전개방향	외부(환경)⇒내부(정부)	내부(정부)⇒외부(환경)	내·외부⇒내부(정부)
Hirshman	강요된 의제	채택된 의제	-
제기(주도) 과정	특정집단이 고충을 표명하는 단계	결정자가 새로운 정책을 공표하는 단계(공식의제화)	결정자나 측근이 정책안을 제시하는 단계 (공식의제화)
구체화 과정	고충이 구체적인 요구로 전환되는 단계	발표된 정책에 대한 구체적인 세목을 탐색하는 단계	구체적인 대안을 제시하는 단계
확산과정	타집단에게 논제를 확산시키고 결정자에게 압력을 행사하는 단계	공중에게 정책의 중요성을 인식시키는 단계	-
진입과정	공식의제화 단계	-	-
특징	• 진흙탕 싸움 • 점증주의적 결정 • 정책결정비용 증가 • 정책집행비용 감소 • 정책의제화 곤란	• 행정PR 중시 • 전문가의 영향력이 크며, 합리적·분석적 결정 • 정책결정비용 감소 • 정책집행비용 증가	• 외교·국방정책, 국민이 알면 곤란하거나 시간이 급박할 때 활용 • 의도적으로 국민을 무시하는 정부에서 활용
참여도	높음.	중간	낮음.
사회	주로 민주화된 선진국	주로 개발도상국	주로 개발도상국
구체적 예	「국민기초생활보장법」, 「부패방지법」, 지방자치제 실시 등	올림픽·월드컵 유치, 새마을 운동, 가족계획사업, 경제개발계획, 한미 FTA 등	차세대 전투기 사업 등 무기구매계약, 대북지원사업 등 국방 및 외교정책

11 정답 ①

정답해설 ① 행정권의 오용이란 공무원의 비윤리적 일탈행위를 말한다. 행정권의 오용에는 부정행위, 비윤리적 행위뿐만 아니라 무능력과 무소신, 무사안일, 입법의도의 편향된 해석, 실책의 은폐, 법규의 경시 등이 포함된다.

오답해설 ② 제도화된 부패의 경우 조직은 공식적인 행동규범을 대외적으로 표방하나, 실제로는 이러한 공식적 행동규범은 예외로 전락된다.
③ 금융위기가 심각함에도 불구하고 국가적 동요를 막기 위해 관련 공직자가 문제가 없다고 거짓말을 한 경우는 회색부패가 아닌 백색부패에 해당한다.

④ 부패에 대한 체제론적 접근이 아닌 제도론적 접근은 관료부패의 원인을 법규의 비현실성과 불분명성, 규제의 만연성과 복잡성 등으로 파악한다.

핵심체크 부패의 유형

부패의 제도화 정도	일탈형 부패		개인의 윤리적 일탈에 의한 부패(예: 금품제공업소 단속면제)
	제도화 (구조화·체제화)된 부패	의의	잘못된 관행이 제도처럼 고착화되어 공무원이나 국민이 부패로 인식조차 하지 못하는 부패(예: 인·허가 시 급행료 지불, 은행에서 대출 시 커미션 지불 등)
		특징	① 부패가 실질적 행동규범이 되고 공식적 행동규범이 예외로 전락, ② 조직이 공식적 행동규범의 위반을 조장·방조·은폐 등
부패의 용인정도	백색 부패		선의의 목적으로 행해지는 부패로, 사회구성원 다수가 어느 정도 용인하는 관례화된 부패(예: 금융위기가 심각함에도 국민을 안심시키기 위해 금융위기가 없다고 선의의 거짓말을 하는 경우 등)
	흑색 부패		사회체제에 명백하고 심각한 해를 끼치는 부패로, 사회구성원 대부분이 처벌을 원하는 부패
	회색 부패		사회구성원 중 일부 집단은 처벌을 원하지만 다른 일부 집단은 처벌을 원하지 않는 부패(예: 과도한 선물수수에 대하여 윤리강령에 규정할 수는 있지만 「부패방지법」에 규정하는 것에는 반론이 있는 경우)
거래의 여부	거래형 부패		뇌물로 금전적 이익을 보는 자와 이를 대가로 특혜를 제공받는 자 간에 금전적 거래가 성립되어 발생하는 부패(외부부패)
	사기형 부패		공금횡령, 회계부정 등 거래 당사자 없이 공무원에 의해 일방적으로 발생하는 부패(내부부패, 비거래형 부패)
기타			• 부패의 원인 – 생계형 부패(행정적 부패), 권력형 부패(정치적 부패) • 부패발생수준 – 개인부패, 조직부패(조직적 은폐로 외부에 잘 드러나지 않음)

핵심체크 부패의 접근방법

시각	부패의 원인
도덕적 접근 (자질론, 특성론)	부패는 개인적 특성(개인의 비윤리성과 비도덕성)에 기인
사회문화적 접근	부패는 특정한 지배적 관습이나 경험적 습성 등과 같은 사회·문화적 환경(선물관행, 보은 의식, 인사문화)에 기인 – 부패는 사회문화적 환경의 종속변수
제도적 접근 (거시적 분석)	부패는 법과 제도상의 결함(법규의 비현실성·불분명성, 행정규제의 만연성과 복잡성, 통제장치의 미비), 법과 제도에 대한 관리기구나 운영상의 문제 등에 기인
체제론적 접근	부패는 어느 하나의 변수에 의한 것이 아니라 문화적 특성, 제도상 결함, 구조상 모순, 공무원의 부정적 행태 등 다양한 요인에 기인

12 정답 ④

정답해설 ④ 정부는 예산, 기금, 결산, 국채, 차입금, 국유재산의 현재액, 통합재정수지 및 일반정부 및 공공부문 재정통계, 그 밖에 대통령령이 정하는 국가와 지방자치단체의 재정에 관한 중요한 사항을 매년 1회 이상 정보통신매체·인쇄물 등 적당한 방법으로 알기 쉽고 투명하게 공표해야 한다.

오답해설 ① 주민참여예산제도는 「지방재정법」에 근거를 두고 있으며, 모든 지방정부가 의무적으로 시행하도록 규정하고 있다.
② 행정안전부장관은 대통령령으로 정하는 바에 따라 지방자치단체별 주민참여예산제도의 운영에 대한 평가를 실시할 수 있다.
③ 각 중앙관서의 장은 예산의 집행방법 또는 제도의 개선 등으로 인하여 수입이 증대되거나 지출이 절약된 때에는 예산성과금심사위원회의 심사를 거쳐 이에 기여한 자에게 성과금을 지급할 수 있으며, 절약된 예산을 다른 사업에 사용할 수 있다.

13 정답 ④

정답해설 ④ 지방의회의원의 의정활동을 지원하기 위하여 지방의회의원 정수의 2분의 1 범위에서 해당 자치단체의 조례로 정하는 바에 따라 지방의회에 지방공무원으로 보하는 정책지원 전문인력을 둘 수 있다.

오답해설 ① 지방의회의원의 윤리강령과 윤리실천규범 준수 여부 및 징계에 관한 사항을 심사하기 위하여 윤리특별위원회를 둔다(윤리특별위원회 설치 의무화).
② 본회의에서 표결할 때에는 조례 또는 회의규칙으로 정하는 표결방식에 의한 기록표결로 가부를 결정한다.
③ 지방의회에 두는 사무직원의 수는 인건비 등 대통령령으로 정하는 기준에 따라 조례로 정한다. 지방의회의 의장은 지방의회 사무직원을 지휘·감독하고 법령과 조례·의회규칙으로 정하는 바에 따라 그 임면·교육·훈련·복무·징계 등에 관한 사항을 처리한다.

14 정답 ②

정답해설 ② 목표관리(MBO)는 단기목표를 중시하므로 단기적 시간관을 지니며, 총체적 품질관리(TQM)는 장기적이고 지속적인 개선을 강조하므로 장기적 시간관을 지닌다.

핵심체크 목표관리(MBO)와 총체적 품질관리(TQM)

구분	차이점		공통점
	목표관리	총체적 품질관리	
본질	관리기법 또는 전략	관리기법 이상의 관리철학	• Y이론적 관리 • 민주적·분권적 관리 • 구성원의 참여 중시 • 팀워크 강조
지향점	효과성(대내지향)	고객 만족도(대외지향)	
운영	개개의 목표설정 및 측정 강조	팀 및 집단 단위활동 중시	
초점	평가와 환류를 통한 사후적 관리에 초점	예방적 통제를 통한 사전적 관리에 초점	
안목	단기적·미시적 시각	장기적·거시적 시각	
환경	폐쇄체제적 관점	개방체제적 관점	
보상	개인별 보상 중시	팀 보상(총체적 헌신) 중시	
초점	결과지향	과정·절차·문화지향	
양과 질	양적 목표(정량적 목표) 중시, 계량화 중시	질적 목표(정성적 목표) 중시, 계량화 중시하지 않음.	

15 정답 ①

정답해설 ① ㉠은 고객정치상황, ㉡은 대중정치상황, ㉢은 이익집단정치상황, ㉣은 기업가정치상황을 의미한다. 고객정치상황(㉠)에서는 조직화된 소수의 강력한 정치적 활동으로 인하여 규제형성 및 집행이 용이하다.

핵심체크 | 윌슨(J. Q. Wilson)의 규제정치이론

구분	대중정치상황	이익집단정치상황	기업가정치상황	고객정치상황
의의	규제의 비용과 편익이 모두 이질적인 불특정다수에게 미치지만, 각각의 개인으로 보면 그 크기는 작은 상황	규제로 인한 비용과 편익이 모두 동질적인 특정소수에 국한되어, 각각의 개인으로 보면 그 크기는 매우 큰 상황	규제의 비용은 동질적인 특정소수에게 집중되어 개인으로 보면 그 크기는 큰 반면, 편익은 불특정다수에게 분산되어 개인으로 보면 그 크기가 작은 상황	규제의 비용은 불특정 다수에게 분산되어 개인으로 보면 그 크기는 작은 반면, 편익은 특정소수에게 집중되어 개인으로 보면 그 크기는 큰 상황
비용	넓게 분산	좁게 집중	좁게 집중	넓게 분산
편익	넓게 분산	좁게 집중	넓게 분산	좁게 집중
정치적 활동	비용부담자와 혜택자 모두 집단행동의 딜레마	비용부담자와 혜택자 모두 강력한 집단행동	비용부담자는 집단행동, 혜택자는 집단행동의 딜레마	비용부담자는 집단행동의 딜레마, 혜택자는 집단행동
NGO의 역할	대중의 관심을 불러일으키고 이를 여론화하려는 역할	NGO의 역할이 위축됨.	규제형성을 위한 여론형성 등 창도가로서 역할	규제를 형성하려는 특정이익집단의 감시자로서 역할
정부의 모습	정책을 실현하려는 대통령의 의지와 리더십이 중요	정부의 역할이 위축됨.	시간이 지남에 따라 피규제기관에 포획되어 느슨한 집행	특정이익집단의 로비로 인한 포획현상
예	독과점규제, 방송·신문·출판물의 윤리규제, 낙태규제, 음란물규제, 종교규제, 차량10부제, 사회적 차별에 대한 규제	의약갈등, 한약갈등, 노사분규, 대기업과 중소기업 간 분규 등	환경규제, 식품안전규제, 자동차안전규제, 산업안전규제, 원자력 안전규제 등 사회적 규제	농산물최저가격제 등 가격규제, 수입규제, 직업면허, 택시사업 인가 등 경제적 규제

16   정답 ①

정답해설 ① ㉠은 직군을, ㉡은 직류를, ㉢은 직렬을, ㉣은 등급을, ㉤은 직급을 의미한다.

핵심체크 | 직위분류제의 구성요소

직위	• 1인의 공무원에게 부여할 수 있는 직무와 책임(실장, 국장, 과장 등) • 직위분류제에서 직위의 수와 직원의 수는 일치함.
직급	직무의 종류·곤란성과 책임도가 유사해 채용과 보수 등에서 동일하게 다룰 수 있는 직위의 군(직급의 수는 직위의 수보다 적음)
직군	직무의 성질이 유사한 직렬의 군(행정, 기술 등)
직렬	직무의 종류가 유사하고 그 책임과 곤란성의 정도가 서로 다른 직급의 군(행정, 세무, 교정 등)
직류	같은 직렬 내에서 담당 분야가 같은 직무의 군(일반행정, 법무행정, 국제통상 등)
등급	직무의 종류는 다르지만 직무의 곤란도·책임도나 자격요건이 상당히 유사해 동일한 보수를 지급할 수 있는 직위의 횡적 군(우리나라 실정법상 계급 – 관리관, 이사관, 서기관, 사무관 등)
직무 등급	직무의 곤란성과 책임도가 상당히 유사한 직위의 군(고위공무원단과 외무공무원에게 적용)

17   정답 ②

정답해설 ② ㉠, ㉢은 옳고, ㉡, ㉣은 옳지 않다. 브레인스토밍은 "양이 질을 낳는다"는 전제 아래 아이디어의 질보다는 양을 중시하며, 다른 사람의 의견에 자신의 의견을 추가하는 편승기법을 지향한다(㉠). 교차영향분석은 연관사건의 발생여부에 따라 미래의 어떤 사건이 발생할 확률에 대하여 식견 있는 주관적 판단을 구하는 직관적 미래예측기법이다(㉢).

오답해설 ㉡ 명목집단기법은 관련자들이 의사결정에 참여하지 않은 채 서면으로 대안에 대한 아이디어를 제출하도록 하고, 모든 아이디어가 제시된 이후 충분한 토의가 아닌 제한된 토의를 거쳐 투표로 의사결정하는 방식이다.
㉣ 정책델파이가 아닌 델파이기법은 미국 랜드(RAND)연구소에서 개발된 것으로, 전문가들을 대상으로 설문을 반복하여 특정 주제에 대한 합의를 도출하는 방식이다.

18   정답 ②

정답해설 ② 허쉬와 브랜챠드(Hersey & Blanchard)는 부하의 성숙도를 상황변수로 보고, 리더십의 유형을 지시형, 설득형, 참여형, 위임형으로 구분하였으며, 부하의 성숙도가 가장 높은 경우에는 위임형 리더십이 효과적이라고 보았다.

핵심체크 | 허쉬와 브랜챠드(Hersey & Blanchard)의 성장순기론

의의	리더의 행동을 과업지향적 행동과 관계지향적 행동으로 구분하고, 상황변수로 부하의 성숙도를 채택해 3차원적 리더십 모형 제시
결론	부하의 성숙도가 높아짐에 따라 리더십의 유형이 지시형 ⇨ 설득형 ⇨ 참여형 ⇨ 위임형으로 나아가야 조직의 효과성이 제고됨.

19   정답 ②

정답해설 ② 기준타당도란 시험이 직무수행능력을 얼마나 정확하게 측정하는가에 관한 기준이다. 기준타당도는 하나의 측정도구를 이용하여 측정한 결과(시험점수)와 다른 기준을 적용하여 측정한 결과(근무성적)를 비교하여 연관성의 정도를 파악한다.

오답해설 ① 직무수행에 필요한 능력요소와 선발시험요소에 대한 전문가의 부합도 평가는 내용타당도를 확보하기 위한 것이다.
③ 어떤 이론적 구성요소의 측정지표와 이미 타당성이 검증된 다른 기준과의 상관성 정도를 파악하는 것은 구성타당도를 확보하기 위한 것이다.
④ 추상성을 측정할 지표개발과 고도의 계량분석기법 및 행태과학적 조사는 구성타당도를 확보하기 위한 것이다.

핵심체크 시험의 타당성

기준 타당도	의의		• 시험이 직무수행능력을 얼마나 정확하게 측정하는가에 관한 기준 • 시험성적과 근무성적 간의 상관관계가 높을수록 기준타당성이 높음.
	검증 방법	예측적 타당성 검증	의의: 시험에 합격한 사람을 일정기간 근무케 한 다음 시험성적과 업무실적을 비교하여 양자의 상관관계를 확인하는 방법
			평가: 측정의 정확성은 높으나, 비용과 노력이 과다하게 소모되고 시차가 존재하여 성장효과 및 오염효과 야기
		현재적 (동시적) 타당성 검증	의의: 입안한 시험을 재직 중에 있는 사람에게 실시한 다음 업무실적과 시험성적을 비교하여 그 상관관계를 확인하는 방법
			한계: 신속하고 비용과 노력이 절감되나, 측정의 정확성이 낮음.
내용 타당도	의의		시험이 특정 직위에 필요한 능력이나 실적과 직결되는 실질적인 능력요소를 포괄적으로 측정하였는가에 관한 기준
	검증 방법		• 직무분석을 통해 선행적으로 실질적 능력요소를 파악 • 직무수행에 필요한(요구되는) 능력요소와 시험내용의 비교 • 직무에 정통한 전문가집단에 의한 평가(관련 전문가들이 패널 구성 등)
구성 타당도	의의		시험이 이론적(추상적) 능력요소를 정확하게 측정하는가에 관한 기준
	요건		추상성을 측정할 지표개발과 고도의 계량분석기법 및 행태과학적 조사
	검증 방법	수렴적 타당성	동일한 개념을 측정하는 지표들 간의 상관관계의 정도 – 상관관계가 높을수록 타당성 높음.
		차별적 타당성	서로 상이한 개념을 측정하는 지표들 간의 상관관계의 정도 – 상관관계가 낮을수록 타당성 높음.
	평가		직무내용의 능력요소를 구체적으로 포착하기 어려운 고위직에 유용하지만, 고도의 관념적 추론과정을 거치므로 오류 가능성이 큼.

20   정답 ①

정답해설 ① ㉠, ㉡, ㉢, ㉣ 모두 옳은 지문이다.

오답해설 ㉠ 품목별 예산(LIBS)은 예산을 지출대상별로 분류하여 편성하는 제도로 회계책임 확보가 용이하여 비능률적 지출이나 초과지출을 통제하기 용이하나, 재정사업의 목적을 알 수 없어 정부활동의 효과성을 판단하기 곤란하다.

㉡ 성과주의예산(PBS)은 예산을 정부의 활동·사업을 중심으로 분류하여 편성하는 제도로 정부의 활동이나 사업을 수행하는 관리자에게 운영관리를 위한 지침으로 효과적이나, 세부사업 중심이기 때문에 전략적 목표의식이 결여되어 있다.

㉢ 계획예산(PPBS)은 장기적 계획과 단기적 예산을 프로그램을 통해 유기적으로 연결한 예산으로 국가체제적 관점에서 예산이 편성되므로 부처 간의 경계를 뛰어넘어 자원배분의 합리화를 가져올 수 있으나 재정민주주의를 저해할 우려가 있다.

㉣ 영기준예산(ZBB)은 행정기관의 모든 사업을 영기준에서 평가하여 예산을 편성하는 제도로 의사결정단위의 설정 및 의사결정패키지의 작성을 중시한다는 점에서 의사결정지향적 예산제도이다. 영기준예산은 상향식 예산제도로 하급자들의 의견이 존중되지만, 소규모조직이 의사결정단위에서 배제될 수 있다는 비판을 받는다.

빠른 정답 찾기

1회
1. ③ 2. ② 3. ③ 4. ① 5. ①
6. ③ 7. ① 8. ② 9. ④ 10. ②
11. ① 12. ① 13. ③ 14. ④ 15. ②
16. ④ 17. ③ 18. ④ 19. ④ 20. ④

2회
1. ③ 2. ② 3. ① 4. ③ 5. ④
6. ④ 7. ③ 8. ④ 9. ② 10. ②
11. ③ 12. ① 13. ② 14. ④ 15. ①
16. ③ 17. ② 18. ① 19. ① 20. ④

3회
1. ④ 2. ② 3. ④ 4. ③ 5. ②
6. ② 7. ② 8. ② 9. ① 10. ③
11. ④ 12. ④ 13. ③ 14. ③ 15. ①
16. ① 17. ① 18. ① 19. ④ 20. ③

4회
1. ③ 2. ④ 3. ① 4. ② 5. ③
6. ① 7. ② 8. ④ 9. ④ 10. ①
11. ③ 12. ① 13. ③ 14. ② 15. ④
16. ② 17. ③ 18. ④ 19. ① 20. ②

5회
1. ② 2. ③ 3. ② 4. ④ 5. ④
6. ② 7. ③ 8. ② 9. ① 10. ②
11. ③ 12. ④ 13. ① 14. ① 15. ③
16. ① 17. ④ 18. ① 19. ① 20. ④

6회
1. ① 2. ② 3. ④ 4. ① 5. ④
6. ① 7. ② 8. ④ 9. ④ 10. ①
11. ① 12. ③ 13. ④ 14. ② 15. ①
16. ② 17. ③ 18. ④ 19. ③ 20. ③

7회
1. ② 2. ② 3. ① 4. ③ 5. ①
6. ④ 7. ④ 8. ④ 9. ① 10. ①
11. ③ 12. ① 13. ③ 14. ① 15. ①
16. ② 17. ① 18. ④ 19. ③ 20. ②

8회
1. ④ 2. ④ 3. ③ 4. ① 5. ②
6. ① 7. ④ 8. ③ 9. ① 10. ②
11. ③ 12. ① 13. ① 14. ④ 15. ①
16. ③ 17. ① 18. ① 19. ③ 20. ④

9회
1. ② 2. ④ 3. ③ 4. ④ 5. ②
6. ② 7. ① 8. ① 9. ① 10. ③
11. ③ 12. ① 13. ④ 14. ③ 15. ①
16. ① 17. ② 18. ④ 19. ③ 20. ①

10회
1. ④ 2. ③ 3. ① 4. ① 5. ④
6. ② 7. ① 8. ① 9. ① 10. ④
11. ① 12. ① 13. ① 14. ④ 15. ①
16. ④ 17. ③ 18. ② 19. ② 20. ③

11회
1. ④ 2. ① 3. ② 4. ③ 5. ④
6. ③ 7. ① 8. ① 9. ③ 10. ④
11. ② 12. ③ 13. ① 14. ② 15. ④
16. ② 17. ④ 18. ③ 19. ① 20. ②

12회
1. ③ 2. ④ 3. ① 4. ④ 5. ③
6. ④ 7. ③ 8. ① 9. ③ 10. ②
11. ① 12. ④ 13. ① 14. ① 15. ①
16. ① 17. ① 18. ② 19. ② 20. ①

MEMO

이명훈

주요 약력
- 성균관대 박사 과정
- 박문각남부고시학원 7, 9급 행정학 강사
- (전) 연세대, 서강대, 중앙대 대학특강 강사
- (전) EBS 행정학 강사
- (전) 윌비스고시학원 7, 9급 행정학 강사
- (전) 이그잼고시학원 7, 9급 행정학 강사
- (전) 베리타스 법학원 5급 행정학 강사
- (전) 윌비스한림법학원 5급 행정학, 정보체계론 강사

주요 저서
- 하이패스 행정학(박문각출판)
- 하이패스 행정학 단원별 기출문제집(아람출판사)
- 행정학의 핵(아람출판사)
- 단원별 예상문제집 1000제(아람출판사)
- 행정학 파이널 모의고사(박문각출판)
- NETclass 9급 행정학개론 동형모의고사(박문각출판)
- NETclass 7급 행정학 동형모의고사(박문각출판)
- 하이패스 지방자치론(아람출판사)
- 행정학 AI 확인학습 노트(박문각출판)
- 행정학 AI 확인학습 기출문제집(박문각출판)
- 최신행정법령 특강(아람출판사)
- 행정학의 맵과 틀(미래가치)
- 살아있는 행정학(헤르메스)

카페
http://cafe.daum.net/Hi-Pass

동영상강의
www.pmg.co.kr

9급/7급 공무원 시험대비 **전면개정판**

박문각 공무원 파이널 모의고사

이명훈 행정학

초판인쇄 | 2023. 3. 6. **초판발행** | 2023. 3. 10. **편저자** | 이명훈
발행인 | 박 용 **발행처** | (주)박문각출판 **등록** | 2015년 4월 29일 제2015-000104호
주소 | 06654 서울시 서초구 효령로 283 서경B/D **팩스** | (02)584-2927
전화 | 교재 주문·내용 문의 (02)6466-7202

이 책의 무단 전재 또는 복제 행위를 금합니다.

정가 13,000원 ISBN 979-11-6987-195-2

저자와의 협의하에 인지생략

2023년도 9급 국가공무원 공개경쟁채용시험 필기시험 답안지

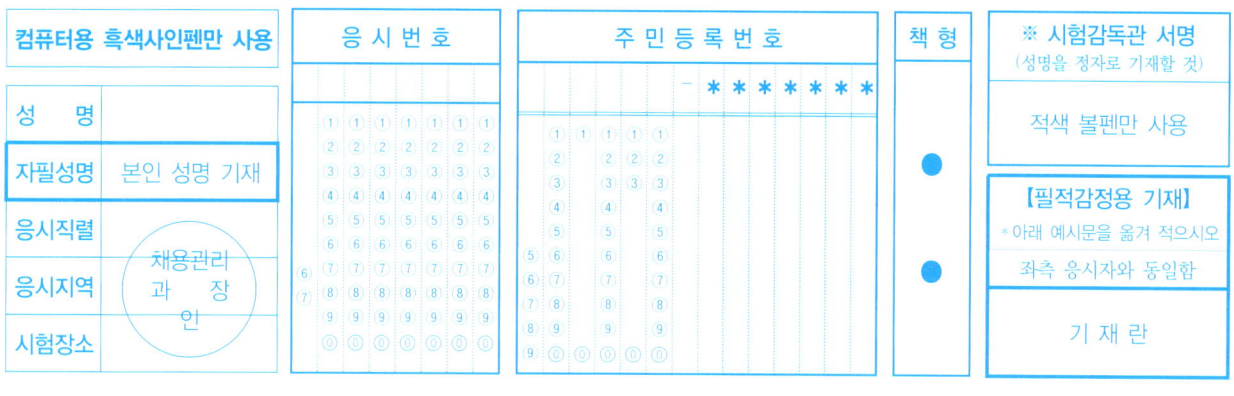

2023년도 9급 국가공무원 공개경쟁채용시험 필기시험 답안지

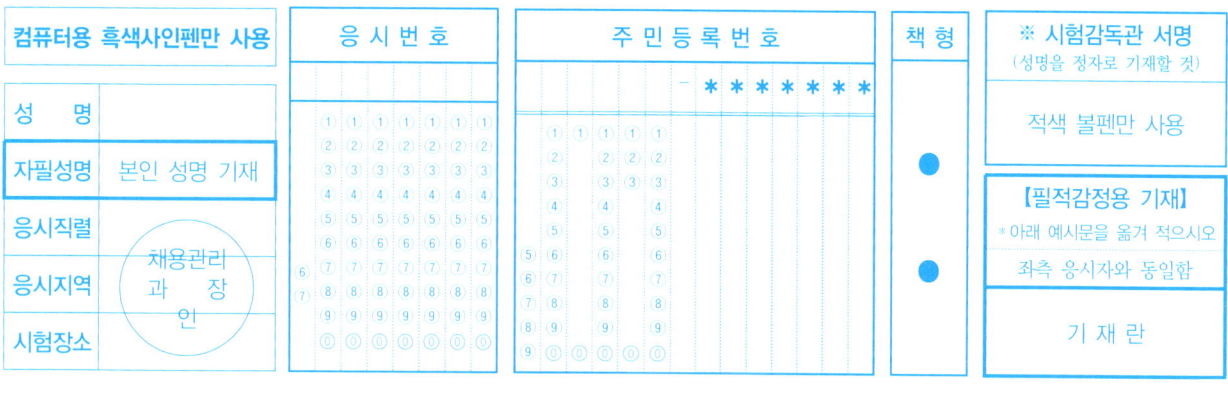